戴國煇全集

華僑與經濟卷・二

◎華僑
從「落葉歸根」走向「落地生根」的苦悶與矛盾

目次
contents

輯三　華僑問題對談錄

【圖表目次】

東南亞的華人系住民

◎ 陳鵬仁譯

前言

　　進入1970年代以後，經濟大國日本想盡辦法欲拂拭「經濟動物」、「黃色洋鬼」等不名譽形象，希望成為「令人喜歡的日本人」，而努力與亞洲多所接觸。

　　該情況已經在進行。正確來說，以往以日本與亞洲經濟為首的關係，可以說是透過對二次大戰之賠償的輸出或經濟合作，頂多是做為其延長的經濟、貿易關係而已。

　　敗戰國日本，因為經濟的復興和高度成長，現在已經變成名實相符的經濟大國。這個經濟大國，從以往的外匯不足，依靠外資到強勢的日圓和過剩的外匯，商品堆積如山，在此種情況下意圖與亞洲開展新的關係。這是現今面對亞洲的經濟大國日本的真面貌。

　　創建或轉變到新關係的緊要課題是，由於其為經濟大國，故似可歸納於如下三點：

　　第一，怎樣才能夠將大量的商品和機器等，賣到當地各國。

　　第二，怎樣才能夠確實而有利地確保當地各國資源，並輸入這些資源。

　　第三，怎樣才能夠把當地各國的資本（包括現款）、勞力和資源，納入己國資本在當地國的活動（即所謂資本的進入）的整個體系。

　　附隨在這個緊要課題，「華僑」的存在才會浮現於有關人士的念頭中。

　　就日本經濟發展到亞洲各國的有關人士而言，其對「華僑」的存在有所意識，應該基於以下三個理由：

　　第一，上層「華僑」掌握著當地國流通機構的中樞，由一部分中下層「華僑」所構成的小商人層，同樣多為當地國村落流通機構的主要擔負者。

　　第二，上層「華僑」是為數不小的資金擁有者、資本家，而且具有經營和管理企業能力的人們。

　　第三，一般來說，「華僑」的教育水準平均比當地居民高，尤其中下層「華僑」是便宜、效率高的熟練或半熟練工豐富的可能供給來源。

　　日本的有關人士，很清楚「華僑」具有這樣的條件。他們前往亞洲各國時，都會想利用華商所掌握的流通機構做為課題的一部分，試圖將「華僑」的資本和「人力資源」（勞動力和經營管理能力）納入資本活動的整個體系來驅使。

　　這是為什麼有關方面會那樣熱切要求研究「華僑」的理由。

　　在這裡，我們並不準備回應這樣的需求。我想做的是，盡量正確地勾畫出作為知性交流和文化交流對象的「華僑」實像。

　　如果可能，我很想提出能令人正確理解只有一個地球、同為這個地球構成員的「華僑」，和重要的亞洲鄰人「華僑」的一些管見，以作「棄石」〔譯註：指犧牲的棋子〕。

　　而我之所以在華僑一詞加上中括弧，主要是由於華僑的概念不清楚，而且他們一直被誤解，被虛像籠罩著。尤其在日本，漢字的語感甚至被忽視（這可能與日語的亂象有關係），因日本的當用漢字中沒有「僑」字，故將「華僑」不分青紅皂白一律稱為「華商」。過去的華僑，如後文所說，已變成或逐漸變成華裔、華人系住民，可是仍然把這些人叫作華僑，或者稱為東南亞的中國人。

　　這個誤解的延伸，或將他們所說的稱為中國語（正確說應該是華語），將他們所組織譬如馬來西亞的「馬華公會」（馬來西亞華人公會，Malaysian Chinese Association，MCA）翻譯成馬來西亞中國人協會。即使是從英文名稱的翻譯，這個翻譯也是有問題的。正確的翻譯應該是中國系馬來亞人協會或華人系馬來亞人協會。同樣屬於使用漢字的文化圈，我們應該珍惜漢字的語感。

　　對於「華僑」的誤解，不止於上面所述的用語方面。

　　對於「華僑」做為主張其存在的一環，使用並以自己母語教育，或保持其生活方式不但不予以同情，反而認為這些人是不願意同化和融合於當地的保守頑固體質。筆者不認為華人系住民沒有墨守舊規的氣質，對於舊氣質和前近代意識的批判，與應該看成是基本人權一部分的使用母語，用母語教育，基於自己的文化基礎來創造文化的需求，對於此欲求第三者的干涉，這是不同層次的問題。

　　由於「華僑」被稱為華商，所以統統被視為有錢人。華商固然可以是「華僑」，但「華僑」不全部都是華商。他們之中也有農民、勞工、知識分子和政治家等，這是眾所周知的。因此，「華僑」既有壓迫人家的和歧視別人的，也有遭到壓迫和差別待遇者，這是真實。

　　同時也有不少人臆斷，一切的「華僑」都與當地居民對立。甚至於有人妄斷，「華僑」是左傾的，他們傾向共產主義，因為認為他們對當地國欠缺忠誠心，進而視他們為中共的第五縱隊。

　　這些全都是誤解，都是不承認「華僑」個人人格的見解，是不可取的，我相信只要冷靜思考，就可以理解。

　　言歸正傳。現在我想先說明「華僑」是什麼，以及對於「華僑」的誤解是怎麼樣形成，然後對華僑作實像的描繪，以弄清楚華人系住民的真正情況。

華僑的分布概況

　　中國有一句話說：「有海水的地方就有華僑」。但華僑社會的形成不是單單靠海路，尤其是越南、緬甸、印度、朝鮮半島等各國的華僑之中，也有由陸路出國的，所以這句話不是很正確，其表達還不夠周全。但在世界各地有中國城，華僑的出身地大多屬於中國沿海各省，特別集中於華南的福建、廣東兩省，故這句話還是有其意義。

表1　居住在東南亞華僑的分布概況（1969年）

	居住者人數	對總人口百分比
菲律賓	11萬人	0.3%
泰國	350萬人	10.8%
緬甸	55萬人	2.0%
柬埔寨	30萬人	4.3%
越南（南北）	145萬人	4.3%
寮國	10萬人	3.3%
馬來西亞	400萬人	38.0%
新加坡	151萬人	74.4%
印尼	300萬人	2.7%
汶萊	3萬人	25.0%
日本	5萬人	0.0%
韓國	3萬人	0.1%

資料來源：依據1970年版《華僑經濟年鑑》算出。

　　關於華僑的概念，容後再說，現在暫時把華僑稱為住在海外的中國人，或在外中國人（英語的所謂Overseas Chinese or Chinese abroad）。那麼在東南亞各國究竟有多少人呢？

　　關於華僑的正確統計，現居國的統計不完全是一個問題，現居國的華僑觀、華僑政策以及國籍法之不同，因華僑之母國的中國，亦即北京當局和台北當局的華僑政策有異，因此華僑（包括後述的華人和華裔）的實際人數也很不容易掌握。

　　為了方便敘述起見，我現在使用國民政府僑務委員會所編輯和發行的1970年版《華僑經濟年鑑》來提出其概略統計。

　　如表1所示，在亞洲共大約有1,500萬的華僑，數目最多的是馬來西亞的400萬人，泰國的350萬人，印尼的300萬人和新加坡的151萬人。

在現居國總人口所占比率最高的是新加坡的大約75％；其次是馬來西亞的38％左右；第三位是汶萊的25％；第四位為泰國的10.8％。印尼等其他國則均在5％以下。但華僑在現居國所占的經濟社會地位，既特殊又重要，因此欲正確了解今後東南亞政治、經濟、社會動向，都不能忽視各國的「華僑問題」。尤其日本要與亞洲接觸時，因華僑為其主要的媒介應該特別留意。

東南亞為何聚集如此多華僑？要解明此點我們只有回溯華僑形成的歷史。

華僑‧華裔‧華人

在進入正題之前，我們認為有必要把前面籠統地所使用的華僑一詞作一個說明。即華僑是把中華的「華」，和表示僑居（臨時居住）人之僑民的「僑」合起來的簡稱。中華兩個字暫且不談，僑是在「喬遷之喜」即搬家之喜的喬，加上人字旁，因此可解釋為移居的人。

所以，將居住於中國領域以外的中國人，通常都叫作華僑（相對於華僑一詞，住在中國的外國人，譬如日本人即稱為日僑，英國人即叫作英僑），唯因語言是活的，故華僑這個漢字的語感所包含的內容，便隨時代而不同，或因華僑在現居國的政治、社會、經濟情況和歷史狀況（包括世代感覺）而有相當大的變動。

與此同時，住在中國領域內的中國人，由於長久歷史、文化傳統和重視血緣（同姓不婚的鐵則、不改姓的習慣），擁有中國

人血統者，不管取得外國國籍或歸化，大多還是會被視為「華僑」或者中國人夥伴的習性。此種習性，可能由於中國是多民族的國家，中華文明也是混種文明，可說是以渾沌的存在保持其活力而培育出來的結果。

中國人移居海外的歷史，大致可以分為三個時期。

（一）在鴉片戰爭以前移居者

眾所周知，中國是世界古代四大文明國之一，中華文明到近世一直維持其優勢地位。因此中國人與外國的交流史也可上溯到很早的時代。但鴉片戰爭以前的中國人的前往海外，因為海上出洋手段，頂多是利用季節風的帆船或戎克船，陸上是大多靠徒步或騎馬，海上出洋的目的是「取經」（尋求經典）、貿易（大半是走私）、帶有統治權力示威的要求朝貢的遠征海外，或者以易姓革命的原因的政治亡命為目的，故在當地定居下來的人數應該不會太多。即使有人在那裡定居，當時權力的主流，由於傳統的中華思想，大多將出國者視為棄民或流亡者，因此定居者便隱藏其身分，而既然要在當地同化，自有不少混血。

但如果當地的文化水平和中國人差得很遠，他們便以不與當地融合的形式，而濃厚地保留中國的生活方式和中國人的意識。

如果當地少有拒絕華僑的政治、社會（宗教）的要素，文化水平沒有太大差別的時候，就有華僑不迴避混血而融合於當地，進而插足政治中樞的例子，越南、泰國便是這種例子。

另一方面，如印尼之萬丹港、巴達維亞港，或菲律賓的呂宋

等為前者的情形。

在此期間，在印尼蒐集以胡椒為主的當地物產，轉售到第三國（歐洲各國），以及以輸入到中國為中心的中國人角色是很出名的。

做為在菲律賓以西班牙人為媒介之世界貿易的承擔者、閩南商人（福建南部出身的貿易業者）的活躍盛況是如歷史所記載的。

但這些先驅者，正因為是先驅者，所以他們在那裡定居的人也就不多。

他們之中，能經常來往中國者，仍然保持很強的中華意識，但有些人卻完全變成華裔，雖過著中國人的生活方式，但在意識上卻相當程度形成獨有的東西。

有人說，六個菲律賓人之中，就有一個人擁有中國血統也不是沒有理由。泰國人也有相當多成分的中國血統，人們並不否認華裔在泰國王朝擁有很重要的地位。

而這些人為了個人的飛黃騰達，隱瞞其為中國人血統的作法，也是人情的歸趨，當然本文擬不討論這個問題。

這些人的後裔，即使日後因為某種契機與其母國恢復關係，他們的意識仍然是華裔意識，這是極其自然的事。

（二）從鴉片戰爭以後到二次大戰的移居者

一般來說，由於近現代日本人的移民海外，大多在國家權力的支援下，做為推動國策的一環所實施的經驗，令人意外的是對華僑社會的形成或中國人移居海外動機的歷史本質，甚至其世界

史的意義，不但不能正確把握，而且大多忽略了。

我們在本文所討論的絕對多數華僑，都是現居國亦即接受方，與推出方之中國的歷史、政治、社會、經濟狀況交叉的產物。尤其是在這段期間移住的中國人出洋動機如下：

第一，因苦力貿易的移居：苦力貿易亦稱為豬仔貿易（pig trade），pig在廣東話是「豬仔」，也就是小豬的意思。出洋去海外的中國人，被蔑稱為「豬仔」，巧妙地說明了當時出洋去海外的性質。

製造豬仔的反人性處境，除來自清廷的政治腐敗和因此導致的經濟衰退，加上由英國為首的西方衝擊，以鴉片戰爭為象徵的西方資本主義對中國的侵略所造成。

因鴉片戰爭所造成華南一帶農村經濟的極端衰落，自然產生了許多流亡農民。

如果外邊沒有吸收或引出這些流亡農民的空間，流亡農民將聚集或被吸收為造反的農民運動（農民暴動）的道路，唯當時世界史的發展階段，正是以英國、法國和荷蘭資本主義為首，邁進產業資本主義盛開的道路。

正在邁進產業資本主義的西歐列強，為了確保商品和原料的市場，忙於分割和獨占殖民地的競逐，為迅速來臨的開發殖民地的勞力來源，因相繼實施奴隸的解放令（英國1833年、法國1848年、祕魯1855年、美國1860年、荷蘭1863年、西班牙1870年），而失去低廉的勞動力來源，獲得取代黑人奴隸的替代勞動力，乃成為資本主義國家的重要課題。

於是華南的流亡農民，和苦於英國殖民地統治的南印度流亡

農民，遂成為主要的替代勞動力，尤其中國勞工以其勞動效率高和工資低而被看重。

名叫華工的苦力，以苦力貿易的型態，被帶到古巴甘蔗農場、祕魯礦山和英屬圭亞那（Guyana）、巴拿馬、澳洲、美國、夏威夷等地之礦山、鐵路建設和農園工作。

本文所討論的東南亞各國華僑的祖先也一樣，皆被帶去從事開拓原始林、栽種橡膠、採礦等勞動，不是坐帆船，而是以汽船被大量運去的。

這些華僑前輩，當然在國內具有違反自己意願而不得不離開故鄉之政治、社會、經濟因素，但他們離鄉背井、飄洋過海，也不全是經由光明正大的自由契約。事實上，歐洲的移民公司和苦力貿易者，前往主要港口譬如廈門、汕頭、廣州、香港和澳門，透過其轉介的中國人奸商（苦力頭或豬仔頭），誘拐或誘騙生活困苦的「無知」流亡農民，對待其像小豬一樣將其送進甲板船底，運往目的地，強迫其從事不尋常的「苦工」，以創造出馳名世界的苦力。

東南亞華僑的祖先，許多是因苦力貿易而移居，但其中一部分人是因太平天國（1851～1864年）運動失敗，依靠北婆羅州或東南亞其他地區的先住華僑關係，依自己意願移住。同時也有向先住華僑所形成的華僑社會供給中國產品，和將當地產品輸入中國之從事貿易業的南福建移住者。

不消說，在這期間的移住海外者之中，更有趁上述移住海外的大風潮，依靠明朝以來定居於印尼、菲律賓、泰國的華僑親戚或同鄉，而自願前往。但我認為這個數目應該非常有限。

　　第二，民國成立以後的移住者：孫中山所領導的辛亥革命，其許多革命資金和人力，得自華僑社會是眾所周知。關於華僑之支援和參加辛亥革命的理由，容後敘述；成立民國以後，華僑與母國的關係，進入了新階段是不用說的。

　　曾經被當時的權力者視為異端者或棄民的華僑，隨民國的誕生，不僅獲得當局的承認，而且被讚揚為「革命之母」。

　　民國成立以後，華僑中的少數成功者，開始投資母國，也令其子弟回國升學。華僑中的先覺者，不但將母國的近代化運動帶進當地的華僑社會，親自辦理中國語文的普及運動和殖民地統治者所置之不顧的華僑子弟的普通教育，因而在各地創立了近代式的中華學校，以推動教育運動。他們也同時著手以發行報紙和雜誌為首的文化事業。

　　這些教育運動和文化事業在實際層面的工作，因當時華僑社會的性質（教育與意識的落後），不是他們所能勝任的。文化面的大多數承擔者，幾乎仰賴於母國特別是同鄉出身的知識分子。

　　由於國民黨政府和左翼知識分子，都想由華僑社會尋求其所要推動的建國運動和革命運動的贊同者，因此他們不但積極回應華僑的要求，並前往當地去尋找這方面的角色。

　　在這期間和以前移住的華僑之中，與當地人或中國人以外的女性所生育的下一代，或在當地受歐洲教育（受純粹的當地教育者很少）成長的子弟，與中國的關係淡薄，中國人意識稀薄，這些人在泰國稱其為Luk Chin，在印尼則為Peranakan（或Cina Peranakan）、越南為明鄉（Minhhuong）、菲律賓為Mestizo，馬來半島為峇峇（Baba）。這些人，以中國話統稱為華裔。

尤其在馬來半島，包括馬來人，在當地定居（根據一般說法，除少數民族的原住民外，大多數的馬來人，乃於十五、六世紀左右，由印尼諸島移住定居）的歷史很短，因殖民地開發的迅速發展，華裔才能走自己的道路。

他們之中，特別是當地出生的父親，當母親為中國人以外的女性時，與中國完全沒有來往，也不能受中國語文教育時，因與華僑社會毫無接觸，故做為「僑生」亦即峇峇，而形成不同於馬來人和華僑的社會單位，獨立過其生活。

此種經濟、社會、文化上的華裔與華僑的分裂，從19世紀初以來，據說主要於中國人早期移住與開發的海峽殖民地（麻六甲、新加坡和檳城）開始可看到。

在這期間早期移住者，其中國人意識濃厚者叫作「老客」，稍微晚些移住，還沒有完全成為華僑社會成員者則稱為「新客」。

這些老客和新客，大多是暫時的移住，具有前來賺錢的意識也就是華僑意識，至少一直保持到二次大戰結束，尤其屬於老一代的第一、二代華僑，至今仍然具有此種很濃厚的意識。

（三）二次大戰以後的新移住者

現今居住於海外的中國人之中，大戰後，逃離中國內戰或中共革命而移住海外的人雖然不多，這些人許多是直接由大陸、或經由香港、台灣移居海外。由於他們大部分在中國受過近代教育，不是以豬仔的型態出國的，以及他們所從事的職業不是苦力，大多從事知性勞動，所以他們的意識當然與華裔不同，也與

前述的老客和新客的意識大不相同而有其特徵。

　　二次大戰後的東南亞華僑，因現居國的新政治、經濟情況（從殖民地統治獲得解放，當地民族主義高漲，時或因此而產生激烈的排外主義，暗中具有國有化傾向的國民經濟形成），其母國中國大陸發生了社會主義革命，出現共產黨政權之後又經過文化大革命的大變動，他們尤其是年輕的一代，大多知道很難以華僑過生活，而開始要在現居國生根過日子行動起來。由於這種新形成的意識和新行動方式的反映，他們便不自稱為華僑，而自己定位為現居國的華人系住民。隨此種自我界定的變化，他們也把從前使用的中國語或國語稱為「華語」。換句話說，東南亞的華僑被情勢所迫由華僑變成華人，而自己也在一意往這條路走去。

　　如上所述，在外中國人各式各樣。但在他們之中，也有因為當地國的法律限制，而得不到現居國的國籍者；也有即使取得國籍，因現居國嚴格的華人政策，而不能歸化該國者，此點是可記住的。

　　這些拿不到當地國國籍者，或不欲取得其國籍者，才是嚴格意義上的華僑。

　　從以上所述，我們似可下這樣的定義：嚴格意義上的華僑是：維持中國國籍，私下（不做中國的公務）而且長期（不包括暫時的旅遊、商社的駐在員、留學生和技術研習生）居住的中國人才算是華僑。

　　唯因東南亞各國的政府或其許多政治領導人，至今仍以「華僑問題」為不可讓人看的可恥之物，並有偏愛於將國內矛盾轉嫁於它的體質，故以上的定義，只能算是象牙塔內的定義，我覺得

這是非常遺憾的一件事。

　　隨當地政治社會情況的變化，不只是嚴格意義上的華僑，連華裔、華人，不管其為何國國籍，都會全部被當作中國人，進而受到莫須有迫害，成為代罪羔羊。事實上，他們現在還遭受著這種待遇，極有可能在政治上遭到利用。

　　如前面所說，華僑的主流是從鴉片戰爭前後到清末出走的人們，華僑社會的形成也約於19世紀末20世紀初。

　　由於他們大多是棄民，國民意識未形成之近代中國成立以前的流亡農民，因此他們為因應當地的生活環境，遂創造介於殖民者社會與被殖民者社會之間獨自的華僑社會。華僑社會的基礎組織叫作幫，為地緣的如同同業公會的組織，他們以幫為互助的共濟自衛組織，利用其為發展事業的推動母體。

　　從前，幫分為福建、廣東、潮州、客家、海南五大幫，現在加上福清、福州、興化、廣西和三江的五幫，成為十幫。

　　這十幫，除客家幫外，冠上幫的名稱者，都是各幫成員出身的中國大陸鄉土名字。

　　但福建並不代表整個福建省，而是指廈門、漳州、泉州一帶的南福建而言。他們的共同方言是廈門語（亦稱為閩南語）。廣東也不指整個廣東省，而是民國以後的廣州市亦即廣東府周邊地方的意思，其共同方言為廣東話（亦稱為廣府話）。因為閩南人和廣府人很早就在東南亞建立了深厚地盤，因此人們遂接納他們誇大其詞的稱呼。

　　同樣占優勢（尤其在泰國），本來應該屬於廣東省的潮州

人，因所用語言是接近於閩南語的潮州語（話），故與廣府人劃清界線，而獨自形成一個幫。

屬於北福建的福清、福州和興化，因山巒疊嶂，使用互相孤立的方言，也絕少來往，性格又不同，所以分得很細，過著小單位的生計。

至於三江，係以華南以外出身者特別是華中，及長江三角洲地帶出身者為中心所形成的少數者的集團。

如上所述，幫是擁有共同方言出身者的地緣性結合團體。這個地緣，係以其母國還沒有形成國民經濟或國民意識時之地緣鄉土意識為結合的原理，其範圍是共同方言，也就是以語緣為其基礎。

不以出國時之地緣為結合基礎，而只以語緣為結合原理的是客家。如所周知，客家在南宋以前居住於華北，尤其以黃河流域之河南、安徽、山西各省為出身地。他們南下華南之後，在當地沒有同化，一直保持其方言和生活習慣，因此做為華僑外出前往海外之時代的鄉土，即使是廣東、福建、海南島或廣西（人數不多），也不以新鄉土之地緣的關聯而結合。因此，客家是幾乎與新地緣毫無關係的，以共同方言──客家話為結合的核心，形成客家幫。但客家的主流係以廣東省嘉應州，亦即現今的梅縣為中心，故同鄉會館的名稱，有時候也稱為嘉應會館。

因幫為互助的共濟自衛組織，故其社會功能也非常廣泛。算是互助、福利的醫院、義塚（公墓），學校經營，提供同鄉者住宿設備，主辦婚喪喜慶，為出外賺錢者代匯金錢、代寫書信等，服務項目繁多。

　　促進加強幫組織的是殖民地權力的華僑對策。殖民地當局不但實施華僑和當地人的分割統治，對華僑的統治也利用幫的均衡，指定各幫的領導者，做為統治的窗口。荷蘭以甲必丹（captain），英國也透過在各地自稱或他稱甲必丹的有力者或「頭家」來統轄華僑，以收統治之效。英國在馬來半島人口統計的華僑部分，以幫別為統計項目，就是據此理由。

　　幫的強化，當然不止是統治當局的撐腰，更要有利地進行與當地人的抗爭，以及華僑內部的械鬥，也是其一部分理由。

　　但因辛亥革命與高漲的中國民族主義洗禮，戰後現居國國民經濟的發展，當地民族主義的壓力的生起等，今日年輕一代便開始主張要揚棄幫派主義，因為華語（普通話）普及的結果擴大通婚範圍，加上許多的人事交流，「幫」逐漸變成有名無實的暗流正在成形。

　　尤其在新加坡中華總商會所發生的「幫派論爭」最為著名，故由內部要揚棄幫派主義的要求，今後必將更加激烈的延燒開來。

沒有「華僑」的華僑問題

　　上面我們對於華僑下了真正意義的定義，並敘述了過去華僑在現實的生活場所，居於生活的智慧形成了幫，使幫派主義蔓延的歷史過程。

　　與此同時，我們也指出，洶湧的新情勢促使他們不但要揚棄舊意識，甚至也要克服和放棄幫派主義。是即過去的東南亞華

僑，現在已經漸漸蛻變成華人系居民，而激烈地運作著。

　　但其轉變，做為人的一切營生的一部分，並沒有得到當地國有關人士及關心華僑問題的第三者的充分認知，是目前現狀。

　　照道理來講，這應該不是「華僑問題」，而是屬於在當地國的「華人系住民的問題」來掌握，但今日仍不明不白地（有不少人故意這樣做）以「華僑問題」來處理，這是很無奈的。

　　這是為什麼我把它叫作沒有「華僑」的華僑問題的主要原因。

　　以下我們就來討論這個問題。

　　殖民地時代，殖民當局對於華僑的壓迫和歧視，實不勝枚舉，而華僑的形成史可以說本身就是華僑排斥史的另一面。這在已開發國家（尤其是美國）和東南亞各國是相同的。

　　特別是二次大戰以後，加上殖民地解放鬥爭的高漲，對華僑的排斥運動更加激烈，頻度也增加。排斥的性質，不若以往由殖民當局直接，或做為分割統治之一環的間接排斥和壓迫，現今則大多被利用為代罪羔羊，成為國內矛盾的轉嫁對象，而遭到排斥和壓迫。

　　印尼的九三○事件（1965年），馬來西亞的五一三事件（1969年），可以說是它最近的代表事例。

　　但要弄清楚沒有「華僑」的華僑問題事例，我們不必使用上述的血腥事件。

　　因為我們身邊有更新的事例，在最為「意外」的地方也有其事例。

　　這個問題就發生於以往一部分外國學者說在政治、社會上已

沒有「華僑問題」，並以為華僑之當地化最為成功的泰國。毋需
贅言，泰國被譽為除新加坡以外，在東南亞華人系住民或華裔唯
一能安居的地方。

　　記憶猶新的是，在泰國由首相他儂（Thanom kittikachorn）
發起的不流血軍事政變（1971年11月17日），就政變的理由他
說：「因中國參加聯合國而被鼓起勇氣的在泰國的中國人，泰國
有走向共產主義之虞」，並表示：「泰國政府無法衡量，中國之
參加聯合國對300萬居住泰國的中國人會發生怎樣的影響。如果
大部分中國人心向共產主義，泰國領土到處可見的恐怖行動將更
加惡化，泰國由之將陷於混亂。現在的恐怖主義加上中國人的力
量，必將成為泰國安全的威脅。由於此種原因，必須迅速採取徹
底而斷然的手段。」

　　首先的問題是，他儂首相的所謂300萬中國人是什麼意思。

　　根據前引《華僑經濟年鑑》頁52的記載，泰國「華僑」之中
300萬人已經取得泰國國籍，其他的50萬人具有泰國的居留權。

　　在這裡特別要提到的是，關於國民政府所說的華僑範疇。

　　國民政府因其體質，及國民黨自辛亥革命以來與華僑繼續維
持下來的傳統關係，其對策也就是加強和保持與華僑聯繫的基
礎，大多依據以下原則，即國民政府因自己政治上和經濟上的利
益爭取華僑在政治上的支持，做為引進外資以促進工業化的一
環，將重點擺在積極引進華僑資本到國內。

　　華僑資本的引進，只要保障其資本之安全與確保利潤，並不
是很困難的事。至於在政治上取得其支持，就屬於另外一回事
了。因為大部分華僑不是台灣出身，而且他們在傳統上明哲保

身，不希望與政治掛勾。

的確，二次大戰以前，許多華僑曾經參加過辛亥革命為首的中國革命運動，以及中日戰爭和太平洋戰爭。但這是於此期間在中國國內有要打倒的對象，即視他們為棄民元兇的清廷、侵略中國和亞洲的日本法西斯主義，他們之參加運動，除泰國的特殊是例外之外，是在不牴觸當地體制與當地當局的一定框框內才有可能，這不能忘記。

二次大戰以後的情況，顯然與前述的情況不相同。國民政府為了抓住華僑，乃出於招待華僑，鼓勵其子弟回台灣就學（對他們採取特別的優待措施），派教員（泰半為國民黨員）到當地的中華學校，傳授三民主義教育和中國語文教育，宣揚中華文化、儒家倫理和中華文物，令華僑想念故鄉的形式，至今猶以加強與華僑的關係在努力。

國民政府的國籍法以血統主義為基本，規定喪失國籍要經內政部的許可，因此即使歸化當地國也把他（她）當作華僑，做為計算人數的對象為慣例。

他儂首相在前述所說「300萬居住於泰國之中國人」，算是包括國民政府向來所統計之意義上的華僑50萬，其他250萬人應該是已經取得泰國國籍的華人系住民。換句話說，幾乎全部居住於泰國之華人系泰國人，成為泰國當局懷疑的對象。當然他儂所說的話，其真正意思為何，有斟酌的餘地。但在被認為最融合於當地國的泰國，華人系住民還是被當作代罪羔羊，在政治上被利用，是不爭的事實而要給予注目。

因政變未流血結束，結果與九三〇事件和五一三事件不同，

但在沒有「華僑」的華僑問題本質上是沒有太大的差別，而華人出身、著名的能幹外交官，前外相他納（Thanat Khoman），在政變後新成立的國政評議會（議長為他儂前首相）不再是其成員，即可以證明這一點。

從附屬品到代罪羔羊

當地國權力與當地國的政治領導人，以及偏激的民族主義者對華人系住民的懷疑，當然不止於被視為中共的第五縱隊，他們更把華人系住民視為當地國社會的剝削者，和阻礙近代化最大的因素。

這些疑惑究竟是在何種狀況下怎樣形成的呢？下面就來考察之。

關於往昔華僑的出國經緯，以及形成華僑社會的歷史，既如上述，華僑社會的形成，自當追蹤做為形成主體的華僑歷史，但只是這樣做還是不夠的。因為華僑本來是豬仔、苦力，所以無從充分發揮主體性以形成華僑社會。在殖民地時代，他們只是殖民者的附屬品，現今他們所擁有的社會上、經濟上的地位，是殖民地體制的歷史性產物，至於做為殖民地遺制的他們地位之所以遺留下來，實與現居國前近代社會經濟結構頗有關係。

華僑被帶走，為當地所接納時，東南亞各地除泰國外，都是屬於其他國家的殖民地。（泰國在表面上雖然是一個獨立國家，但實際上是具有列強勢力均衡的次殖民地性質的緩衝國家）。

接納豬仔的當地權力主體，印尼是荷蘭，馬來半島是英國，

中南半島是法國，菲律賓是西班牙，後來則是美國的殖民地。

　　因各國被殖民地化的時代，和被殖民地化過程的具體情況不同，故接納華僑的方法和華僑的流入，其細節也不一樣。

　　有的地方，華僑甚至於比殖民者先行或同時並行開發和居住該地方。譬如新加坡、麻六甲、檳城等所謂海峽殖民地就是，尤其是馬來半島的葉阿來一家人對吉隆坡的開發，羅芳伯的蘭芳公司所開發的西婆羅洲東萬律（Mandor）地區等，都是史上華僑集體所開發著名的地方。

　　但這些開發，因以華僑內部的械鬥，與歐洲殖民地主義在母國適切而強力的砲艦保護下所行的殖民地開發不一樣，所以隨實力關係，後來統統被納入歐洲系殖民統治體制裡頭。

　　在當時世界史和發展階段，東南亞的歐洲殖民地主義是維持和強化重編當地的農村秩序，把當地農民固定在該農村之後，積極接納中國和印度的流亡農民做為替代黑人奴隸的勞工，及確保殖民地利潤的勞動手段或剝削殖民地利潤的助手，也就是做為附屬品來驅使，是他們最合理的剝削型態。

　　當時東南亞的許多當地居民，在宗教觀或價值體系，以及當地前近代的政治、社會、經濟結構的壓迫和剝削桎梏下，自然不勤勉，沒有儲蓄的習慣，欠缺理財能力。

　　印度系勞動者暫且不提，名叫豬仔之歐洲殖民統治者的附屬品之能幹，是史實所證明的。

　　由於其附屬品工作極有效率，因此殖民者對華僑的利用方法也不單純。對於接納的數目，殖民者一直小心翼翼留意不使其數量超過他們的需要。尤其是華僑將成為他們的「對手」有定居下

來的顧慮表面化時，他們便開始限制以中國系女性為首的華工入境，這在歷史上隨時可以找到證據。

　　限制入境還算是好的，他們甚至於一再實行血淋淋的鎮壓。在歷史上最著名的是，十七、八世紀，西班牙人對華僑上萬的屠殺事件；近例則是18世紀中葉，在印尼巴達維亞所發生的所謂「紅河之役」，屠殺了9,000名華僑的事件。

　　這些事件，除時代和兇手的性質不同以外，在本質上與最近的事件是沒有什麼兩樣的。狡猾的殖民者和權力者，為了盡量確保分割統治的果實，便將可能會損傷當地居民之感情的工作（例如舊印尼、馬來半島的製造鴉片的勞動者【新加坡有規模相當大的鴉片加工廠】、販賣者或當鋪，就泰國王室而言是徵稅承包人），皆故意令華僑去做。

　　可以說，他們同時並用了將被統治者對統治者的反感，轉向於只是統治機構之中間機構附屬品──華僑的卑鄙離間方策。

　　不得不在此種情況下生活的華僑，身為流亡之民和棄民的惡劣狀況下，只有選擇當殖民統治的緩衝物，和便於使用的附屬品道路。但我不認為所有的華僑皆被迫扮演這個角色。出外打拚者的秉性濃厚，且被白眼看待和漠視的人，當然免不了會有不大管自己榮譽的心態，自然也會有這種行動方式。

　　以人類歷史之常情被壓抑，被歧視的人往往還以壓抑和歧視，轉嫁於他人。有能力的豬仔，遂利用其做為好附屬品的地位鑽營殖民地社會的空隙，發揮其勤勉和商才，一方面巧妙地躲開殖民者所使用「飴」與「鞭」的華僑政策自保，從徒手空拳的豬仔變成小商人，儲蓄小錢，在東南亞各地甚至村落，有如雜草之

生根，從事商人資本和商業資本的活動。

　　華僑之不被當地居民視為豬仔或苦力，甚至被忘記其歷史原委，被一味當作缺德的商人、守財奴、殖民者的惡劣轉包人，就是基於這個歷史過程。

　　在當地社會，「幸運」地從豬仔晉昇的少數華僑，在上述情況下，不知不覺之中忘記了自己是被帶走的苦力出身或其子孫，竟附著殖民者的尾巴，視當地居民為懶惰者、低能兒、野蠻人，而予以藐視的事實。東南亞各國華人系一些知識分子曾經指出，現今同根的差別意識，猶深藏於各地華人系住民的心裡。

　　暴發戶，這些只是殖民者、權力者的幫手或買辦，有的有意識或無意識且若無其事地，充當壓迫和歧視的走狗。

　　而加強暴發戶之歧視意識的是，以擁有悠久歷史之中華文明為背景的「中華思想」和傳統的中國生活方式。

　　當然我們不能說持續抱著對「中華思想」和「中國的生活方式」的矜持都是不對的。反過來說對它有矜持，才能部分地抵抗殖民者所帶來的歐洲文明，有做為中國人的矜持，他們才會投身日後的中國民族主義、辛亥革命和抗日運動。

　　但「中華思想」的另一面貌，特別在這個時期有懼怕白人，視自己以外之非白人的當地居民為野蠻，即往往會變成藐視當地居民的行動方式。這個層面應該予以嚴厲批判的。

　　現在要談的是，能位居於各國華僑社會的上層，擁有予以壓迫和歧視之物質基礎，且具有上述「幸運」的人們，就全部華僑而言，是少數者而已。

　　雖然如此，我們多數人所經驗的是，外地人欲進入不同性質
的社會去生活時，外地人的少數者即使只有一個人做了壞事，結
果便成為「害群之馬」是世之常情。

　　在華僑社會，我們往往會在極少數的暴發戶上層發現這種
「害群之馬」。他們將舊中國的生活方式引進當地，擁有三妻四
妾，舉辦盛大而華麗的結婚儀式，和毫無意義、極盡浪費能事的
葬禮，奢侈享樂無比。有錢的華僑，死後還要「回唐山」，將遺
體連棺材用船運回故里。毋需贅言，這些行徑大大刺激了當地有
心的青年，引起他們的反感和反彈。

　　準備依靠有錢華僑的新來窮困華僑，與自以為沒有「財運」
的下層華僑（事實上絕大多數的人們屬於這一類）也一樣，在富
裕的同鄉或同姓華僑底下拚命工作。

　　論述所謂「華僑商法」的一部分人士，往往會稱讚華僑的互
助與幫內強有力的團結，認為是華僑的美德。但這個「美德」也
有它的訣竅，凡是懂得社會科學之ABC的人，都很容易洞察。

　　培育和支持「美德」的情況，產生於下面所述三大條件的複
合之中。如前面所說，華僑是殖民者的幫手，只是其附屬品，在
這種意義上，他們經常是體制方想排除的對象。

　　僅是殖民者的幫傭和買辦的華僑，只要停留在外來者的暴發
戶身分，勢必將遭受當地民族的白眼相看和排斥。可以說是不被
接受使用其入會權〔譯註：共同使用權（農村裡的山林草地）〕
的外來者的一群。

　　華僑因尚未充分具有近代中國民族意識便移入當地，故形成
擁有很強鄉土意識的地緣同業公會組織──幫，不僅做為對外的

窗口，而且在華僑社會內部互相抗爭，這是我們在前面已經說過的。

在這樣排斥、遭到白眼、不被理睬和抗爭等不安的情況下，華僑為了保護自己，只有依靠自己力量才能生存的情況，乃是孕育出「美德」的一個重要因素。

在華僑苛酷的生活條件下，他們也是為人子弟，具有人本能的歸巢性，為了維護自己的安全，總有「衣錦歸鄉」或「落葉歸根」的原理，根深柢固滲入在他們的生活之中。

清末中國的動亂，日益高漲的革命胎動，也波及東南亞華僑，並將他們捲進其中。

如前面所說，東南亞華僑大半是出身華南沿海省分，很富於進取精神。

尚未華裔化，華僑意識濃厚的一部分華僑，因滿族的政治腐敗，不得不流亡異鄉的棄民意識，加上對於異民族對母國統治之漢民族的反彈情緒，而養成以單純反感為基礎的愛國心。其中，有的因為在異鄉經常受到排斥，不被理睬的不安，加上面對時而將遭到血淋淋鎮壓的威脅，因此期待能夠保護他們的強大近代中國的出現。

在另一方面，很「幸運」能儲蓄小錢，因而升級的一部分上層華僑和激進的華僑青年，尋求資本主義發展的新領域於其母國，為創造其發展條件及其環境，遂對資產階級民主主義革命（辛亥革命）不惜捐款和傾注青年的熱情。

當然他們之積極參加辛亥革命，是因為革命的主導者孫中山

及其大部分領導者為廣東省客家人，和其一部分為福建省出身，有極大的關係。

尤其是馬來半島的殖民地開發，因當時世界史階段之蘇伊士運河的開通，橡膠和錫之需求大增，而有極大的進展，這自然幫助了當時的華僑經濟。

為英國殖民統治體制下之附屬品的華僑，在不威脅於英國殖民體制的範圍內，擁有參加中國革命運動的些許政治活動自由。

由於上述華僑經濟的進展，和擁有在殖民體制下的一些政治活動的自由，孫中山等在馬來半島革命資金的籌措和革命運動的宣傳活動，才能夠獲得一定的成功。

孫中山稱讚華僑為革命之母，爾後國民黨之所以繼承這個說法，正是反映了上述條件和華僑參加革命的種種來龍去脈。這是革命領導者對華僑的很大期待，尤其是期待對政治捐款的政治性發言和讚頌之詞。

隨辛亥革命的挫折、軍閥的割據、國共內戰、母國政治的腐敗和混亂，並沒有使他們充分發揮開拓者精神，也未讓他們的回國投資對母國的產業資本的發展發揮功能。

但他們對處於列強的蠶食和強大壓力下的母國熱愛之情仍然沒有消褪，對於孫中山思想的共鳴和近代中國的實現具有熱切的願望。

母國的啟蒙運動、新文化運動和新式教育打動了他們的心，於是在當地自力創辦中華學校，大力推動中國語（北京官話）的教育，促其普及。在這個趨勢下，他們積極令其子弟回國升學，如新加坡的閩南出身僑領陳嘉庚，獨力創立了著名的廈門大學

（1921年4月開學）。由於有這樣的傳統，所以新加坡、馬來半島的北京官話才能普及，北京官話（他們管稱其為國語，最近與華人的稱呼並行，也被稱華語）遂成為他們共同的語言。

又1955年開學的新加坡南洋大學是陳嘉庚的門下陳六使，與陳嘉庚的女婿已故李光前博士（新加坡大學第一任校長＊）等人，繼承陳嘉庚的思想而創辦的。

而更加喚醒和掀起華僑之中國民族意識的是中日戰爭和太平洋戰爭。

本來就極富於愛國心的華僑，因辛亥革命後母國的混亂，曾經有過挫折感，迨至日軍出兵山東，發生九一八事變，華僑又燃起愛國熱情，開始國防捐款和杯葛日貨，間接參與抗日運動。爆發盧溝橋事變以後，一直只展開部分的抗日運動，遂更加熱烈擴展，進而發展為華僑青年之回國從軍。

而使情況更深化的是，隨太平洋戰爭的進展，日軍侵略東南亞這件事。

日軍一開始就視當地華僑為抗日運動的行動者，和抗日戰爭有力的經濟支持者（事實上，除當地出生的「僑生」或峇峇外，大部分的華僑皆明裡暗裡支持和參加抗日戰爭），起初以鞭子予以打擊（在新加坡、怡保等地的屠殺華僑事件為其最），爾後在強權下讓其吃甜頭，要其替日軍籌措軍需物資，施行軍政，強制其捐獻。

從盟邦方面來看，太平洋戰爭具有反法西斯主義戰爭的性

＊　李光前（1893～1967），1962年任新加坡大學首任校長，1965年因病辭職。

質，但在另一方面，因日軍在嘴巴上標榜要把歐洲殖民主義趕出亞洲，故在戰爭初期，日軍曾吸引了一部分當地居民。

在這期間，日軍在當地採取各種行動，積極挑撥離間當地人與華僑，及當地人與英軍的關係。因日軍的這些政策，特別是在馬來半島，發生當地居民搶奪和屠殺華僑的事件，激發了一般當地居民與華僑的反目和對立。這個反目至今還拖著尾巴。

馬來亞共產黨從地下冒出來，展開激烈的抗日游擊戰，就是這個時候。

在泰國，情況更是複雜。因泰國政府屬軸心國，與中國和盟邦是敵對的，故華僑比大戰以前受到更嚴厲的鎮壓。

在日本無條件投降結束戰爭的東南亞，在泰國得意地為勝利遊行的華僑，在曼谷與軍警發生衝突，多人被殺。馬來半島與日本當局有關係的馬來亞裔住民，擔心回來的英軍與從密林出來的馬來亞共產黨，會與華僑游擊隊的民兵合作，對曾經與日本合作的馬來系住民報復，乃對華僑更加反感。

戰後的混亂，加上當地民族主義的高漲和解放殖民地的獨立運動如火如荼，以及歐洲系舊殖民者在政治上不得已的撤退（在經濟層面雖然有程度上的差別，舊殖民地宗主國的資本仍然留下來，其影響力至今還是很大），故在形式上各國獲得了獨立。

因此直接的壓迫者和剝削者的殖民者從舞台消失，原來只是殖民統治體制附屬品的華僑便被當成眾矢之的。

於是殖民統治遺留下來的髒物的處理工作，必然地落在代罪羔羊的身上。不管華僑高不高興，代罪羔羊的角色可說已被強加上了。做為代罪羔羊被壓迫的華僑事件，如前所述已有好幾件，

而泰國最近的政變，也是以華人系住民為代罪羔羊的一個例子。東南亞的軍事政權與他們所選擇的建國方策只要不變更，我相信做為代罪羔羊的鎮壓華僑事件是不會消滅的，華人系住民將繼續成為當地國處理國內矛盾最好的轉禍對象。

　　民族主義運動的急劇進展，有時候免不了衝過火。但在東南亞的許多國家，以自己民族主義的發展，和自己殖民地解放鬥爭扮演主角而贏得獨立的是例外，所以其獨立是形式上的政治獨立，自己也甘於這種形式上的獨立，敷衍搪塞、任人插嘴插足因而遲遲無法發現最大敵人的存在。

　　事實上，要發現自己內部的矛盾和腐敗，在還沒有確立自立精神，未確立建國之主體性的內部缺陷是非常不容易自覺的。

　　尤其是在軍事政權的各國，製造代罪羔羊以暫時緩和國內矛盾是輕而易舉的，此時華僑和華人系住民最容易成為犧牲品。同時，對於問題本質的認識屬於理性的層面，故一般來說其認識很是困難。當局往往因其困難，乃將之以容易訴諸於群眾感性的種族問題或民族問題來頂替。華人系住民於是變成「看不見的敵人」而經常為政治所利用，其理由在此。印尼的雙重國籍問題和禁止保持外國籍的零售業（其大半為華僑系住民）問題，菲律賓之實施零售業國民化法，越南和柬埔寨之限制華僑就業職種，禁止和限制教授中國語文的中華學校，強制使用當地國語文，在國籍上和金融層面的管束與壓抑，限制甚至拒絕錄用華人系青年當公務員等壓迫華僑的政策，雖然有程度的差別和實施時間的不同，在東南亞各國都是一樣的。

當地國政權，一方面採取整華人系住民的方策，另一方面又強求他們忠於當地國。這種二律背反的政策邏輯，自然令華人系住民採取面從腹背、更「狡猾」的行動模式。可以說將之趕入惡性循環的道路。

對於這樣的壓迫政策，上層華人對當地國權力者積極從事政治獻金，對軍方則行賄以換取他們的保護，同時也走近官僚資本與之勾結以保護自己。這種人聽說不少。

為了減少政情不安所可能導致的風險分散策略，他們便令其子弟留學歐美，取得留學國家的國籍以分散家族的國籍；在資金上更存款和投資於國外，除透過與已開發國家資本的合資事業，追求利潤外，期待做為外資背景的外國國力一旦有事時能獲得國際輿論的支持，亦即考慮以無形的保險來保護自己資本的增加和保全的方策。在當地國社會或政界擁有深厚關係的一部分華人，也有人意圖與原住民系有力人士的關係者通婚（創造人脈），以確保權力的庇護。

這些上層華人的自衛方策，個別的也許有些效果，但事實上，並沒有獲得根本的解決，不僅華人系住民，更促進當地國權力的腐敗。腐敗的結果及其累積，勢必將付出更大的代價，難怪華人系的有識之士要歎息。

那麼，華人系知識分子與青年是如何因應呢？他們受過中國民族主義的洗禮，也有所覺醒，因此意圖克服揚棄幫派主義和嘗試消除華僑的體質。他們之中，也有人為追求真正的「落地生根」而變成激進的社會主義者。

他們所提出的從「落葉歸根」到「落地生根」之路大概正

確，可是那條路可說很險峻。

翻開華僑史，「落地生根」的實踐者，在「落葉歸根」的原理很有力的二次大戰以前，還是有的，雖然為數不多。這些可以說是僑生的行動模式，但僑生群畢竟不是華僑的主流，是例外，故不能重視。

而且其「落地生根」的內容，係依靠歐洲殖民主義者之統治體系的體制（與普通的華僑所屬統治與被統治的中間層不同，可視為比華僑稍微高一層），故不能說是真正的「落地生根」。

一般來說，在當地社會要以僑生群生存，在經濟上必須位居上層。如果因為某種原因他們必須從社會經濟上的地位滑落下來時，他們大多不會選擇與當地住民同化，而在很曲折的心理狀況下寧肯走上普通華僑的道路。因為殖民地社會在心理上的歧視和偏見的結構是，成立於歐洲白人和權力者，作為統治者的優越感，華僑的次優越感，以及當地居民之民族規模的劣等感和自卑感微妙的交叉上面，所以落魄的「僑生」大多會選擇走次善方策的華僑道路，這從當地社會的價值觀來說，是很自然的事。大部分的僑生，因為其做為僑生的身分，大多不尋求其母國的文化紐帶，而認同殖民統治者所屬的歐洲文化和價值；不喜歡中國語文教育，而以接受歐洲語文教育為榮。

其行動模式大多如上所述，故他們可以成為歐洲文化或文明的祖述者或亞流，而不可能成為創造當地社會文化的中堅分子。他們扮演與一般上層華僑做為附屬品稍微不同的社會地位和角色，但在殖民地時代，只是當地權力能幹的中、下級殖民地官僚或歐洲企業的好幫傭。僑生群在戰後的新情況下，被納入權力與

體制的一部分，以協助由上而下之近代化路線為基礎的國家建設。

　　左翼知識青年層即使不是華人系也不認為上述僑生群與上層華人「落地生根」的行動模式是真正的解決之道是當然的。

　　其次，我們來看看，在華人系住民中，人數最多的中下層華人，尤其是小商人層的情況。目前，當地國的權力者在推動的華僑政策中，最緊要的課題是排除村落層次的華商，以圖流通機構的國民化。而成為其對象的華商，毋需說，不是大華商，而是小華商層的華人們。

　　如所周知，中下層華人系住民是一連串排華運動的主要對象，是代罪羔羊的最大犧牲者。他們沒有保護自己的手段（金錢、武器、避難的手段等），由於是小商人，因此經濟力薄弱，散居於村落，是一群被分散的弱小者。屬於中產階級的他們，自認為是外來的「賺吃人」，故汲汲於存小錢，以為與政治發生關係沒有什麼好處、小心膽怯的人們。在這種意義上，他們可以說是最執著於「落葉歸根」原理的華人系住民。被當做是近代化的最大障礙，「背後實力者」而成為排除之最大對象的華僑，就是這些人。

　　上述排除華人系小商人的法案，常以合理化流通機構，排除中間剝削者以提高當地居民所得為藉口，以最不花錢的法制規制來實行。

　　法案的實施方策，幾乎完全不會以改革當地國的政治、社會、經濟結構為目的。只是由上而下的法令的實施，大多不是權力當局自己在實施上打折扣，就是因華商被迫想出新的對策，（譬如借用當地居民名義）以為敷衍，故情況毫無改善。不止於

此，有時候問題潛在化，由之導致村落經濟活動的停頓或混亂。如果說有效果，與其說是提高了當地居民的所得，不如說是被利用為官僚資本擴張的突破口。

不能改善是理所當然的。因為原來的農村秩序原封不動，不加絲毫改革，而只是在舊村落結構上尋求對自己政權的支持基礎，因此當地國政府的作法無異於緣木求魚。

華人系小商人之所以在當地國的村落結構能夠生根，如上所述，乃因為他們是歐洲殖民者殖民統治結果的一部分，係為當地國社會的舊秩序所培育。

完全不碰觸培育華人系小商人的舊秩序辦事，簡直是不欲碰水又想撿河底石頭的作法。

沒有人否認，華商的存在是阻礙亞洲各國近代化的因素。我們要主張的是，並非只有華人系小商人才是阻礙的因素，也不是最大的因素。何況經常被當作代罪羔羊和被排斥對象的農民、勞工、小商人階層是弱小者，斷非「隱然的實力者」。

如果能注視問題之本質的人，應該都知道將一切華人系住民視為「看不見的敵人」、「背後的實力者」，對占多數的中下層華人系住民（小商人、勞工和農民）貼上這種標籤是不對的。

中國的華僑政策與華人社會的新動向

一般流傳的華僑觀之中，有所謂「看不見的敵人」、「中共的第五縱隊」。這種疑惑大多是以華人系住民的母國採取共產主義體制為藉口，有不少華人系住民屬於當地左翼陣營，特別是華

人系住民在馬來亞共產黨占有高比率而造成的「神話」或幻覺。

　　一方面說華人系住民是「妨害近代化的剝削者和實力者」，另一方面又說他們是「中共的第五縱隊」和「看不見的敵人」。這種不合乎邏輯的邏輯，不僅不是邏輯層次的問題，而是為反彈而反彈，是為隱藏國內矛盾所準備的勾當，這是當地國有識之士所指出的。將華人系住民的左傾歸因於中共這種邏輯，從「落地生根」的邏輯來說無疑是一種武斷的說法，是一種不欲正視問題本質的「懶惰者」的邏輯。

　　與國民政府不同，北京當局的華僑政策的基本是：第一，希望華僑基於自己意思取得居留國國籍，忠於居留國；第二，華僑取得當地國國籍時，不得擁有中國國籍，但仍繼續認為與他們具有種族上和文化上的紐帶；第三，繼續擁有中國國籍的華僑，必須遵守當地國法律，不要參加居留國的政治活動，但華僑的正當權益必須予以尊重，不得有差別待遇共三點為主旨。

　　從以上所述可知，大陸中國並不期待華僑「落葉歸根」，希望他們「落地生根」成為真正的華人系住民。

　　我認為，乒乓外交以來的新情勢，勢必將加速華人系住民的「落地生根」。

　　東南亞各國國民經濟的形成，統一市場的成立，農民、農業問題的深刻化，人們所謂的南北問題亦即南北各國國民的所得差距，華人社會之階級或階層分解的進一步深刻化，民族間之對立所導致悲劇的惡性循環與對人性的破壞等，在大眾的層次上，也將發現其矛盾的真正所在和問題的本質在哪裡。

　　褊狹的民族主義者有意識地行使極容易訴諸於感性又很難去

除的民族歧視，加上政治、思想亦即意識形態因素的方式，將被
當地國有理性的領導者識破其局限與缺陷，進而與民眾的睿智結
合，來揚棄這樣的方式。

　　國民政府之退出聯合國，以及其在國際政治上之日趨孤立化
的趨勢，使一直希望「落葉歸根」的一部分華商切斷這顆心。

　　「落葉歸根」傾向「落地生根」的現象，今後可能會更加變
本加厲，華僑意識和華僑舊體質的蛻變，可預期將由覺悟的年輕
一代來大力推動。

　　華人系住民要恢復其人權的努力，尋求真正「落地生根」的
心態和行動，我相信被當地居民接受和肯定的日子將到來。因為
真正的「落地生根」道路與當地國大眾之進步的道路並不衝突。

　　毋需贅言，日本之邁向亞洲，不能是促進當地國民族的分
裂，和妨害華僑「落地生根」之路的型態。

參考文獻

游仲勳，《華僑経済の研究》，1969年，アジア経済研究所。
內田直作，《東洋経済史研究Ⅰ》，1970年，千倉書房。
戴國煇，〈私の華僑小試論〉（戴國煇，《日本人との對話》，1971
年，社會思想社）
戴國煇，〈華僑観の誤解を解く──「落葉歸根」から「落地生根」へ
の苦悶と矛盾〉（《経営問題》，1972年夏季號，中央公論社）

　　　本文原收錄於松本重治編，《東南アジア＝ハンドブック》，東京：
　　　每日新聞社，1972年12月5日，頁337～369

戴國煇全集 11

華僑與經濟卷・二

華僑

從「落葉歸根」走向「落地生根」的苦悶與矛盾

雷玉虹 譯　林彩美 日文審校

代序：華僑的實像與虛像

前言

　　我今天之所以選擇「華僑的實像與虛像」一題，是假設在場的各位曾經擁有的華僑印象，以及現在以日本新聞媒體為中心所形成的華僑印象做為前提。實際上，現在日本所擁有的華僑印象並未正確地表達出「有血肉之軀」生活在現代的華僑們的真實面像，希望此點能夠得到大家的理解，這是我今天的第一個願望。

　　我在研究華僑問題時，盡可能地進行現場調查的方針，因為我重視臨場的感覺。為此，我曾於1969年11月至1970年初去過東南亞，之後，又曾於1977年3至4月間到過加州、夏威夷、墨西哥國界的第法那（Tijwana）附近進行過調查。後來，還於1978年10月1至3日間，以一位客家出身的華僑研究者身分，參加在舊金山舉行的第四屆世界客屬聯誼會。因為當時正擔任日本的一個客家組織（日本崇正總會）理事，並兼任小報《客家之聲》的編輯，此行也順便兼作一些採訪工作。

　　因此，我也利用這個機會，在同年9月27至10月13日之間，訪問了溫哥華、芝加哥、紐約等北美與美東的唐人街，調查那裡

人們的生活狀況及思考方式；我還與中國出身、住在美國的學者，或是新聞記者，一起進行過討論。這期間所談到的有關台灣方面的話題，已經總括於我的新書《台灣與台灣人——追求自我認同》（研文出版社）一書中，希望能夠給大家提供參考。

　　然後，我這次又參加1979年8月18至24日，在新加坡舉行的南洋客屬總會（李光耀總理為最高顧問）的50周年大會。我將這段期間得到的感想，總括為〈東南亞「華僑」資本與國境〉一文，發表於1979年12月號的《經濟セミナー》雜誌（參見本書輯二第五篇）。以上四次的經驗，使我有機會與生活於現實中的「華僑」們進行交流，儘管他們僅僅只是世界華僑中的一小部分而已。雖然時間很短，但對我而言，卻是相當寶貴的體驗。

　　生活在東京這個地方，對身為研究者的我而言，可說是非常幸運。東京不僅是交通要衝，而且也可稱得上是當今世界上最能夠享受到言論自由、學術研究自由的地方——也就是說，我對日本各位朋友表示感謝的同時，與中國大陸、東南亞、美國、台灣都保持著一定的距離，希望自己盡可能客觀地觀察與研究做為世界史的「現代」的動態，並且希望今後還能夠持續這樣進行下去。簡言之，在不捲入現實政治之下，自己還能客觀作研究的欲望，在相當程度上獲得了滿足。

　　到今年為止，我來到日本已有24個年頭了，在與日本的友人、學會等交往過程中，有一件讓我感到非常困惑的事情，即日本人似乎是喜歡直率的性格，例如「因為是從台灣來的，就應該回到台灣去呀！」，或在背後說「因為是從台灣來的，可能是台獨人士，或者是國民黨的支持者也不一定」、「日中恢復邦交，

美中也建交了，戴君，你為何不去北京啊？」等等諸如此類的話語，使我成為各種謠言的主角，並受到他人質疑。坦白地說，我覺得這一切是與我無關的……。總之，做為個人或是研究者而言，自己做為「個體」的存在價值與理由，在日本有一種較難得到包容的氣氛，這常讓我感到為難。衷心希望這種不隨波逐流的「個體」生存方式，也能夠得到理解。

我極為欣賞永井道雄先生，在將我介紹給一位美國大學的白人教授認識時的說法：Dr.Tai lives in Tokyo. He is an independent Chinese but comes from Taiwan.這介紹確實很精采。我希望自己能成為一個獨立的中國人。這點要得到美國人的理解似乎是比較容易，而要得到日本諸位的理解就比較難了。

在此，我想將話題轉到被稱為「華僑」這部分人的問題上，來進行我的談話。也就是他們的精神層面問題，應該如何去思考？如何去理解？或者說他們所擁有的人性問題，應該如何去看待？如果我們去探究他們內面的心理結構問題時，又會出現什麼樣的結果呢？我自己本身就是華僑的一分子，同時擁有可以與他們用同一種語言進行直接交流的立場。也做為同一時代人，我擁有與他們共通的歷史，想利用這種有利條件做出一點小小的貢獻。探討精神層面的問題是項非常困難的挑戰，但希望我的嘗試及不甚高明的談話，能以某種形式發揮作用。

如何抓住華僑問題的本質

在我考慮到這個題目時，首先聯想到的就是當前在美國最受

關注的艾力克斯‧哈雷（Alex Haley）所著的《根》〔*Roots*〕，
以及艾利克生（E.H.Erikson）所著的一系列有關「認同」
（identity）作品的問題。實際上《根》一書在日本是由社會思
想社所翻譯出版，碰巧負責出版該書的人，與負責出版我的著作
《與日本人的對話》、《新洲的構圖》的是同一人。他剛買到
《根》的版權時，想到這可能會像在美國一樣成為暢銷書，曾令
他激動萬分。然而事與願違，該書賣得並不如事先所預期的那麼
好。當時在爭取《根》的版權時，出版社之間似乎有過一場激烈
的競爭，但我從一開始就感覺到艾力克斯‧哈雷的作品，在日本
可能沒有像在美國般那樣暢銷。

　　艾利克生的一系列有關認同的著作，也好像賣得不太好。前
陣子，前田多門先生的女兒神谷美惠子去世，她在書中將艾利克
生的某部分內容，進行日本式的重新改寫，是一本非常好的書。
她把與疾病奮鬥的生活、精神生活或者是做為醫生的各種體驗，
用自己的語言表達出來，成為極精采的文章，這本書至今還是常
銷書。不過艾利克生的書本身，似乎是有一些日本人所不能接受
的東西；而在美國，無論是飛機場的小商店、書店裡，都在販賣
艾利克生的平裝書，似乎相當受到讀者歡迎。這種不同，到底意
味著什麼呢？這兩種書不被日本人所接受，不是因為日本人不
好，可能是與日本人的「村落結構」尚未完全解體有相當程度的
關聯。此並非好與壞的問題，因為有「村落結構」尚未崩潰的客
觀事實存在──也就是自己的祖先通常還在身邊，故難以產生出
尋根的欲望。同時，也沒有出現所謂認同危機的狀況，即對自己
的存在感產生危機，這點在日本並未被充分地意識到。大家彼此

安分守己，同時也是循規蹈距，可看成完全是處在一種「相互包容結構」的狀況。這樣的社會結構還存在前半部有儒教中所包含的一系列思維方式在內，儘管日本的儒教已經有所變質，但我認為也就是在這樣的狀況下，才會出現土居健郎先生的書能暢銷，但《根》以及有關認同的書卻賣不出去的情況。

此外，是否可認為這種「村落結構」的殘留，對於日本戰後的高度經濟成長，有著極為正面的作用；但這也是導致日本國際化進程遲緩，讓許多有良知的日本人感到困惑的原因之一。我首先想要指出的是，前面所提到的兩種書賣不出去的原因，不只是妨害日本國際化進程的因素，同時也是導致了華僑虛像形成的原因。

「華僑」一詞中的「僑」字，在戰後制定「當用漢字＊1」的過程中，曾一度被刪掉，因此，不久前還被「華商」一詞所代替。有一些上了年紀的人，或許還對這個詞擁有不同的印象，而現在年輕一代打從一開始就是以「華商」被教育的，再通過電視、報紙的影響，原本的華僑印象卻因「華商」一詞的漢字所擁有的形象而受到限制，這一點是顯而易見的。也就是受到「商」一詞所擁有的語感或是字感的局限，進而產生相當大的錯覺與誤解。

另外一點則是：華僑也是人，也具備著變與不變的部分。但我覺得在日本，堅信華僑是一成不變的人似乎不少，對於自身戰

＊1 日本政府所規定日常使用漢字的範圍，於1946年公布1,850字「當用漢字」。又於1981年公布「常用漢字」1,945字，以替代當用漢字。

前的華僑體驗與印象，現在還對此念念不忘；與此同時，有的人則將華僑的經濟實力，與日本戰前的資本主義規模相比較，例如從中日戰爭時期即開始支援延安，1949年中國成立後即定居北京的陳嘉庚；在馬來半島有相關企業及豐厚經濟實力，以萬金油聞名的胡文虎；以及以印尼糖業為中心而起家的黃仲涵等等，這都讓不少人至今的印象中，仍覺得華僑的經濟力量相當了不起。

　　然而，如果我們冷靜地將其與現在日本資本規模進行比較的話，就會發現華僑的資本只不過如滄海一粟般的存在。可是對於那些在1920年代時正值二、三十歲，曾以年輕社員身分被派去海外的人們來說，思維還是一直停留在那個年代的時光隧道裡，還認為華僑的資本與經濟力量仍相當了不起。針對這觀點，我還是認為應該糾正過來較好。因為東南亞的狀況正發生急劇的變化，在經濟上的民族化，以及政治上民族主義的高漲，都是顯而易見的。在這種狀況下，華僑為了保全自己而正嘗試採取一些「改頭換面」的相應作法，盼望這點能夠引起大家的注意。

　　最近，新加坡的李光耀總理在記者俱樂部所舉行的記者招待會中，聽說有位日本記者提出：「站在新加坡華僑的立場上，你們如何看待中國的四個現代化，並且準備採取何種協力措施呢？」的問題，李總理的表情立刻變得很嚴肅，好像是作出了「我們不是華僑，我們是新加坡人」這樣的回答，據說其他外國記者都哄堂大笑起來。

　　之所以提起此事，並不是想去指摘諸位日本新聞記者朋友都會提出這種愚蠢問題。因為我碰巧也寫一些東西，與各位的往來也不少，因而也知道他們都是相當優秀的。但是，由於各部門的

分工過於繁瑣，如果不是由國際報導部，而是由社會部或政治部的記者，與來訪的外國賓客相接觸，因為對外國知識學習得不夠，所以提出一些令人覺得不可思議的問題，這也沒有什麼好奇怪的。事實上，「我們不是華僑」這一點，正是李光耀長年以來所一直強調的。

新加坡是一個四周均為伊斯蘭教徒所包圍的小小城市國家，就某種意義而言，其存在可比喻為「亞洲的以色列」。有人解釋李光耀這種言論，是為了在政治上達到自我防衛的目的，但我認為，實際上並不僅止於此，應該理解為：新加坡原有的華僑，為追求一種新的認同而培養新加坡人的概念，特別是集體的自我認同、國家的自我認同。

從傳統的角度來說，對血緣、血統的思考方法，像是咒語般地束縛著我們的頭腦，人類不論古今東西，多多少少都曾受到「血統論」的影響。然而在以西歐為中心所形成的「近代」，一方面人種主義與種族歧視，被重新組合成「白人」與「有色人種」問題的同時，白人群體間的「血統」神話被克服了。第二次世界大戰之後，伴隨著有色人種的抬頭，相反的，有色人種「血統」的神話被強化再編。越戰後的美國便可看到其中一例，少數族群的自我主張，已開始迅速開展。

為了更加理解新加坡「華僑」新的改頭換面的作法，我們最好將其與美國日裔的思考方式進行比較，日裔第三代，或者是第二代，例如現在夏威夷州的有吉良一（G. R. Ariyoshi, 1926～）州長，絕不會否定自己為日本人，據說其女兒為了解日本，還專門去上智大學留學；但他是美國公民，也是美國國民。這是否可

以理解為，在政治認同上他選擇了美利堅合眾國，但同時他並沒有否定日本民族的民族性，或者說是文化與傳統。也就是他經常一邊自己確認社會、文化上的認同，一邊嘗試著美國化，亦即與美國的普遍性相連結，我是這麼理解的。進行這種自我嘗試的日裔人不少，語言學家、加州選出的共和黨參議員早川雪（S. I. Hayakawa, 1906～1992）也是如此。這不單單是日裔的問題，在美的「華僑」也在進行這種嘗試，猶太人好像也在走這一條路。在美的「華僑」將取得美國國籍的自己，稱為「美籍華人」（Chinese-American），這點可說是相當具有啟發性的；新加坡的「華僑」現在也不自稱華僑，而將自己定位為「新加坡華人」，用英語表示就是Chinese-Singaporean、Singaporean-Chinese Origin。

華僑、「華僑」與華人

然而，「華商」一詞不管怎麼想都是不合適的。「商」一字給人的印象畢竟還是做買賣的人。如果使用華商一詞，我也變成了華商；寫《性生活的智慧》〔《性生活の知恵》〕的謝國權、職棒讀賣巨人隊的王貞治選手，及陳舜臣等人，都變成了華商，這是否有點不太合適呢？

現在我們再來看一下「華僑」一詞。對於新加坡李光耀總理的「我們不是華僑，我們是新加坡人」這一回答，該如何去理解？這點是相當具關鍵性的。因為所謂的華僑，歸根究柢來說，應該定位為「到外國賺錢，在那裡暫時居住，並保持著中國國籍

的人」，對於已經歸化居住國，並取得居住國的國籍，變成了所居住國公民的這部分人，早就不應該把他們再看作是華僑了。因此，即使是從過去慣用的「Overseas Chinese」一詞來看，現在也不再是這種情況了。英語中所謂的「Chinese Abroad」，就現在來看，除了是歷史用語之外，並不再具有其他意義。自稱為新加坡華人也好，在美國就有幾位拿到諾貝爾獎的華裔學者們，則自稱為「Chinese American」（美國華人）。他們的協會名稱也翻譯為華人協會。「華僑」實際就漢字的語感上來看，意味著應該是先保有中國國籍，其次應該是暫時居住在他地，不管任何時候都應該只是該地的客人。因此，他們似乎認為「華僑」一詞並不能正確描述出他們的情況。

　　然而，局外的人在未嚴肅思考過這個問題時會說，從實際狀態而言，還不都是一樣的嗎？此外，在部分對中國人有偏見的人當中，甚至好像還有抱持著「中國人在撒謊」這種說法。但實際情形並非如此，假如我們能夠考慮到日裔第二代、三代在美國化的過程中，曾經忍受過多大痛苦的話，坦白地說，我認為我們可以從這裡看到更為重要的內容。我將這部分按照我的方法進行整理時，發現應該將政治上的認同，與社會、文化方面的認同分開進行考慮，這是一個問題點。

　　華人這個概念，用北京話來說就變成了所謂的「hua ren」，即使在中、越（北京與河內）間關於華僑問題的爭議中，誰是華僑，誰是華人，也成為一個很大的爭論點。對於華僑的存在是承認好？還是不承認好？因為若承認華僑存在的話，就得容許中國政府對越南境內華僑的主權。河內政府因為不願意聽到北京對其

頤指氣使，所以主張越南沒有華僑，只有Hoa People（華人），只有中國血統的越南人。

　　然而，在因華僑大量歸國問題，導致中、越間激烈爭論的時期，日本的新聞記者當中，能對其中來龍去脈有所了解的人幾乎沒有；因此我分別在《世界》（1978年8月號）及《中央公論》（1978年9月號，參照本書輯二第四篇）發表論文，但是完全讀懂我文章的人，也好像幾乎沒有。這是因為日本人未遇到過類似的情況，諸位新聞記者朋友也沒有相關類似的體驗，日本人對少數族群的問題也未能理解，對於少數族群問題有興趣的諸位，也有立刻簡單地將其看成是歧視問題的傾向。其實，這其中還包含著許許多多層面……。

　　可是這問題具備著非常重要的意義，包括政治、法律層面的問題，另一個則是社會、文化層面的問題，這一點必需得到理解。針對北京對於越南政府迫害華僑的指責，河內當局則認為越南已經沒有華僑，有的只是「hoa＝華人」，因此北京就不能對其有所指責。此外，也有用華裔、華族這類表達方法，分別使用這樣的語詞，絕對不是單純的文字遊戲。

　　為什麼我不得不刻意指出這一點呢？因為除了新加坡之外的整個東南亞區域，華僑正在成為批判、厭惡的對象。因為他們儘管被認為是外來者，卻是有錢人、商人，過著豪華奢侈的生活。即使是現在的越南難民中，也是潛藏著類似問題。我們也可以這樣假設——對他們而言，現在並不是僅是玩文字遊戲的時候，這可是攸關生命的重大問題。請務必理解這一點。

　　據此，我把明顯已經歸化的這部分人，用「華人」一詞來表

現；而對歸化與否情況還不太清楚的這些人，則用「華僑」一詞來表現；而明確為華僑者，才直接使用華僑（不加引號）一詞。

當然，「華僑」當中也包括華商，但「華僑」並非全然是華商也是事實。如果媒體對這種掌握問題的方法，能夠漸漸地給予了解，當然是很好的狀況，但實際上就連部分在媒體擁有一定影響力的華僑研究者，尚且對這種動態的狀況不甚了解，這點真是令我感到為難。就如同我剛才所提到的艾力克斯·哈雷的《根》、艾利克生的「認同」理論一樣，由於一般的日本人沒有內在的需求，因此很難成為問題意識而顯現出來。

「華僑」在亞洲的立場

前面提過，我最近寫了一篇題為「東南亞『華僑』資本與國界」的論文，我在文中提出一個看法── 新加坡已經沒有「華僑」，有的只是華人。我於李光耀總理在記者招待會上回覆這個問題前，就已發表了上述文章，可見這種問題在日本要得到理解是很難的。所以只要一有機會，我就會強調從華僑到華人間變化的生態。

例如，我們從資本的角度來看，如果把資本放到華僑的框架內思考的話，華僑資本應該是屬於外國資本。但是，如果我們從資本積累根源的角度來思考的話，就不是這種情況了。實際上這些資本、資金是當地土生土長的，是在其居住地、居住國所積累起來的。在日本、美國這些發達國家，也就是在議會民主主義已經成熟的各個國家裡，因為已經是資本自由化、多國籍企業的時

代了，這一點資本並不構成任何問題。但在不僅沒有民主主義議會的國家，加上軍事獨裁政權林立的第三世界，一般都是既缺資本、又少資金，在這樣的情況下，問題就發生了。

原本若能將這一部分在本國內積累起來的「華僑」資本，放在一個正確位置之上，接受它並讓其為國家的近代化有所貢獻，或者說是讓其擔負起實現國家工業化一翼的話，當然是一件很好的事。但實際上卻很難得到很好的利用，一般民眾對此種表現的反應，就是所謂的「華僑」是沒有忠誠心的呀、都是一些壞傢伙呀、總是偷偷摸摸、也不知在幹些什麼等等諸如此類的誤解。結果是把「華僑」看成是東南亞的猶太人，更進一步挑起了他們對華僑的厭惡感。

據我所知，非常不幸的是，現在除了新加坡以外的東南亞國家，幾乎沒有明確的「華僑」政策。即使有，也只是為了維持政權的「華僑」政策，更多的還是把「華僑」當成代罪羔羊，而在政治上加以利用，做為國內矛盾最好的轉嫁對象。在現階段幾乎沒有考慮過在未來長程的計畫、展望中，如何對待「華僑」，如何把華僑容納入其中的政權。因此，我認為當權者及相關新聞媒體應該多加努力，更明確地把「華僑」資本、或者說是擁有居住國國籍的這部分華人資本，納入國內資本體系之中，整頓好投資環境（包括法律環境）、訂定出規章制度、矯正教育社會大眾對「華僑」錯誤觀念等諸如此類的努力，這樣才能給華人帶來安全感與歸屬感。

然而，說起來容易做來難，實際上並沒有從容的時間，這並非是東南亞國家不好。實際上，遭受了那麼長的殖民統治，歷史

傷痕一時不易癒合，也留下各種錯綜複雜的難題，這也是事實。然而馬來半島與新加坡在某種意義來說，由於英國留下來的官僚機構相對還比較正面，因而整體情況稍微有利，至於其他地方的問題，事實上是處於一種類似於悲劇般的狀況，就嚴重得讓人感到不知所措！擁有資金、資本的這些人，在我所定下的「華僑」概念裡，僅僅只占一小部分，然而這一部分人，並沒有好好地被包容進去，只是使他人的厭惡感不斷增加與繼續發生，這完全是處於一種惡性循環之中。「華僑」資本也和普通的資本一樣，希望追求安全；然而不幸的是，在一般的情況下，「華僑」資本在正常的經濟法則之前，卻已遭到人種主義、帶有民族情感的情緒化反應所排擠。

　　然而「華僑」及其資本家之所以變成現在這個狀態，實際上也可以說是因其被置身於與猶太人相同的歷史狀態下而形成的。猶太人之所以變成猶太人，當然有猶太人自身方面的原因。但與此同時，有關猶太人的歷史狀況，或者是非猶太人的行動，迫使猶太人變成了現在的模樣，這種相互關聯性若未能好好釐清的話，我們就不能理解猶太人的問題。如果把猶太人的問題，以非猶太人一邊的問題來看的話，我們可以見到，由於相關諸國的領導人基於自身的政治需要，對猶太人的精神層面問題，即宗教的問題，以及他們社會、文化層面的問題，採取漠而不視、曲解的態度，到最後則是卑鄙地利用這一切產生的結果。以上是我這個外行人的想法。

　　與此相同的是，現在東南亞的「華僑」也正被迫處於這種狀況之中，然而不同的是，猶太人終於造出了以色列這個國家，現

在正處於不得了的喧囂之中。而「華僑」祖先們原來的國家本來就存在，而且現在正是一個社會主義的大國。然後是宗教方面的問題，猶太人有其堅定的宗教，也可以說是狂熱的猶太教信仰；與猶太人相較之下，中國人的宗教生活就顯得非常恬淡。最後一點則是如何看待對文化，或者是傳統、社會生活的固執或執著了。

　　歸根究柢來說，我想應該如何定義「華僑」的概念？如何掌握「華僑」的資本？在這個基礎上，東南亞諸國到底應該採取什麼樣的政策？非常容易理解的一個例子，就是現在馬來西亞實行的「布米普特拉」（Bumiputra）政策。「布米普特拉」在馬來語裡是當地土著（native people），亦即本地人之意。布米普特拉政策中最重要的問題，是對據稱擁有400萬名所謂的「華僑」（馬來西亞所有的「華僑」幾乎都已取得國籍，所以本來是應該被定位為華人），是否被承認為布米普特拉這一點。

華僑的歷史定位

　　根據我的調查結果，現在東南亞的「華僑」中，有75％是Locally Born，也就是屬於在當地出生的人們。因此套用美國的說法，就可被稱為Native Son了，即指在這塊土地上出生的孩子們。美國著名的黑人作家理查‧萊特（Richard Wright）的成名作，書名即為《原鄉之子》〔*Native Son*〕。

　　我思考「華僑」問題時的另一個觀點，最令我們能夠感同身受的問題，就是黑人的問題。當然，如果我們要去回顧華僑的歷

史時，最早可以追溯到西元3世紀。但把這部分人也稱為華僑，是否合適呢？事實上當我們思考商品問題時，我們雖然可以從歷史中追溯到非常遠古的時代，但那與資本主義的商品應該是有很大的差距。與此相同的是，現在被稱為華僑的這一部分人，或者說我們在這裡的共同話題「華僑」，實際上也可以說是以歐洲為中心形成的「近代化」歷程中，向亞洲地區擴張與殖民地開發時，一起形成的。

約在1820年代的歐洲教會中，開始出現了對黑人奴隸制揭發內幕的行為。換句話說，教會的關係者內部中出現了「這樣做合適嗎？（把黑人當作奴隸使用）」的自我批判聲音。此外，在實際政策施行的過程中，也漸漸地看清楚了那種形式的勞動力，使用方式非但不合算且不合理。不僅效率非常低，同時死亡率也相當高。因此，後來出現了更為有效的勞動力使用方法。與此同時，非洲也漸漸地開始被殖民地化，非洲自身也出現人力資源的不足。與這階段剛好銜接上的就是印度與中國，印度開始走向殖民地化，並且波及到了中國，「鴉片戰爭」的發生就是其中的一個象徵。

現在要是去美國的話，我們就可以發現，汽車旅館的經營者之中，就有印度血統者，他們全都是來自西印度群島。幾乎是在他們西印度群島被帶來的同時，中國人也被帶往歐洲系的殖民地，此即所謂的苦力。

「苦力」一詞的詞源，常被錯覺是來自中文，實際上卻是印度語的Kuli、泰米爾語的Kuli，以及英語化後變成了Coolie，再由此音譯而成苦力的。在南非直到現在好像還把Coolie當作專指印

度人的專有名詞而使用。

　　中國人通常是不肯離開故鄉的，人在一般情況下也應當都是不願意喪失故鄉的。在此之前，中國歷史通常都是在自己出生的故鄉中，在經濟結構走向解體的過程中，由於無法生存下去，轉化成農民起義，最後導致改朝換代。然而隨著「近代化」以世界級規模蔓延開來的過程中，荷蘭人、英國人等開始到中國華南沿海一帶來擄人。剛開始時只是擄人，此後則是利用中國的地痞流氓來欺騙流亡的農民，並將他們送往南洋，也就是說所謂的「苦力貿易」自此開始。後來這變成徒具形式的契約移民，這些人分別被送往東南亞、澳大利亞、北美等地，從事礦山採礦、鋪設鐵道等勞動工作。如果我們從歷史的角度來看，可以發現實際上從鴉片戰爭前後，中國的社會、經濟開始解體，加上東南亞發生以歐洲為中心的殖民地開發，兩者間的某種連動作用下，現在的華僑社會開始漸漸形成。

　　「華僑」的人口數大約有一千七百萬人，這些華僑的後代們，幾乎都承擔了流通領域中的角色，在這一點上便存在著問題。關於此事，我也和東南亞的大學朋友們進行過討論，認為如果不清楚歷史進程的話，應該就找不出從根本上解決「華僑」問題的對策。我們可以看到現在的東南亞各國，都在進行建設新國家的嘗試，只是形式有所不同。從歷史的角度來看，可以理解如何一邊克服殖民地遺制，一邊恢復民族的尊嚴、確立自己主體性的同時，並建設自己的新國家。然而「華僑」在殖民地統治之下，土地的所有權幾乎不被承認。還有，他們做為勞動者，不論在錫礦山勞動也好，在橡膠園或其他地方工作也好，都未能在目

前的居住國中擁有主導權，只不過是殖民地統治者的附庸或者幫手，地位遠不如僱來的店經理，亦即他們的角色是夾在殖民者和本地人之間的中間者，處於非常不討好的地位。

用當地人的眼光來看，他們只不過是白人的走狗、買辦而已。實際上白人的殖民者把骯髒的事情都塞給華僑們去做，而他們自己則盡可能不直接插手處理。不僅僅是東南亞，非洲也是如此，別的地方也是差不多。就像大家所知道的，在非洲是用印僑來取代華僑被使用。因此，可以說「華僑」現在的狀態，實際上可以說是殖民地統治的結果。歷史的結果是，他們現在承擔了商品的流通領域，部分富有的華商甚至執整個商品流通領域的牛耳。如果只是抓住這一點表象，而說出：因此第三世界不能實施近代化啊！他們是沒有忠誠心的啊！他們什麼時候突然會開溜，誰也不知道等等說法，只會使疑惑與厭惡感不斷升高，並無助於問題的解決。

如何將殖民地遺留下的制度，進行正確的歷史定位，這個課題在今後東南亞各國的建國過程中是非常重要的，我在這裡建議大家應該對這點給予理解。然而實際上令人感到很遺憾的是，這個問題幾乎沒有被考慮過，或者說還沒有被留意到。因此一旦有事，其結果都是一而再、再而三地，將代罪羔羊的角色強加在華僑身上，這種作法充其量只不過是讓悲劇再現，以及產生經濟停滯的惡性循環而已。管他與歷史有什麼關係，在這裡有一些「外人」，說著與自己不一樣的語言，擁有著與自己不同的生活方式，把他們當成代罪羔羊是既方便又簡單的，於是就這麼做吧。然而且慢，這樣做只能引起流血衝突、經濟停滯和社會混亂，但

問題還是依舊存在。如果我們站在歷史的、客觀的角度來看的話，就會發現對殖民統治者而言，最理想的狀況是華僑以中間人的身分勤勉地工作，承擔起商品的流通過程。因此，不論是英國也好、法國也好、荷蘭也好，或者是先後占領菲律賓的西班牙與美國，他們都是容許華僑以這種型態存在的。

　　經過上述的思考與整理之後，問題就稍稍變得明確一點。亦即如果日本企業要到這些國家投資的話，能夠對商品經濟進行敏捷反應的應該還是「華僑」；而且考慮到這些國家大多政情不安，如果在不盡快償還資金，回收資本就會發生危險的情況之下，就不得不與「華僑」合作。但這又會引起與現政權之間的政商勾結，隨著政權的腐敗，「華僑」也就變成了民眾憎惡與火攻的對象，這樣則是又出現了一個新的情況。類似的不幸狀態與悲劇，現在不正是發生在東南亞「華僑」的身上嗎？

　　列出幾個關於「華僑」的神話，一說華僑非常難以同化，具有非常強烈拒絕同化的體質，因此秉著華僑完全等同於猶太人般的看法；另一個看法則是認為華僑缺少忠誠心。但是「華僑」資本與其他的資本一樣，只有在最安全的狀況下才能進行資本活動。持此論點的人常常沒有意識到自己是忘記了這一條法則，而發出這種議論的。其實仔細想想就會發現，即使是「華僑」，也是願意到對自己較安全的地方活動，而在此狀況之下，只有新加坡容許這一點成為可能。糟糕的是，新加坡這邊發展得好，他國當地人那邊也是懷著非常複雜的心情與表情在看的。他們所擁有的羨慕與嫉妒日益增強──諸如那傢伙當初只是挑著一根扁擔來的，現在居然混得這麼好等等，不知不覺地，在當地人之間，形

成了這種不怎麼健康的看法。

解決問題的切入點──Paradoxical Dynamic Identity

　　為切斷這種惡性循環，我想提出下列一點：政治上的認同，與社會、文化上的認同，應該分開來進行思考。我意識到這是身為人本來的存在方式，是一種自然的東西。到現在為止，我們一直在致力於追求歐洲的近代化過程中，創造出來的「民族國家」這種虛構，或者是民族國家至上主義。民族與國家必然一致的命題，不知不覺間被無限上綱，成為金科玉律。甚至於即使在政治、文化方面，若不被優勢民族所同化、埋沒的話，就不能安定，很難與他者相對抗。由於有這種時代要求，可說大家都非常勉強地做著。其中一例，即先前所提及，形成猶太人悲劇的原因之一。到目前為止，「華僑」問題亦在此類似情形下，頻頻發生流血事件。

　　從世界範圍來看，國籍法的出現只是最近的事，在法國革命之後才有這種說法。因此，據說中日恢復邦交以後，中國並沒有頒布國籍法，曾令日本法務省感到非常困惑。並非中國之前沒有國籍法，清末為了處理華僑在法律上的地位問題，公布了最初的國籍法。接著有中華民國國籍法。然而，變成中華人民共和國後，似乎還未公布國籍法。眾所周知，中國與東南亞諸國──特別是與「華僑」較多的國家建交時，在發表的共同聲明中，雖然在具體表現上多多少少有所不同，但都加上了「禁止雙重國籍」這一條。

　　從中國迄今的作法裡，他們似乎看出有兩個問題存在。第一點是從社會主義的理念出發，認為血統主義的國籍法是不妥當的。另一點是在外交戰略上，對此會帶來相當大的難題——這點好像擁有一定的認識。社會主義的世界觀，本來是認為人種主義、民族主義、血統神話等，最終是要被克服的，或者是設想能夠被克服的。我們自身所接受生理上的「血緣」，是不能被抹去的。但是「血緣」所擁有的政治意義卻可以被淡化，或者說，是應該被淡化的。所謂的政治、法律說起來，是日常生活上的「虛構」要使之與人的社會、文化行為變得一致，這點本身就是不自然的，並且是不對的，這是我的結論。例如即使猶太人有美國籍，同時也擁有其他各種國籍，因此任何時候都是遭受懷疑的對象。日裔美國人在第二次世界大戰中，在美國被關進強制收容所（集中營），懷疑者及被懷疑者當然都有問題。我今天在這裡所要說的是，我們正在走向21世紀，是否應該用更為寬容的心態來看待這些問題呢？

　　從這個意義上來說，我暫時還想不出一個合適的日語來表達，想先用英語來提出一個所謂的「Paradoxical Dynamic Identity」（反論式動態認同）的概念。總之，就是將政治認同與社會、文化認同先分開來思考，之後再以個人來進行統合、再構成。若將國籍與文化、社會，當作不同的問題來進行解釋的話，例如夏威夷州長有吉和早川參議院議員在美國的狀態，是人的營生最自然的行為方式，像他們那種好選擇是我們也能夠接受的吧！亦即，我們是否可嘗試著從到目前靜態的探討，轉向動態並且是辯證的、綜合的掌握方法，尋找走出死胡同的出口呢？

　　季辛吉（H. A. Kissinger）並不隱諱自己是德國出生的猶太人一代，據說他曾自我解嘲地說，正因此自己當不了總統。儘管如此，他還是登上了美國國務卿的寶座，這件事可說是在人類史上留下了一個極具啟發意義的例子。

　　總體來說，季辛吉是被美國社會所接受了。我們在思考少數族群、猶太人、「華僑」等問題時，美國現在的社會狀況，即為我們提供了一個非常好的借鑑。美國社會實際上是將政治認同與社會、文化認同相區隔開來的，或者說是執政者認知到若能夠進行這種區別，社會的狀況會更好，因而促使將不同的認同區別開來。所以美國是少數促進這種區別認同的國家。

　　我認為，不論是偉大的詩人也好，偉大的事業家也好，如果自己否定了自己、在一種隱姓埋名中生存而能成就大事業的人，在世界歷史上似乎沒有。同時，對個人自己的「出生」、所屬的人種、所屬的民族沒有自豪感的話，卻能做出世界性的偉大事業的人，在人類史上好像也還沒有先例。

　　從傳統上來說，中國人並無意識到國籍、國家這些概念。因為中國是一個非常大的國家，而國籍概念正如我先前所提到過的，是歐洲近代的產物。可以說是中華思想，或者說是所謂的中華文化、共同使用漢字，以及中國人的禮儀、風俗等等，將個別的中國人連結起來。與其說是他們執著於國籍，還不如說是他們覺得中華文化、身為中國人的社會生活具有更大的魅力。因此，中南半島的「華僑」難民們既沒有去台灣，也沒有回到中國。日本人對此感到很奇怪，對他們而言卻是理所當然的事。雖然對政治感到討厭也是原因之一，但並非全部。用日本的戰爭孤兒回到

日本一樣的模式，是不能看清「華僑」與中國的關係的。我想在
這種新的事態下，今後「華僑」自身應可以從內部出發，將自己
的問題整理出來的。也就是說，做為「華僑」的自己到底是什麼
樣的人？應該在那裡如何立腳？應該如何去追求自己的群體認
同，可說這新的共通課題已被擺在眼前。目前是在居住國或者居
住地，做為帶引號「」的存在而謀取生計，從現在開始應該克服
舊的華僑意識，對如何以居住國一員的身分，參加居住國的國家
建設，不僅要做好心理上的準備，實際行動上也必須有明確的表
現。

　　到目前為止的殖民地遺制的狀況是，把做為人的自我綑綁於
華僑的名義下；同時也使第三世界的人們受困於惡性循環、悲劇
的框架之內，直到今日，而陷於完全停滯的狀態中。如果這種情
況一直持續下去的話，結果是「華僑」也將被迫陷入當年猶太人
遭納粹殘殺的困境之中，這是洞如觀火的事。然而值得慶幸的
是，因為現在的中國與美國、日本的關係，都變得友好許多。過
去美國國務卿杜勒斯（J. F. Dulles）高唱多米諾骨牌理論（The
Domino Theory），宣稱「華僑」是「中共的第五縱隊」等諸如
此類負面宣傳的影響，正變得日益淡薄。

　　令人感到不幸的是，最近在蘇聯出現了以人種主義作出發點
的低層次議論，把「華僑」視作新黃禍論的主角。例如1974年有
一本在莫斯科用英文出版的書*Overseas Chinese Bourgeoisie*（《海
外華人資產階級》，作者為M. A. Andreyev），其副標居然是「*A
Peking's Tool in Southeast Asia*」（北京在東南亞的走狗）。如果
我沒有記錯的話，這應該就是直接提出類似北京走狗在東南亞的

這種論調。而且，同時還被河內政府引用為其華僑論，或者是對中國論調的根據。對此種發展，只能說是令人感到非常遺憾。這本書是否會引起新的悲劇，值得密切注意。現在讓我感到痛苦的是，無論歷史也好、人種主義也好、民族主義也好，要克服這一切是需要相當大的能量。

簡言之，在我們正視過去、展望未來的過程中，但願我們能把今天的「華僑」狀況，放在一個正確的位置之上。能不失去感性地去體會、感受同為有血有肉人類一分子的他們所擁有的痛苦，從而接近問題的本質。現在雖然說他們已有1,700萬人，但如果再細加區分，可以發現他們並非鐵板一塊，其中既包括有「華僑」，又包括有華僑，華裔、華人。他們的意識或者是生活型態等，也因世代間的差異，及居住地的不同而彼此相異。為了使這一部分人能夠真正成為人類社會的一員，或者說是亞洲社會的一員，我們在試圖展望人類的未來時，同時用我先前所提出Paradoxical Dynamic Identity的概念，對「華僑」嘗試著採取寬容的作法，並且期待這種寬容能成為社會的普世價值。雖然這完全是我個人的主觀願望，但我提出這點來結束我今天的演講，謝謝。

本文原刊於《經団連クラブ會報》別冊號，1980年2月，頁2～28。係於經團連[*2]第143回會員暨餐會中的演講，1979年11月26日

*2 係日本經濟團體聯合會的簡稱。

輯一

華僑論

我的「華僑」小試論

前言

　　我是於1969年前後開始研究「華僑」問題的。今後如果思考東南亞的各種問題時，「華僑」問題會成為一個非常大的柱子，但所謂的華僑研究卻是件極困難的工作，這是因為華僑社會是個很封閉的社會，而且華僑移居的歷史至今還在持續，而他們所使用的語言並不止於做為中國標準語的北京話。除了北京話以外，如果未能將各個「華僑」出生地的方言、俚語都掌握的話，就無法進行微觀的研究。

　　我原本是從台灣到東京來留學的，因為我所學的專業是農業經濟學，因此我個人在思考華南的稻作社會、中國的近現代史的時候，即開始對「從這兒出去的東南亞華僑意味著什麼？他們是如何與中國革命發生關係」的問題感到興趣。特別是因為我出身於客家，與新加坡的李光耀總理、以資本家聞名於世的胡文虎同一出身。此外，因為我生長在台灣，八成以上的閩南人使用的福建南部的語言——閩南語（日本有人稱為「台灣語」，新加坡一帶稱「廈門語」）也多少懂一點。新加坡過去的大財團陳嘉庚出

身閩南，到曼谷去會發現這裡的「華僑」，主要出身地為廣東潮州。潮州雖隸屬廣東省，但他們說的卻是與閩南語相近的潮州話；而在香港的人們說的卻是廣州話。

　　大致分類一下，或許我們可把東南亞「華僑」所講的語言，分為剛才我所提到的三種：客家話、閩南話與廣州話。當然，也有出身於福建省北部的福州、福清等地，也有出身於海南島的。對中國而言，海南島也和台灣一樣，原先曾是中國的國內殖民地，因此中國的語言同時也傳到那裡。因為我本人會講北京話、客家話以及閩南話，故從語言方面的條件而言，我恐怕比其他外國研究者稍占一點優勢。

　　到實地進行調查時，如果使用「華僑」一詞，會遭到各式各樣的抵抗，老一輩人比較能夠接受，但55歲以下左右的人，就得用「華人」一詞。此外也有「華裔」一詞，特別是在泰國的人們比較多使用該詞。之所以出現這些不同的稱呼，實際上是反應了遷移的歷史過程。這和從中國來到東南亞的中國人，在當地的政治、社會、經濟形勢等壓迫下，為了生存下去的同時，如何去自我定位這一問題上，並非毫無關係。

　　這一點暫且不談。照理來說，我現在來談東南亞「華僑」問題這麼大的題目，還顯得有些冒昧。因為我也只不過在1969年末至1970年初這段期間，被亞洲經濟研究所派遣到東南亞，經香港、新加坡、馬來半島到曼谷，並與一些報社幹部、大學研究者、幾位華人實業界領袖的見面、會談而已。現在我把在當地的一些體驗，及今後我對華僑問題將如何思考這一點，當作我的「華僑」小試論，向大家報告。

對日本人而言的華僑

　　首先讓我們來思考一下，對日本人而言，華僑問題是一個什麼樣的問題呢？我們從日本近代史的角度來看，從御朱印船貿易時期，即開始與華僑有所接觸。此後日本發生產業革命，自第一次世界大戰以後，日本急速發展的過程中，開始進入被做為商品市場的南洋，在這裡與華僑有了進一步的接觸。因此，我想從某種意義上來說，可以認為華僑與日本從一開始就在經濟上有所接觸。

　　第二次接觸是在西元1911年，與中國辛亥革命有所關聯，和辛亥革命的支持者、後援者的華僑，發生了政治上的接觸。在這個連續線上，還發生了滿洲事變、盧溝橋事變。與此同時，中國內部也發生了抗日運動，以及抵制日貨的運動。在這裡，抗日勢力之一的華僑，開始和日本人直接接觸，但其中大多數仍是間接的接觸。

　　然而，到了太平洋戰爭時期，如同著名的馬來半島抗日武裝游擊隊，日本人與華僑開始了直接的接觸。新加坡發生的血債問題至今尚未了結。此時如何把華僑納入「大東亞共榮圈」之內變成了一個課題。於是，日本當局開始提出華僑問題。

　　到了第二次世界大戰之後，日本在高度經濟成長的同時，打入亞洲市場的策略，也開始由商品輸出轉換成資本輸出這種步驟來進行。這帶來了與「華僑」關係的一個新開端。在這種情況下，出現了與以往的接觸中不同的新的東西。其一是做為日本經濟拓展至東南亞市場仲介者的「華僑」，或合資經營夥伴的「華

僑」，或者說是日本商品經辦者的「華僑」。另一點是最近我們從對「華僑」資本的國際移動的關心中，可以看到出現了如何將「華僑」資本納入已開發諸國的國際金融體系內的問題。

然而，儘管「華僑」的形成擁有一定的歷史經緯，但華僑現今在東南亞正處於一種非常特殊的歷史地位。我想將這一點當作問題提出來。東南亞諸國的各種政治問題，大體上正處於做為由上而下的近代化，或者說自下而上現代化的社會主義革命中間的階段，不時出現新的問題。「華僑」對這種狀況如何對應，或者說在居住國社會是如何主動地去對應，變成了一個問題。同時，包括在日本經濟進入東南亞市場的過程中，在某種意義上，世界一體化的過程中，做為歷史創造者之一的「華僑」，是否能真正承擔起主動書寫歷史的主人翁角色，或者說成功地扮演這一角色，也是我要思考的問題。

「華僑」社會

在「華僑」社會裡，首先引人注意的是「幫」的組織。華僑移民至東南亞已有相當悠久的歷史，但現階段所討論的「華僑」，大部分是19世紀後遷出去人們的子孫。如果從這個時代的角度來思考的話，特別是在馬來半島，很明顯地是由於英國殖民統治，引起勞動力缺乏為發端的。1833年，隨著英國廢止黑奴條例的實施，黑人奴隸的替代勞動者亦即現在「華僑」的祖父，或者是曾祖父們來到了東南亞。當時的清朝最初曾禁止這種移出行為（即海禁令），然而這一切被《北京條約》強行打破了。因

此，現在「華僑」的形成，完全是屬於世界史的問題，可以說是鴉片戰爭以後的中國形勢，和黑人奴隸的解放，形成了正反兩面的情況，進而產生了現在的「華僑」。華僑的前輩們到遙遠的美國、紐西蘭、澳大利亞等地，擔任鋪設鐵道工人、礦工等勞動者。另一方面，以鴉片戰爭為開端，中國華南一帶因英國資本主義的進入，而面臨著農村經濟的解體，出現了不得不外出流浪求生的農民們。當時，華人人口占馬來西亞人口的35.1％，更占新加坡人口的近75％，這數據正好向我們說明對於當時的英國殖民地統治者而言，華僑正是他們統治馬來半島的好傭人。

當時的中國還不是一個近代國家，內部尚未形成統一的市場，也沒有所謂的國語。從這裡開始踏上流浪之途的華僑們，當然是以村落級，或者是縣級地緣關係為基礎，彼此相連接在一起。他們當中有能力者被推舉為頭頭，將勞工們聚集，一起赴錫礦山開礦、到橡膠園造園、前往修築鐵道等。這種類似地緣性的同業公會般的組織，就變成了現在的「幫」。

幫大致可分為兩大類，以地緣為基礎所形成的為「鄉幫」，以職業別為基礎所形成的同業公會組織則為「業幫」。鄉幫中包括潮州、客家、海南、廣府、廣西、福建、福州、福清、興化、三江、北幫等，其中如廣府幫內又分為四邑（廣東的新會、新寧、恩平、開平等四縣），底下還有一些更細的分類。這種聯繫又會隨著形成時期的歷史背景，或者移住地各種條件的變化而發生改變。因此，這種分布是不均勻的。例如在曼谷最大的幫是潮州幫，其次是客家幫。然而在新加坡最大的幫是福建幫，這裡的「福建」僅指福建南部，即泉州、漳州兩地，福建北部並未包括

在內。這些人與台灣的福佬系完全是同一故鄉，用的也是同樣的語言。而如果以為李光耀總理是客家人，所以客家人在新加坡的勢力就強大，那就錯了。他的政治基礎主要是潮州與閩南系的一部分，以及大埔的客家人。而在馬來西亞的吉隆坡，明顯的是廣府幫較占優勢。

位在馬來西亞較北的怡保，則完全是客家人的城市，錫礦山基本上已被客家人所占滿。在不同國家或不同地方，各幫之間有一定的優勢順位，而職業項目也因鄉幫的不同而產生分化。在新加坡，由於橡膠業是掌握在福建幫手裡，去到客家人的地方是沒有橡膠的，但開藥鋪的則都是客家人。大埔出身的人在怡保，主要是開當鋪及從事金融業。由此來看，業幫在很大程度上有鄉幫的影子。

在日本的華僑中，因過去殖民地統治的關係，有不少是來自於台灣。如果我們進一步追溯其出身地的話，來自寧波、廣東、山東的比較多，而在韓國的華僑則是來自於山東一帶，或來自中國的東北一帶的比較多。三江（長江三角洲）的出身者中，即以辛亥革命、中日戰爭、國共內戰，或中國大陸政權成立為契機，經由香港出去的人占多數。

在這些幫當中，現在最有影響力的是廣府與福建（僅限閩南）。剛才曾提到過客家的問題，所謂的「客家」之中，既有廣東的客家，也有廣西的客家，還有福建的客家。例如胡文虎是福建永定出身的客家，李光耀則是廣東省大埔出身的客家，稍微不同。

如此看來，他們的組織中最基本的東西，大概就是自然村，或者是語言上、生活習慣上的共通性。在這基礎上，為了對付當

地的各種情況，有時範圍會再增加至行政區域縣級、省級。當然，幫的勢力在膨脹、擴充的過程中，有時也反應出一個幫的領導者的個人性格。

辛亥革命以後，中國人的同鄉意識中，與其說已經走出了自然村的層次，倒不如說在某種意義上，已經可看出以省級單位來思考問題的傾向。然而在華僑的場合，並不是以省為單位，而是以較低的層次來思考問題。新加坡所發生的胡文虎與陳嘉庚的嚴重對立，正好說明了這一點。關於這點，我日後打算寫專文來討論。簡之，胡文虎從緬甸仰光來新加坡推銷萬金油，並且取得了相當大的成功，可是此時的新加坡已經是福建幫（陳嘉庚出身於福建）的天下，出現一山不容二虎的局面。剛開始胡文虎與陳嘉庚的關係很好，但結果兩者還是不能共存。胡文虎是福建出身的客家，似有可能將福建人統一起來，實際上還是做不到。於是胡文虎想到在客屬公會內不使用地名，使用客家語言的人，不就能聚集在一起。由此例子可明顯看出，受到幫的領導人態度的影響，幫也同時地出現了不同變化。

然而，如果再到吉隆坡去的話，情況又變得不一樣了。在這裡，福建與廣東出身的客家雖同為客家人，卻又有相互對立的一面。吉隆坡的客家人中，以廣東出身的客家勢力較為強大，更不用說其中的一部分還加入了廣東同鄉會。

因此，我們在思考幫的問題時，必須避免不分青紅皂白地說，幫就是什麼樣的情況。如果說知道曼谷情況的人，便認為新加坡也是如此，這話就完全錯了。即使是同樣在馬來半島，檳城、吉隆坡與怡保也是不一樣的。

　　成為清朝棄民並被迫出外討生活的華僑祖先們，出於自衛目的，而組成了類似行業公會的「幫」這種組織，並以幫為基礎進行發展。幫與幫之間曾發生過武力鬥爭（即械鬥），這也是歷史事實。在這期間，華僑社會內部的階級、階層的分化傾向也日益增強，「幫派」組織由此產生脫胎換骨的變化。

　　受到辛亥革命的影響（或者也可說是孫文主義的影響），華僑對於年輕一代推行中文教育，變得非常盛行。特別在新加坡，由於有陳嘉庚這樣進步又有影響力的領導者存在，這裡的北京話教育非常有進展。在此背景下，三十歲左右的年輕一代，早已揚棄了地緣性行業公會的桎梏，開始嘗試著以新的形式發展，各地都有幫及同鄉會的會館。但在我所看到的範圍內，真正實行近代化經營、生機蓬勃的僅有曼谷的會館。有的人會提出諸如「曼谷被認為是華僑在地化最為徹底的地方，為什麼同鄉會館的經營會比較活躍」的問題。曼谷的會館中，有的是正在興建中，建築物也相當漂亮，醫院的經營及財政狀況，都比我所看到其他地方的同鄉會還要好。然而，到了馬來半島以後，情形就不一樣了。不僅是被當地狹隘的民族主義者，指責為不肯同化的地方，同鄉會的日常活動也陷於極守舊的形式中。年輕一代不願留在幫內。過去只限於幫內通婚，而現在的年輕人則跳出此局限，與幫外的人士通婚，彼此相互交流的語言也變成了北京話。

　　老一輩人絞盡腦汁，希望能繼續維持同鄉會，他們開始通過設置撞球檯、購買電吉他組織樂團、舉辦各種舞會等措施，來吸引年輕人加入。過去同鄉會是負責寄錢回中國大陸的地方，同時也給新來的人介紹工作，給沒有人為其舉行葬禮的人們舉行葬禮

之處。然而，年輕一輩中出現了超越這種相互扶助式的同業公會，出走到新地方的傾向。

另一方面，也出現向新加坡的中華總商會等舊組織挑戰的人物。年輕人認為由幫會構成中華總商會，以及階級制度的建立是沒有意義的，應該建立更有助於發掘人才的機制。從地緣性的同業公會關係中脫胎換骨，漸漸地出現了一些新的動向，背景之一是語言，其次則是「華僑」資本的存在型態。正如我接著要說的，「華僑」資本是以商人資本或者商業資本的型態而存在的，為了對應統一市場的形成，以及馬來半島出現的新動向，我認為「華僑」的商業資本已到不能繼續維持舊型態的階段。

可是，「華僑」們都非常注重教育，東京也來了很多留學生，最近也有去美國、加拿大、倫敦等地。由於東南亞當地政治情勢不安定的緣故，他們之中有很多人似乎都不回出身地。但另一方面，他們也把在外國所接收到的東西帶回「華僑」社會，在「華僑」社會向近代化蛻變的過程中，起了起死回生的作用。

「華僑」資本與資本家

雖然很難去掌握「華僑」資本的實際狀況，但透過與當地的新聞記者、實業家等會面、討論後，試就以下幾點來發表我的看法：第一，從資本的流通方面來說，所謂的「華僑」資本，也可以說是類似一種游資。首先從當地集中到香港，再分為幾部分流動，有的留在香港、有的自香港轉進已開發國家、有的進入中國大陸、台灣，甚至是新加坡。近年來還出現從當地直行新加坡的

情形，這一點與1967年的香港暴動不無關係。此外，據說加拿大、義大利發表承認中國的聲明後，台灣的資本也出現流向新加坡的動向。

今後的問題是，曾經一度轉出的資本出現回流的現象也是不無可能的。例如從印尼轉出的資本，經過新加坡再轉回印尼去。「華僑」在考慮如何有效地利用各國的外資導入法，因此先把錢送到外國去，再由自己的合作夥伴以引進外資的形式，把自己的錢帶進來，接受特別的優惠措施。這種形式仍不斷地出現，在台灣也可以看到同樣的例子。

不管怎麼說，一般都認為「華僑」還保留著對自己的母國──中國的忠誠心，所以「華僑」的資本不容易落地生根，只有短期性的活動，尚停留於商業資本的階段。然而事實是否如此，我對此持有疑問。總之，我認為能否落地生根，應取決於當地的體制對於「華僑」資本是否長期採取真正接納的態度。現在的「華僑」，特別是一些大的資產階級對現在〔譯註：1970年代〕的北京政府，自己政治上的母國，能否保護自己的財產這方面，並不存有幻想。

現在，香港成為「華僑」資本的再投資及積累中心，雖然1967年夏天發生過暴動，但最近形勢似已趨穩定。有人認為，因為像英國人這樣識時務又敏感的民族，都對建設中的香港海底隧道，繼續投入大量資金，使得「華僑」資本也再次安心地繼續在香港紮下根來。其次是新加坡，自1969年的五一三暴動之後，便以香港式的經濟發展為目標，並由此開始思考如何使「華僑」資本落地生根的問題？例如制定根據投資額多寡，相應地給予市民

權等措施,以此做為引進外資法的一部分已被公布即可看出。另一個例子是在曼谷,當地的「華僑」雖然在法律上都已經歸化,但還是保持著中國人的思考方式,因此出現了還是選擇來自台灣或檳城的「華僑」,做為事業上的合作夥伴,建立鳳梨及谷氨酸鈉〔譯註:味精〕工廠。

　　然而,一般所謂的「華僑」資本,常被看作是商業資本。我想因為是商業資本或者是商人資本,所以當地人眼中便產生出高利貸、缺德商人的形象。事實上這點也與歷史背景有所關係,雖然說是「華僑」資本,但實際上還是以村落層次的小買賣占壓倒性多數。

　　在這裡常常被當成問題提出來的是,「華僑」資本是否能夠向產業資本轉化的問題?資本應該是以商人型態、產業型態,以及金融型態為順序來思考的,如果條件具備的話,這種轉化也不無可能。我們看陳嘉庚,或者是馬來半島大財團的企業經營,可以發現它與日本明治、大正時代的資本家並沒有多大的差異。他們現在所經營的報社,例如新加坡的《南洋商報》、《星洲日報》,也不比日本的報社差到哪裡去。

　　因此,問題在於「華僑」是否擁有企業家精神的主體條件,以及商人或商業資本是否被賦予轉向產業資本的客觀條件與契機。在當地的政治、社會形勢尚未給他們的資本帶來長期安定感的情況下,他們除了不得不將資本當作短期資金來進行流通以外,別無他法。過去他們之所以當作商業資本而拚命賺取差額利潤,是因為處於歐洲殖民統治下世界史的狀況之中;另一點,則是當時民族規模的教育水準之落差,或者說是文化發展的程度,

使得商人資本或者是商業資本的活動空間變大。這一點我們也不應該忘記。而現在由於新的民族主義及與其相對應的統一市場形成，或者說在試圖進行農地改革等的過程中，出現了排除商人資本、商業資本的歷史條件。

　　從主體方面來說，也出現了一些新的情況。如果去讀「華僑」的報紙便可以知道，他們對世界的情況非常清楚。他們並不是以武力為後盾進入殖民地，而是做為本國的棄民去流浪，在這過程中，他們由勞動者變成商人，再由商人變成資產階級。對於他們而言，能保護自己的就只有金錢，以及讓孩子接受教育。然而在外國接受教育的孩子們，如果回到居住地就職，通常會受到歧視，特別是在馬來半島，連受教權都受到限制。不幸的是，在馬來西亞中年輕的馬來系「狹隘的民族主義者」們認為，馬國已經獨立十幾年了，經濟上卻還受著「華僑」壓迫。他們認為華人教育水準也很高，如果經濟上也被他們壓制住了，那我們會變成什麼呢？從這一點出發，於是他們與華人反目為仇，這也成為1969年的五一三事件的導火線之一。

　　如果今後在客觀的條件充分形成，主體上也擁有企業家精神的情況下，最後剩下的就是當地接納體制的問題和政治、社會的動向，是否能夠使他們真正安心、真正落地生根的問題了。

展望──「代罪羔羊」的未來

　　我認為可以把到目前為止的「華僑」，比喻為「代罪羔羊」。這是因為「華僑」本來完全是做為白人對東南亞實行殖民

統治的附屬品，所以才被利用與接納的，但最後結果卻是要背負及處理殖民統治所留下來的污物。「華僑」只不過是代罪羔羊而已，那麼今後「華僑」是消極地、心甘情願地讓自己做為代罪羔羊存在下去？還是積極地參與融入當地社會之中，做為改寫歷史主體的一部分，以確立自己的主體性呢？「華僑」是否能在當地融和、同化呢？這樣做是否行得通呢？

在20世紀後半的新世界觀之下，「華僑」為什麼非得在當地同化不可呢？對此我表示疑問。這並非因為我是中國人，擁有中華思想之緣故。例如現在的美國，被剝奪自己的語言，剩下的只有黑色皮膚的黑人們，正在一邊說著英語，一邊對白人社會發起挑戰。日裔的二代、三代們，也開始寫他們在美國的受難史。他們並非是以對非洲國家的忠誠心，或者是對日本的天皇、和平憲法有忠誠心的基礎上，而起來造反的，眾所皆知的是，他們如此作是要進行自我確認。徒有形式的同化、僅流於表面的融合是不能解決問題的，這是不會說英語以外語言的黑人、日裔年輕一代，對白人社會的現狀發動挑戰時，給予我們的一點啟示。「華僑」問題本質上也是同樣的問題，我認為這也是做為世界上少數族群問題中，一個具有共通性的部分。

並非「華僑」中的所有人都是幸運者，幸運的只是其中少數高資產階級而已。遠在明朝時，他們中曾有一萬三千餘人在菲律賓慘遭西班牙殖民者的屠殺，而未受到明朝的任何支援；1965年印尼發生的九三〇事件中，他們被當成了犧牲品；1969年馬來西亞的五一三事件中，他們也被迫付出了生命的代價。

當我思考到這些問題的時候，就會想到做為世界共同體構成

分子的各個民族、或是擁有傳統與文化的人們，平等地去參與策劃改寫世界史的進程中，是否就是意味著形式上的同化或者融合是沒有必要的呢？我們在高度理想的基礎上，將「華僑」的傳統文化、他們所希望享受的語言、教育的平等權利賦予他們，由此使他們能參與當地的社會建設。這種作法應是能讓他們發揮能量的方法，但知易行難，至少因為當地存在著這種毫無意義安慰性的同化論、融合論，實際上會使民族對立陷於一種惡性循環的狀態之中。

　　最後，我希望大家今後與「華僑」共事時，不是製造出新的代罪羔羊，而是從此一步也好、兩步也好地共同向前邁進，為了創造出一個新的東南亞，而把「華僑」當作合作夥伴來對待。如果僅僅是把所謂的「華僑」當作附屬品，利用「華僑」只是為了能在當地順利賺錢，今後恐怕還會重現更大的悲劇。也許會有一些曲折，但我認為在現代化的激烈胎動中，這種作法慢慢會變得難以被接受，這樣說似乎有點不夠學術，但我有著這樣的預感，謝謝大家的靜聽！

　　（本稿係根據1971年1月22日舉行「經濟發展協會、國際資本移動調查會」的演講紀錄整理而成。）

　　　　本文原刊於《アナリスト》（Analyst），1971年2／3月號，東京：經濟發民協会，頁22～35。原題為：「東南アジアの華僑経済──私の華僑小試論──」

東南亞華人研究的觀點

前言

　　十年前，松尾弘、須山卓兩位教授曾經預見：「最近有關華僑問題的研究，突然變得活躍起來，報紙上也常常出現有關華僑問題的報導。……因為日本與東南亞諸國，無論是地理上、歷史上、經濟上都有著密切的關係，如果無視住在那裡的1,200萬人以上華僑存在的話，恐怕什麼工作也做不成。因此，我認為今後應該會有比戰前更多的華僑研究文獻被發表。」[1]這個預見好像被說中了似的，現在日本對於「華僑」問題所抱持的關心，是十年前所無法相比的。

　　對於外國的政治、經濟、社會、文化各領域，表現出廣泛的關心，當然不是一件壞事。特別是至今為止，許多日本人因急於求「師」，往往是動不動就把目光轉向美國、歐洲一邊，現在終於開始對亞洲表示出興趣，我想這大致上可以被看成是一個值得歡迎的徵兆。

　　筆者在這裡用「大致上可以被看成是一個值得歡迎的徵

---

1 アジア経済研究所，〈マラヤの華僑と印僑〉，1961年，頁328～329。

兆」，這種持保留態度的說法，是觀察到日本出現對於「華僑」
的關心方式，或者是開始關心的動機與關心之中所隱藏的著眼
點，還是存在著許多問題。

　　當然，筆者也沒有忘記，我們至今所共有的國際關係歷史，
或者是說異民族交流史的主流，除了以戰爭為媒介以外，別無其
他途徑。

　　外國研究主流到目前為止，在當時政治經濟形勢所強力左右
之下，這些研究者各處於或者說被迫處於只能在這個嚴格的限制
之中進行研究。

　　但是，在以「核子威脅」、公害、資源枯竭等問題為契機，
而強烈呼籲「我們只有一個地球」的現在，對我們應有的研究所
採取的態度，卻是短視近利的。如以美國的區域研究主流為例，
可看到的是為美國世界戰略（各種軍事、政治、經濟活動）的推
行，而替政策制定服務，並將此做為至上命令，對「區域」之政
治、經濟、社會進行有組織的探究之類的研究是不行的，此不言
可喻。在這裡的區域僅止於區域，絕非做為對等、同格的外國或
他民族來設定研究對象。但對於這點所具有的重大意義，完全沒
注意到的學者居然還很多。

　　非常遺憾的是，現在日本出現對「華僑」（特別是東南亞
「華僑」）的關心，絕大部分的理由是出於我先前所引用的松
尾、須山兩位先生，在十年前的發言中所提到的「如果無視住
在那裡的1,200萬人以上的華僑存在的話，恐怕什麼工作也做不
成。」在這一點上，連研究者都有被限制於上述觀點之嫌。

　　松尾所言的「工作」，顯而可見，主要係指經濟拓展。

　　日本經濟拓展到東南亞的活動中，在泰國已經引起了拒買日貨的運動，在「華僑之國」（筆者並不採用這種觀點，這一點以後我會說明）新加坡，也招致了對日本企業的譴責聲明以及排斥運動。

　　我們可以理解，企業出於經濟拓展的必要，開始對「華僑」問題表現出關心，並試圖進行調查研究。

　　回頭去看，日本最早關於華僑問題的調查研究，是由當時負責殖民地台灣產業開發的資金供給，以及與華南、南洋進行金融貿易為主要目的之日本特殊銀行——台灣銀行的附屬調查機關所進行。可以說這點對於了解當時的調查研究性質，具有非常重要的象徵性意義。

　　最初的成果是一本30頁的小冊子，題名為「南洋華僑與金融機關」〔南洋華僑ト金融機関〕（1914年）。接著的是同年刊行，曾被游仲勳稱為「在文獻方面除了論文、報導記事以外，做為研究著作……當屬於最早的一本」[2]的《有關南洋的華僑——支那移住民》〔《南洋ニ於ケル華僑——支那移住民》〕。本書與前面所提到的《南洋華僑與金融機關》的小冊子有所不同，書後附有題為「外匯關係齋藤完治調查」〔「為替関係斎藤完治調查」〕的附錄，是　本比較完整的調查報告（全書共有172頁），具有劃時代的意義。

　　然而這個時期的問題意識，還是停留在「理解神祕人們（華僑）金錢流向的信用調查，以及認識到負責日本商品已開始大量

進入的南洋市場的流通過程中，華僑的商業狀況及他們的商業網」這個基礎上所進行的華僑調查研究。就像要印證這點似的，《南洋華僑與金融機關》一書多次再版發行。

令人感到玩味的是，在戰後當代企業內的一些調查人員，與部分的研究者們的問題意識，似乎仍停留在上述的領域之內，抑或是根據新的形勢，將究明做為商人的「華僑」實際情況，與做為合資經營夥伴的「華僑」，及做為經濟拓展的輔助者（主要的經營協助者與技術勞動者）的「華僑」生態，繼續當作其主要的關心點。

如同我剛才所講到的，企業為了開拓市場，或者為了開拓過程中提供支援的銀行及相關機構的調查人員，根據前面所述的問題意識與關心，嘗試著對「華僑」進行調查研究，這在資本邏輯範疇內，是理所當然的事，對此我們是能夠有一定的理解。然而，如果考慮到外國研究本來應該擁有的正確的態度，應該是放在國際間經濟交流、政治合作、文化交流等多方面的領域之內，且擁有長期展望以促進相互間理解的這種踏實的、以尊重人為基準來進行研究，而我們研究者若僅僅是停留在前述對問題的關心及問題意識的層次上，就太不應該了。

我想起1958年1月10日，正在籌備設立「亞洲經濟研究所」時，學術界向岸信介總理提出的〈學界對岸總理的有關確立亞洲研究機構的建言書〉中的宗旨。

宗旨上寫著：

　　鑑於對亞洲諸國經濟合作，以及區域內貿易迅速擴大的緊急

性，建議在政府援助之下，由民間設立新的綜合性亞洲研究機關，在科學研究方法的基礎上，確立亞洲研究的權威，以增進與亞洲各國的友好，並爲發展這種友好關係做出貢獻爲目的。[3]

　　說起來亞洲研究的最終目的是在於「增進與亞洲各國的友好，並為這種發展做出貢獻」。如果我們廣泛地接受這個命題，並且認為研究者的態度也應該受到制約的話，我們在進行「華僑」研究時應該採取的態度、關心的方式、甚至是研究者的立場應放在哪裡？當然是應該重新被質疑的。

　　戰前的研究者應是受到日本帝國主義的要求，被動員起來進行研究。起初是以「滿洲事變」為契機，被激化起來的南洋華僑對中國的支援，亦即為了制定對付擁有濃厚抗日色彩的抵制日貨運動緩和策略之華僑研究；以及為弄清侵略中國及開拓東南亞市場「阻力」核心的華僑的實際情況為直接動機的研究；或是由於為實現「大東亞共榮圈」的構想，必須把華僑考量進去，因而被要求對華僑問題進行更深入的研究。然而，我們研究者自身至今若還是照樣站在被動員的立場，而自己所參與的研究仍沿著學術上前輩們走過的軌跡，那應該是很不合適吧！

　　即使研究者自身並沒有意識到自己已沿襲著學術上前輩們所走過的軌跡是不對的，仍繼續進行研究的話，勢必會遭到與研究對象相同的華人系同行的反彈，即便是一些有識之士必然也會對此無法接受，其結果是請求協助研究的要求必定會被拒絕，最終

---

3 通商産業省，《アジア經濟研究所設立に關する說明資料──1958年9月29日》，頁3。

還會受到敵視。

　　這是為什麼呢？因為華人系研究者及知識分子，現在為了找回自己的主體性，正對既有的華僑研究進行質疑，並將自己做為改寫居住國歷史的責任者之一，亦開始大力宣揚自己的存在，並試圖通過自己的手，重新構築出自己的歷史。[4]

　　他們認為過去歐美殖民地主義與日本帝國主義陣營的研究者們，與這種主觀研究的動機無關地在客觀上對華人社會進行資料的蒐集、記錄、整理，並留下研究成果這一點，一方面給予高度評價。另一方面，在嘗試著將其做為研究手段的同時，也嚴厲地指責歐美、日本的華僑研究者在進行華僑研究時，主要的研究動機及問題的關心，是在於尋找延長殖民統治的對策，以及為與軍事侵略相伴隨的軍政效力的背景。他們的研究成績之上，還帶著不單純的研究動機與對問題的關心，這給他們的研究成果烙下濃厚陰影。在這基礎之上，今日的研究者現在努力開始致力於自己新的、開拓自己未來具備主體性的研究。

　　在我們具體地對華人系住民，以及對其社會經濟問題進行研究之前，先將研究對象放在一個適當的位置上，在尊重人的基礎上對此研究客體進行充分的認識，這點是不可或缺的。如果我們不能先對居住於東南亞各國的華人系住民所面臨的問題點，特別是對他們所擁有的時代精神有正確認識，並表現接納姿態的話，

---

4 這種研究的一部分的反映可見於黃枝連所著的《馬華社会史導論》（1971年12月），同《馬華歷史調查研究緒論》（1972年6月，均由新加坡万里文化企業公司作為「馬華社会研究叢書」出版）；和柯木林、吳振強編，《新加坡華族史論集》（1972年12月，南洋大学畢業生協会刊行）。

很快地就會陷入過去日本及歐美學術界前輩們式的研究類型之中，不僅不能夠取得人類所共有的研究成果，恐怕還會招致誤解，讓自身陷入受傷害的境地。

有關「華僑」的誤解與神話

從以上的觀點出發，我們在對新的研究視角進行摸索探討時，在研究前，首先應對東南亞華人系住民的認識問題進行思考。

不論是民族也好、個人也好、外國以及外國人也好，或者進一步說對異民族能夠進行正確的認識與理解，都是一件非常困難的事。儘管如此，在這裡我必須特別指出一點，再也沒有比一般日本人對東南亞華人系住民，所抱持的誤解與神話更嚴重的事了，這點真是令人感到遺憾。

關於對華僑的誤解與神話上，我要指出的第一點是，堅信過去的華僑及其後代華裔，現在仍一成不變地，以華僑的身分繼續存在。

本來「華僑」這一名詞的語義，概括來說就是指在海外中國人的總稱，用英語來表現的話，就成為Chinese Abroad或者是Overseas Chinese。

而「華」字，指的是中華的華。「僑」字可以說是表示「僑居」，或者說表示暫時居住人「僑民」一詞的略語。僑字又是中國的成語「喬遷之喜」中，表示搬家喜悅的喬字，加上人字旁部首，也可以解釋為移居之人。

因此，一般把在中國領土以外居住的中國人稱為華僑。而華僑的對立語，在中國境內居住的外國人，例如日本人被稱為日僑，英國人被稱為英僑，美國人被稱為美僑（在中文裡，美利堅合眾國被稱為美國）。但是，因為語言是有生命力的東西，華僑這一漢字所擁有的語感及其所包含的內容，是會隨著時代與華僑居住國的政治、社會、經濟狀況的變化（包含世代間的感覺及意識問題），而跟著相應地發生很大的變動。

此外，將華僑輸出到外國去的一方的人們，即住在中國境內的中國人，則由於悠久的歷史與文化傳統，以及對於血緣關係的重視（同姓不婚的鐵則及不改姓的習慣），對擁有中國血統且居住在海外的人，不論是要保留著中國國籍，還是要歸化為外國籍，均將其視為華僑或中國人的一員來對待，這種習慣已根深柢固地存在著。恐怕是由於中國人自身也是由多民族所構成，已經習慣於這種多民族、多語言的社會生活；中華文明同時也是一種混血文明，做為一種渾沌的存在而使得這種活力能一直保存至今，這一切都形成了中國人的這種習性。

但因為無論是從現在的世界觀來看，還是出於需有確定範疇的研究目的，我們都需要給華僑一詞下一個嚴密的定義。

在這裡我試著為華僑一詞下定義，即「華僑，是指從中國領土內移住到外國領土且保有中國籍的中國人及其子孫。但是由中國當局或者是其他公私機關派駐外國或是居留的外交官、駐地人員、研修生、留學生及其家屬等則不包括在內。」

或許有些冒昧，但筆者認為這樣的定義是最能擊中重點的、最為穩當的。如果這樣的定義能夠被接受，而且對東南亞各國的

現實情況又不生疏的話，就應該承認在該地域內，各國散住的過去的華僑，或者說幾乎所有的華僑，已經不能被劃入這個範疇之中去了。

也就是說，如果說認為過去的華僑及華裔，現在幾乎都應該被定位在作為居住國公民的一部分的華人系住民，這絕非誇大。我在這裡要指出的是，我們在進行研究之前，必須要先弄清楚華僑與華人系住民是不同的，以糾正過去的錯誤認識。

當然，日本一些有良知的記者及研究者（遺憾的是人數並不多），已經開始根據東南亞各國的實際情況，嘗試著將華僑與華人系住民，根據字義上的不同而分開使用。

但是，不管什麼國家的人都一樣，皆喜歡因陳守舊，很難自動地去接受新的觀點。同樣的，日本的文字工作者們也對第二次世界大戰後，特別是完成真正的政治獨立、在新的建國運動漩渦之中、以往一般被稱為華僑的中國移民及他們的後代，有著不肯以他們現在正立足的實際政治、社會狀況來掌握之嫌。

華僑及華裔的父祖之地，也就是母國──中國大陸，發生了社會主義革命，並且經過從社會主義國家建設到文化大革命的中國，很明顯的對一直被視為一般想法的華僑採取了與在此之前的國民黨的中國（包括現在的台灣的國民黨政權）有所不同的看法與政策，這一點是毫無疑問的。

另一方面，即使是在他們現在居住並賴以為生的東南亞諸國，自第二次世界大戰以後，雖然不是很充分但也已經恢復部分政治上的自主性，並在新興的民族主義激烈胎動之下進行建國運動。在這種情況下，我們應該看到對於居住國的當局而言，理所

當然的會對獨立前，歐美殖民地統治下以「分割統治」為支柱、以確保殖民地利潤為至上命令的影響，對華僑的待遇與政策會有所改變，而相關新的待遇與政策正在逐漸展開。

再進一步說，華僑的後代因為長期住在居住國，與祖國的關係開始變得淡薄，在教育方面，以中國語為基礎的教育正在減少。剛開始時是受到殖民地宗主國的語言教育，在第二次世界大戰之後，特別是在新的國家建國過程中，受到其所居住國家的語言教育慢慢滲透的影響，他們的意識也隨之發生變化。

例如「華僑」及華裔們，由於自己在生理上認為有著中國人的血緣，這種由血緣問題所帶來的騷動（特別是在遭受到極端民族主義高漲基礎上，所形成的排斥、壓抑、疏遠、歧視，甚至迫害的時候，會更加明顯地被表現出來），以及由於長期以來在家庭生活、風俗習慣、宗教觀、價值意識等方面，受到中國傳統的影響，使得他們在尚未完全從中擺脫出來的情況下，對中華文化仍擁有一定的鄉愁。但他們現在的生活理念，卻沒有停留在過去的「衣錦還鄉」、「落葉歸根」觀念中；反而是要「落地生根」，甚至會選擇做為居住國的一分子，進而挺身而出，積極參與居住國的建國運動，這是筆者的看法。

退一百步來說，即使他們還強烈地保持著歸巢本能，但擁有的也只是單純的鄉愁意識而已，絕非與一般意義上對國家（在這裡指的是中國）的忠誠心所能相提並論的。

況且，我們鑑於擁有居住國的國籍，或準備取得居住國國籍的「華僑」，比不準備歸化的人占絕對多數的實際情況，從本來將保持中國籍，到居住國去打工賺錢，也就是僅將居住國做為暫

時居住之地的中國人稱為華僑的這段歷史來看，將華僑這個名詞原封不動地承襲沿用下來是不對的。

　　語言是意識的反映，承襲沿用沒有實質內容的言詞，以及粗糙地使用言詞，不僅會帶來認知上的錯誤，也會導致文化本身被糟蹋，這點是我希望能加以改善的地方。

　　特別是在戰後的日本，因為所制定當用漢字中沒有「僑」字，新聞界用「商」字代替「僑」字，而將華僑稱為「華商」，尤其是一些大報所帶來的誤解是無法估量的。做為漢字文化圈一分子的日本，無視漢字所擁有的語感，甚至是不分青紅皂白地把「華僑」用「華商」一詞來表達，這樣做豈不是對言詞的使用過於粗糙了呢！

　　這種遭誤解的典型例子，便是著名評論家青地晨的〈華僑論〉[5]一文，作者在該文中寫到「19世紀的華僑是做為下等勞動者，在錫礦、橡膠園、農場等地方勞動，此後慢慢地開始進入商業部門。演變至今，一提起華僑幾乎就變成華商的意思了。」我必須說，這是一種令人感到困惑的誤解，且違反事實。當然，青地晨的見解或許是來自於對日本華僑狀態的單純類推，或者是僅以旅行者的眼光來看待東南亞的華人系住民，進而產生的誤解，也未可知。想來因為青地晨並非華僑研究的專家，這種誤解又應該是因新聞界撒下的種子而引起，由此追究其中的大部分原因才是妥當的。

　　如果青地晨這樣的人都如此認為的話，一般讀者從報紙「華

5 青地晨，〈華僑論〉，《中央公論》，1964年7月。

商」一詞的語感中，又會對東南亞華人系住民產生什麼樣的印象就可想而知了。

從這個華僑＝華商的觀點出發，導致有關華僑的第二個誤解與神話，被釀成且傳播開來。

華僑這一用語本身就已經存在著問題，偏偏又一股腦兒地把華僑當成是華商，這種看法會因為「商」所擁有的語感，便可產生「華僑」即是華商，華商即是有錢人的聯想。由以上的演繹結果，最終有可能產生「華僑」＝華人系住民均是有錢商人的看法。

當然，華人系住民中有相當一部分在從事商業，這也是事實。但是在華人系住民中，也包括農民、工人，甚至還有知識分子、政治家、醫生、律師等，這才是東南亞諸國華人系住民的實際情況，這一點也是眾所周知的。

因此，華人系的住民之中，既有屬於壓迫者、製造歧視的階級、階層的人們，也有屬於被壓迫、遭受歧視的，也就是屬於勞工階級的人們，這才是真實的情況。

這裡的第二個誤解與神話，進一步導致人們演繹出所有的華人系住民均與原住民相對立，或正處於對立狀態的結論，從而產生出第三個誤解與神話。

以白眼看待外來者這是人之常情，特別是在東南亞諸國，在四分之一世紀前還是歐美列強的殖民地，並且曾有一度處於日本軍國主義的軍政統治之下的體驗。不管是在殖民地統治下，還是在軍政統治下，他們都是為了獲取自己統治利益而施行「分割統治」。根據當時的狀況，再把華人系居民當為統治的附屬或是幫

手來加以利用的同時，某些場合又根據需要，不惜把華人系居民推出去充當代罪羔羊的角色。說起來華人系社會所形成的歷史，從某種意義上來說，同時也是一部排斥華人的歷史，這一點筆者並不是不知道的。

　　儘管有這樣的側面看法，但超越歷史、超越現狀、超越空間（無視居住國及居住區域所擁有的特殊性），及超越階級的將華人系住民，都看作是與原住民相對立的這種作法，這可能會導致對事實的錯誤認知。

　　第四點誤解與神話，是日本人從自身所處的社會生活與際遇出發，對情勢進行類推，而沒有意識到在這種受局限的認知情況下，去看待東南亞諸國的現狀而產生的。

　　也就是說大多數的日本人，疏於將自己的生活與境遇——特別是單一語言、單一宗教、單一民族這種同質性強的感覺[6]——放於一個正確的位置上，不能自覺到因為自己屬於一個具有很強的同一性、均質性的民族，所產生出來的局限式想法，而是根據自己單純、武斷的想法，對由多元的語言、多元的文化、多元的宗教、多元的民族共存與相互琢磨，進而產生出的無限文化創造的可能性，有意無意地不予以接受。其結果不僅是對華人系住民的各種要求恢復人權的主張不予容納，或者是在展開「入境隨俗」這種卑俗常識論的同時，認為華人系居民不能充分同化於居住國，是因為中國人的傳統習慣所致。其中有的人甚至進一步將其看成為是對中華文化盲目信仰所帶來的結果。

6 參照武田泰淳、堀田善衛共著，《対話・私はもう中国を話らない》（1973年3月31日，朝日新聞社發行）一書中，堀田的發言（見同書頁146）。

在這種已受局限的自我認知基礎上，所產生的第四點誤解與神話出發，而進一步推斷華人系住民，現在還繼續對他們的父祖之地——中國，擁有無限的忠誠心。這種推斷再與左翼華人的存在相連接，使得類似曲解被進一步擴大，卻不對左傾華人系的住民，為何向左傾的社會、經濟的本質性基礎與主要原因進行考察的人們很多。不僅如此，甚至還以非常單純且明快的方式，把這些左傾的華人看成是中共的第五縱隊之類的錯誤認識。

當然，居住國的當權者出於維持自己的政治權力、推行自己政治路線的必要性，也常常在政治性的發言中，動不動就輕易地指摘，不少華人系住民對居住國缺乏忠誠心。而且與此相伴隨的，甚至還有將華人系住民＝中共第五縱隊等言論擴大渲染的情形。歸根究柢來說，這些都是屬於政治性的發言，通常是為了隱蔽矛盾而進行的輿論操作。沒有必要作這種發言的日本人，當然也沒有必要停留於這種認識上。

扭曲的問題關心及新觀點的構築

如前所述，我針對在研究之前，一般把屬於認知層面中，關於華人系住民的誤解與神話概括為五點提出。

這種誤解與神話，理所當然地會對研究關心的方式造成扭曲，甚至還會替最終的研究結果，打下錯誤的基礎。

如果我們不想只停留在較低層次的常識論，嘗試著對華人系住民進行社會科學的研究，並謀求深化研究為課題的話，就有必要端正前面所提到在研究之前的扭曲觀點，然後將其與正確的問

題關心方式，以及問題意識的研究前提相聯繫在一起，在科學的方法論基礎上，確立今後研究的態度就變得很必要了。

下面我將再提出因研究之前的錯誤認識，所引起對研究關心的扭曲之處，並嘗試著提出對華人系住民研究時，所應該擁有的新視點。

首先，我們必須指出最大的問題扭曲點，就是將華人系住民，也就是現在已成為東南亞諸國不可或缺的公民及構成分子的這一部分人，依然視他們為華僑，也就是將他們當成外國人來看待而帶來的負面影響。

正如同我前面所講的，無視過去華僑及華裔已變成居住國住民的一部分，即是已變成華人系公民，並且現在仍處於劇烈變遷過程中的這點，而是因襲過去華僑或「華商」的稱呼，甚至將他們稱為中國人，實際上這樣是不對的，如此一來只會招致更大的誤解。

不用說，現在的東南亞諸國內也有一部分人，由於居住國政府的政策而拿不到國籍，至今還保留著中國籍的人們；也有一些由於自身的選擇，而保持著中國籍的人。這部分人士在國籍上應該是中國人，所以把他們稱為華僑，歸入華僑的範疇，對前者而言是無可奈何之事，但對後者卻是理所當然的。

但這一部分人只占少數，而且也只是例外，他們與華人系住民是有所不同的。但這種實際情況卻沒有充分的反映出來，不對華人系住民進行正確的定位，而只是籠統地還把他們稱為華僑，這樣是不對的。

此外，正如我先前所提到的，在華人系住民中，有相當部分

的人是屬於中、小商人。雖然整個華人系住民內，實際上包含有應當被分類為華商的部分人士，但事實上「華商」一詞不僅不能涵括華人系住民的全部，同時也不能代表華人系住民。

特別是部分記者及研究者，無視英語的Overseas Chinese及Chinese Abroad這些語詞的文義，將其直譯為中國人的例子，那就太離譜了。例如將馬來西亞的馬華公會（Malaysian Chinese Association），譯作「馬來西亞中國人協會」。正確的譯文應該是「華人系馬來亞人協會」。就大家同屬於漢字文化圈這點而言，也希望能對漢字所擁有的語感更加給予重視。

第二次世界大戰後的東南亞，與世界上其他區域一樣，發生著激烈變化，如果說它現在還處於變動當中，也絕非誇大之詞。

在這變動之中的東南亞謀生的華人系住民們，當然不會墨守陳規，在意識層面上不發生任何變化。況且由於他們的母國——1949年後中華人民共和國，對外政策理論也與1949年以前的中華民國有所不同。我們可以看到在這兩層意義之上，無論是來自於內部的要因，還是來自於外部的要因，都強烈地促使華人系住民們追求脫胎換骨。

當然，台灣的國民黨政權因為自身體質上的原因，同時基於自身在政治、經濟上的目的與需要，現在還竭力堅持將華人系住民看作是以往的華僑，並在這基礎上推行華僑政策，對這一點我們也不能忘記。

然而無可奈何的是，大多數東南亞華人系住民，並不認同台灣為故鄉，且國民黨當局所推行、鼓吹的中華文化及儒教倫理，以稱讚中華文化來挑起「歸巢本能＝鄉愁」的這種形式，主要是

以精神面的紐帶強化政策為主的作法，對老一輩——亦即還保留著濃厚的華僑意識的階層，在某種程度上應該還具有一定的效果。但必須指出的是，這種做法對華人系居民的中堅階層，或者年輕一代，可說就沒有那麼大的影響力了。

如果不能對這種實際情況加以充分了解，並把華人社會中激烈變遷的面向，放在一個充分分析的視野中去接近問題的話，就不可能充分地把握實際情況。

華人系住民社會變動的面向，應該才是我們最需要給予關心的問題，如果這種看法能夠被接納的話，我想到目前為止的主要研究中可以看出來的。如果「華僑」研究的問題設定時，就已輕忽略居住國的政治、經濟、社會等內在機制的相互關聯性，研究本身的有效性就不得不重新受到嚴格質疑了。

欠缺即時掌握華人系居民變貌的現實這種態度時，不僅僅是不能客觀地把握華人系居民的實際情況，往壞的方面去說，不但與研究者的主觀意圖相左，還會在該國的民族分裂、民族對立、人種相剋問題上火上加油，甚至是導致助長了居住國對該國華人系住民的壓抑、差別待遇的結果，這一點是我們應該十分留意之處。

那麼，如果要把華人社會與居住國社會的內在機制，彼此相互聯結起來進行研究的話，能夠構築一個什麼樣的分析框架呢？讓我們來對此進行考量吧！

建國與華人

首先，我們必須要以東南亞諸國現在還處於建國的過程中這點，做為接近問題的大前提。

站在這個大前提下，我們首先要考慮的是早已不是華僑，而是已經變成或正要變成居住國不可欠缺的一員——華人系住民，在建國的過程中占有什麼樣的地位？能夠發揮什麼樣作用等問題？

這個問題設定之中，又包含著與應該如何對待少數民族這個世界性的課題相連接的問題。在這個意義之上，我們首先應該打破先天地認為，近代國家、也就是所謂的國民國家的形成與建立，是以該國的優勢民族為中心的建國運動，這被深信不疑的神話，這是我們當前所面臨的第一個緊急課題。

因為太急於全面肯定民族主義，卻忽略其變種的排外主義陷阱，不用多說，這是不行的。

正如大家所知，現在的東南亞諸國之所以約有一千五百萬人左右的華人系住民，這是因為歐美帝國主義在這些國家進行殖民統治時，與相關國家的前近代的社會經濟結構相組合，所產生出的歷史產物。

在東南亞各國中，多多少少地都可以看到的一種產業，或者說是職業上的民族性分業型態（特別是在馬來西亞、新加坡更為顯著），就是前述的歷史產物中最為顯著的事情，這一點我不得不加以指出。

國民經濟的形成與華人

在新興諸國所發生真正的政治上獨立，如果沒有該國家真正的經濟自立當作保證的話，是很難達成的。

第二次世界大戰前，泰國便發生對外國人，特別是華僑的職業限制，就是為了實行達成民族經濟自立的課題，所採取的一項法律措施，這種正當性應該不吝給予承認。

但是，在戰後新形勢下，對已經不是華僑而是做為新的華人系住民還強加以職業限制的話，就不能算得上是一項正確的政策了。

如果是伴隨著國民國家的形成，而追求正常的國民經濟發展與民族經濟的真正自立的話，就應該把外國資本的範疇加以明確地規定，對在國內累積的華人系資本與已開發國家，特別是過去的殖民者資本（其中的大多數因為資本相對過剩，為了追求經濟上、政治上的利益，而成為支援武力外交或殖民地主義資本輸出，或者是在這種資本的基礎上再累積起來的資本）一視同仁，同樣視為外國資本而加以規定，這樣恐怕會看錯問題的本質。

但映入我們眼簾的現實是，華人系住民的人均所得相對比較高，以及處於村落階段的華人系，高利貸資本、商人、商業資本的專橫跋扈。就像我先前已經告訴過大家的，這可以說是殖民地統治與相關國家的前近代社會的歷史產物。前者說起來是產業、職業上的一種民族分業，使得國民所得再分配時，產生出民族間的差距；而依然維持舊狀的前近代社會、經濟結構，正是支撐華人系高利貸、商人、商業資本得以專橫跋扈的真正土壤，這點是

我們必須認清的。

　　從這個意義上來說，在研究華人資本的形成及規定其性格時，有必要釐清其與相關國家的社會經濟結構間的相互關聯。

　　如前所述，華人系資本的形成，與一般所謂的外國資本有所不同。但是，與其他新興國家資本的性格一樣，華人系資本也具有兩面性，其中之一是買辦性的性格，另一則是民族性的性格。

　　在未能掌握彼此間的實際情況之下，儘管相關國家還處於民族資本未完全形成的階段，或者說正處於形成的過程中，表面上看來，對民族資本的不等值性，或者資本所有者民族出身的不同為理由，而採取排除、歧視行為的作法。與其說是會促進相關國家民族資本形成的強化與發展，不如說會變成該國民族資本發展的障礙，使其經濟發生混亂，阻止國民經濟與統一市場的順利形成。

　　與建國過程相伴隨的、被當成社會經濟結構近代化的障礙，則是處於村落階段的高利貸、商人、商業資本的跋扈問題，這是任何開發中國家都能見到的共通性問題，只是在東南亞諸國中，由於上述的歷史背景，使華人系住民擔任其中的主要角色而已。

　　因此，為了解決問題的研究課題的關鍵人物是華人系住民，也就是說並不是僅在現象面將此問題焦點聚焦在華人身上，更為重要的是，如何去理解導致高利貸、商人、商業資本跋扈的歷史經緯，以及對其有著支撐作用的現實社會經濟結構間的內部關聯。

　　如果這種看法能得到認同的話，可以說對華人系諸資本進行機能分析固然重要，但到現在還允許這種資本存在的社會經濟結

構，才是我們研究視角所要首先對準的目標。因此把握相關國家
社會的殖民地遺制、包括土地制度在內的封建遺制等，與華人系
高利貸、商人、商業資本有關聯的實際情況，才是緊要的課題。

　　理所當然，我們不能僅停留於那些只是記述一些表面現象、
用華人系居民跋扈論來敷衍了事的調查研究上。這種內容淺薄的
研究「成果」，不僅會徒然地給予殖民主義者及其相關國家的排
外主義者，當作轉嫁國內矛盾的藉口，對一般大眾也有刺激作
用，做為他們高揚的民族主義走向極端民族主義化的觸媒，與研
究者的主觀意識無關的，這種研究成果具有充分被濫用的危險
性。並且我們也必須留心到，這會引起相關國家的民族分裂，甚
至可能會出現導致優勢民族對少數民族進行迫害的悲劇。

語言民族主義與華人

　　至目前為止，在世界上的一般想法裡，近代國家是統一國民
意志的重要媒介，國語的制定與語言的統一，被當成了必須的課
題，特別是對日本的研究者而言。正如我前面所曾提過的，由於
自身的「境遇與生活」，即單一語言、單一宗教、單一民族，也
可以說是同質性的感覺，也就是說並沒有正確的意識到，自己屬
於具有強烈單一性、均質性的民族，所產生的局限性思考，以及
試圖進行單純的類推；結果是很難看得見也很難認識到多元語
言、多元文化、多元宗教、多元民族內部所包含的種種迫切問
題。如果我們能想到，容許多元價值的存在，是當前世界史的課
題，上述狹隘的視野，必定會導致致命性的研究缺陷。因此，對

於新興國家發生以優勢民族為中心來制定國語的運動，應該避免
非常簡單地給予肯定。

　　世界史及人類的共通課題，就是要尊重少數民族的權利，促
進發展和創造少數民族文化，也不應該有妨礙少數民族文化的發
展和創造，現在已經開始有所認知。而少數民族（馬來西亞和新
加坡的情形則稍微不同，華人系住民在人口數上，與原住民系住
民尚能抗衡，甚至較占多數）的華人系居民，在信仰上的自由、
母語使用的權利，也就是尊重其接受母語教育的教育權，這些當
然都是值得考慮的條件。我們偶爾因為華人系住民的母國是中
國，因為留有中國的影子，以及對過去的中華思想擁有不協調感
之故吧！常常對上述堪稱是華人系住民的「基本人權」等諸權利
的強烈要求，採取輕視、或者是無視的態度，去接近問題或者是
論述，這種作法可說是違背世界潮流。

　　原本引起語言民族主義的問題，在印度、斯里蘭卡等華人系
住民所占比重很低，或者說是完全不可能發生問題的國家，竟然
也曾發生，這是近代國家形成過程中，常常可以見到的問題，這
點是不能忘記的。

　　如上所述，對於東南亞所出現的華人系住民，要求發展華文
教育的問題，如果只是簡單地採用謙卑消極的「入境隨俗」這種
通論，將問題矮小化；或是採取一味迴避的態度，這絕不會歸納
出經得起歷史考驗的研究成果。我們把始終屬於世界性、全人類
問題的少數民族的基本人權，和以民族為核心的文化創造，從應
當尊重其權利的觀點而言，亦應該將語言民族主義，與華人系住
民所共有的問題作為研究課題。國語最初對於人類而言，是什麼

呢？不是共通語，而是由上而下，以優勢民族為中心來制定國
語，單方面地強加在少數民族，以及在政治權利上受到歧視與疏
離的人們身上。這樣的作法到底是否會有效地、具有生產性地連
接以民族為單位的真正意義上的文化創造呢？對於母語被剝奪這
一問題的真正意義，我認為應該站在人類史的視野，以及從長遠
展望的觀點來重新檢討。

　　本來對外國或者是異民族進行研究的目的之一，就是為了獲
取對自己本國或民族內在隱含的問題，進行更正確理解與深入認
識的資訊。這樣的話，我認為對華僑課題進行研究，有助於加深
對日本國內的愛奴、沖繩、未開放部落，甚至是在日韓國人問題
的認識與理解上，具有一定的意義。

　　民族是人類共同體的構成單位，要使得整個民族所擁有的生
命力與想像力真正地燃燒起來，促進至今仍被壓抑的民族，「活
的」想像力的再生與擴大，與開拓人類共通的未來相關聯，讓世
界史、世界文化變得更加豐富。就此意義來說，以制定國語、統
一語言為名，進行扼殺、剝奪少數民族的固有語言，這是意味著
阻礙人類史的進程，甚至可說是開歷史倒車的行為。

　　我認為我們現在正處於不得不對至今仍被困在近代國家形成
的神話之中，自我進行再認識的歷史轉捩點上。

　　在今日的現況下，我們還可以看到自己的周遭，仍有無數個
具有道學家性格傾向的研究者們，對於少數民族受到抑壓、歧
視、迫害等問題時，僅從倫理、道德的方面來進行批判。但是，
如果他們的批判沒有以社會科學的分析為依據，而且是缺少構築
人類共同體的展望與理念，僅僅是停留在倫理、道義層次的發

言，結果當然還只是成為口頭上的為批判而批判。

　　上述這類倫理、道義的發言，同時也使少數民族「通常是受到虐待的人們，即被害者集團的少數民族」的形象被一般化。

　　不用說，被害者意識對少數民族的滲透，會使少數民族自身變得無力氣，與其在自己民族內部尋求發展的動力，反而更願意借助於他人力量的想法深植不變，甚至會導致他們自己確信除了受外界的支配以外，並無其他自身發展的途徑，從而引起停滯不前的情形發生。

把握東南亞形勢所應具有的觀點

　　就像我剛才所講的，幾乎過去所有被稱為華僑的這群人，在東南亞諸國都受到居住國當局及原住民族的歧視與白眼，現在，他們正在嘗試著以華人系住民的身分獲得新生。然而由於這些華人系住民的平均教育水準，要比原住民相對來得要高，上層者通過與居住國權力階層的勾結攀扯，從經濟、金融界開始，直到政界、言論界，或明或暗，都擁有不能輕視的影響力。此外，眾所周知的，中、小華商還在其居住國執流通經濟之牛耳，他們自身及其子弟，雖然很多場合，在政治面受到了排斥，但我們必須知道的一點，若單從經濟面來看的話，已經形成了維持居住國社會相對安定（這件事是否正確我們暫且不論）的中產階級，以及為了實現工業化所需經營、技術人才的最大人才庫。

　　然而在華人系的住民中，大部分仍屬於農民、勞工等勞動者階級，我們也有必要去正視此現狀。

　　特別是對大部分東南亞諸國中，在所謂以近代化路線為基調形成的近代國家，做為目前的課題而引起的華人系住民的社會階層、階級分化，如果不以冷靜的觀點來進行分析的話，就不能正確地把握今後東南亞諸國的政治、社會、經濟的變貌與向背，這是洞若觀火的。事實上，華人系上層與居住國的權力階層、原住民系官僚資本間的勾結攀扯關係正在進行中，中、小商人階級則隨著經濟開發及工業化的浪潮，也進行著激烈的階級分化。這種分化由於職業限制及原住民系市民優先政策的推進，與其說是階級與階層的上升過程，還不如說是往下降至無產階級化的方向在進展，對於這種實際情況是我們所必須正視的。

　　如果缺乏這種觀點，依舊一成不變地不去對華人系的居民進行明確的階級、階層的區分，只是籠統地將其稱為「東南亞的統治者：華僑」[7]、「東南亞的實力者：華僑」[8]，藉此來掌握華僑面像的作法，儘管會對華僑虛像的形成起一定的作用，但並不能對闡明華人系居民的實像有所助益，至少不是正確的社會科學的分析研究方法。

　　關於華僑這種不正確的表現，這裡就不再贅言了。在華人系住民之中，確實存在著屬於有實力者及統治階層者的人們（大多數不得不與居住國的統治者相互勾結而共生共存）。但正如我先前所指出的，不是所有的華人系住民都如此占優勢，他們當然也不全屬於壓迫、歧視的一方，被壓迫、遭歧視的華人反而占多數。如果進行社會科學研究的話，對於其社會構成，若不能根據

7　內田直作，〈アジアの支配者：華僑〉，《日本》，1965年12月。
8　河部利夫，〈アジアの実力者：華僑〉，《自由》，1966年7月。

實際情況來進行解明，就不能得出正確的結論。不然的話，其結果最終只能停留在表面的社會印象觀，或者充其量只能落入對社會現象，進行羅列性記述的舊式研究中。

不用畫蛇添足，華人系居民的問題，因為一方面包含有人種、民族方面的問題，同時其本質上也包含有階級的問題，因此有著難解的一面。但是，只因為這樣便把華人系居民的問題簡單化、圖式化為人種問題、民族問題，或者階級問題的研究方法是所謂的「懶人」研究方法，並不是真正的科學研究方法。

特別是看到了建立社會主義體制已有半世紀以上的蘇維埃聯邦，其關於猶太人的問題至今還是糾纏不清，有關少數民族至今未解決的問題仍堆積如山。若將馬克思主義中的古典命題「民族問題最終是階級問題」，與實際狀況無關地加以武斷，從而產生出一種樂觀主義的看法，來自我安慰，坦白地說在現在這個時間點，筆者還沒有這方面的勇氣。

重要的是不要偏向民族問題與階級問題的任何一方，而是如何正確地嘗試將華人系住民內含的民族與階級問題，有機地聯繫起來，嘗試正確地接近問題核心。如果仍然是欠缺對實際狀態認識的理念先行的研究，最終也只能停留在呈現理念的階段，不可能會有更進一步的科學分析。

代結語

正如我先前的論述，為了嘗試對東南亞華人系住民的相關問題，進行科學的考察與分析，我一直強調首先應該根據華人系住

民現在所處的實際情況，對其進行正確的定位，第一點應該是先承認他們也與我們一樣，是由有血有肉的人們所組成的集團，由此開始著手進行研究。關於這點，應該是再怎麼強調都不會過分的。

華人系住民，特別是現在居住於一個極為激劇萌芽狀態之極重要地帶的東南亞各國人們，這個區域與今後世界史的進展，甚至是與日本的發展，都有著密切的關聯。對日本人而言，也是應受尊重與不可或缺的鄰居之一，也是改寫世界史與創造歷史不可或缺主體的一部分，對於這點我們千萬不能忘記。像這樣做為研究不可缺少的重要前提的認識，卻意外地被許多研究者所輕視。從一般日本人強烈要求與東南亞諸國建立和平友好的芳鄰關係這點來說，我們應該繼續探討，我們對「華人問題」應有的正確關心方式，甚至是進行關於「華人問題」研究時，應該採取的態度，可說被更加強烈要求。

因此，將華人問題當作孤立的「華僑問題」來理解是不對的，必須在他們所居住的東南亞各國建國的過程中，將他們置於一個正確的位置上，並嘗試著在相關國家的政治、社會、經濟等內在結構關聯之中，抓住問題的本質以進行分析。

我們同時還要把到目前為止，所指出來有關華人系住民的各種常識、一般的想法、誤解，甚至是各種神話，進行正確的整理與克服，應該以既存的研究成果為手段，在這基礎之上，從現在可能設定的新觀點出發，嘗試著去接近問題。當然，所謂新的研究觀點是一部分的研究者，特別是中國系、或華人系出身者站在對華人系住民既得權益的維護，與「做買賣和暫時居住者，不要

對居住國的政治說三道四」式的立足點上；某種意義的「華僑論」不受拘束的同時，還要從「不忌憚強調沒有華僑的『華僑問題』[9]做為政治要求」，這種相關國家的當權者及原住民知識分子們的論點中解放出來，將研究的視野設定在一個新的水平線上，是毋庸贅言的。

　　不論是原住民系研究者，還是華人系的研究者，以及我們這些站在第三者立場的研究者，如果不能找出華人系居民所面臨的問題點，以及汲取他們所要表現的時代精神本質，將華人系住民的問題，納入世界史與一起開拓人類共同體的未來長期展望之中去研究的話，就無助於問題的釐清。不僅如此，甚至連對問題實際情況的掌握，也變得不可靠。

　　最後我們應該明白的是，僅僅是指出在研究之前的錯誤認識，及由此產生對問題關心的扭曲，以及錯誤的問題意識，並提出應該抱有的新觀點，並不表示就能夠完成研究。更為重要的是，在於我們如何在新的觀點基礎上，一步一腳印、踏實地進行研究工作的累積，將個別課題的研究成果具體化。因此，很多事情還有待今後去做。

　　　　本文收錄於戴國煇編，《東南アジア華人社會の研究》（上），東京：アジア経済研究所，1974年3月，頁3～24

9　拙稿〈東南亞的華人系住民〉，《日本人與亞洲》，1973年，新人物往来社，頁183～204。

【附錄】
中山一三致戴國煇函

◎ 林彩美譯

戴國煇先生：

去年〔1974〕末，欣獲貴兄所編，由亞洲經濟研究發行的《東南亞華人社會的研究》（上、下二冊），由衷感謝惠贈。這是非常有趣的企畫，特別是第一篇第一章〈研究的新視角〉讀後大有與您共鳴之處，本想趕快讀完全篇，傳回些許感想。

奈何，身負公司職務，每月平均得赴各地出差三次，結果至今猶未能全部讀完，真是汗顏至極。然而過於怠慢又失禮，而報告書內容中有一部分引用拙搞與對拙稿的批評。因此自知不足，而提起禿筆只是想到哪裡講到哪裡有如「初生犢不畏虎」，信手拈來記述一些。

有關幫、鄉土語＝方言文化組識

下卷頁29、福崎久一所批評的拙稿部分「縣人會（同鄉會）程度的東西」的描寫，完全如其指摘是「敝人寫過了頭」在此不吝於訂正。本來拙稿〈華僑研究的現代性意義——現地驗證報告〉（《現代中國》季刊，1973年6月號）執筆的目的是批評「華僑」有關的應時性俗論。如貴兄所提出的問題也很清楚，對於第一次接觸南洋諸國華僑的人，或在日本國內只能透過印刷物認識事物的人，那些應時的俗論，給華僑的形象招致甚多傷害。

從結論來說，如福崎先生在書中頁39，最後七行，簡潔地下了結論：「幫」的積極的存在理由已結束。從而「拿依據幫＝地緣組織的

內部團結與對外閉鎖的資料性說明來解釋現代華人」的構思我想已經破產。不過儘管如此，「幫＝鄉土語文化集團」的社會性機能也絕不是零。

　　例如敝人在商業交易上，以新的華人的對手，需要決定是否給與信用借貸時，此地沒有如日本的信用調查所，也沒有如歐美的鄧白氏公司（Dun & Bradstreet）信用報告資料，而經由銀行的調查動作只是形式上而已，完全摸不清其實際情況。結果是透過可信賴的華人友人，委託交易對手所屬鄉幫的幹部、消息通做人物調查，或利用街談巷議是最確實的調查方法。然而，最近常常碰到說：「其父親我們也很熟，但與兒子們完全沒有交往，所以不知其人品」的回答。可以斷言鄉幫的社會機能逐漸式微，但還是存在。

　　矢吹先生在下卷頁62的下三行所介紹的藍天（這個人也是我無話不說的好友）：「年輕時反對幫派、出社會工作後想法會逐漸改變」我想正是如此。有了財產，生活安定，就會想要有名譽。康振福也是有深交的人之一，他也的確是正義派，但實際上暗裡與政府的意圖大有關係是我的想像。

　　對於李總理團隊的國家建設路線，最大的障礙是華人社會的組織原理（不是表面的）、中華意識、中華傳統文化吧。把這個說成是「中共的支持者」等，好作超越現實議論的我們暫時將之抹殺吧。

　　新加坡政府引以為傲的住宅＝高層公共住宅社區建設，並不是單純的住宅問題對策。在過去100年以上所形成的鄉幫別居住地區區劃的破壞，市民家族制度的小家庭化，華／馬／印諸民族雜居，我認為任何一個都是國家建設所必要的再組織手段。

　　「盡可能讓年輕世代與華人傳統文化絕緣」，新加坡不是第三的中國的話，這是當然的事。雖然如此，新加坡政府還未成功設立可代

替幫的國民組織。設立人民協會，在各區設聯絡所（節制生育的宣傳活動，這個組織就扮演了重要角色），或青年組識、文化的集會、活動家的培養等展開積極的工作。儘管如此，鄉幫組織＝同鄉會館的集會、李光耀還親自出席演說。票田的確保，捐款的募集……還未能解散此非正式的民眾組織的鄉幫才是實情。

約是1967年吧，新加坡動員媒體放出中國銀行「擠兌騷亂」的煽動報導時，庶民不但不去「擠兌＝提款」反而展開「一美金存款擴大運動」給（政府）看。這個事件是鄉幫問題之外的帶有與中國傳統文明有關聯性（不是對中共，也不是對毛澤東）象徵意義的衝擊事件。

話與鄉幫問題脫離了，但順便講一個更衝擊性的事件——1970年，中國桌球隊訪問新加坡時，雖然場內均是年輕觀眾，但提出比賽計分用華語的要求，結果還爆出「毛澤東萬歲」的齊聲喊叫。當然第二天李總理不得不召開記者會，發出「只是一部分人的騷動」的聲明。所以不能小看華人對中國大陸的向心力、對中華傳統文明的執著，低估其力量吧。

話雖如此，馬來西亞與中國建交取得，「將華人問題以完全的內政問題處理，中國政府不介入」的保證的意義是成功的。砂勝越（馬來西亞的Shalaoyue＝Sarawak）的所謂共產游擊隊（本人認為與共產黨或共產主義在本質上無關）接納政府的安撫政策而投降，其中一部分幹部企圖經由香港進入中國而受到中國政府的拒絕，又回到馬來西亞的事實發生在本年2月。

唉，淨在東扯西扯模糊了焦點，回歸本題吧。

鄉幫／幫派問題是如上述充滿矛盾的狀況，雖然如此，可是如前面所講，福崎先生的問題的著重點與其結論（頁36～39）我是全面贊成。（不好意思我有點在為自己辯解的嫌疑，不過在拙稿把鄉幫的存在

理由評估過低以文章發表後，我自己也頗在意與被介紹為對貴報告書的製作也有協助的大山宏君們在我家閒談的時候，我也自我批評「講過頭了」）

那麼，鄉幫問題寫到這裡，也得稍微提到中山學先生（一橋大學）登在貴報告書第一篇第三章客家研究的結論。如《現代中國》拙稿所敘述，「華僑史」資料的蒐集、整理是做學問上貴重的作業，我對諸位先生（包含須山先生在內）表示大大的敬意，但是中川先生的上卷頁82〈結論〉的文章，做為客家迷的聲援我很能理解，不過與上卷序文所記述的「我們的問題意識第一……、第二……、第三……、」的被明確規定的想法要如何連結呢？我才疏學淺、無以理解，如蒙指點將萬分榮幸。

有關戴先生所記述「研究的新視角」

對於貴說我全面贊成是如前述。然而，請原諒，我提出所在意的幾點。

1.有關對華人問題關心的動機。

貴說上卷頁7第8～10行亞洲經濟研究所的最終目的是「增進與亞洲諸國的友誼，有助於其發展」我完全沒有異議。然而如貴說的「科學的、客觀的、主體的研究」的成果，被抱有什麼樣的動機的人所利用呢？或者，貴說所排斥的動機的持有者所做的研究完全是錯誤的指責到底是對或不對？科學的研究的問題次元與意識形態的政治問題次元，混在一起不是反而傷害到研究的客觀性嗎？我由衷憎恨「真理是黨派性的東西」這個說法。

2.貴說第2節「誤解與神話」有關的宗旨，我完全贊成，真不愧是專家。貴兄以周到、正確的文章來表現，這些內容正是在《現代中國》

拙稿所講的。非常欣快。

　　3.貴說頁15第18～22行，日文難懂，只要以聾人聽聞報導為主旨的媒體不報導，日本研究者不小心的表現，錯誤的視角幾乎不被翻譯成華人所定居的各國語言或不被介紹，對於彼此是何等幸運與方便的事！這被認為是真心或被理解為挖苦都可以吧。

　　4.貴說頁16下面倒數第3～2行、「對華人職業加以限制並非正確的政策」、頁17下面6行至頁18第8行的貴宗旨「現地國近代化阻礙要因，碰巧現在其旗手（承擔者）是華人這個理由，就以華人排斥問題頂替是不應該」的高見，誠如所說。敝人也每有機會（例如工業化促進研究會，經濟合作／合辦事業研究會等等）就主張「現地地主國的國民不自立，沒有決心自己去求近代化的話，國際經濟協助反而變成負面的力量」。

　　然而，如都立大學的周部先生所講，「做為一個大國並非資產而是負債」的意義之下，日本從發展中國家買商品就被說成資源的掠奪、賣商品就被批評為外匯的掠奪，這是有隱匿的意味、有必要想起「有資力的人與欠缺資力的人之間的『等價交換』是不成立的。即使是雙方同意，了解之下所訂的合同也有榨取的可能。」的邏輯在起作用。此事在現地社會，正好是華人與土著之關係的翻版。站在這樣的現實來看時，貴說的「不是正確的政策」，「無視使用母語、教育權，其他可說是基本人權的要求，是違抗世界趨勢」的主張，我認為是無比的正確。但現實上，只是一個漂亮事而已。當然，碰到這種問題學者、評論家與權力者的邏輯不管何時何地都會乖離的。

　　在這個意思上，新加坡是優等生的表現。新加坡政府，為了建國，一直重視做為共同語的英語教育，但從1971年年中後，改為實施二國語並進政策，最近又開始有「首先學華語，高中以後學英語……」的

議論出現。事情不單純只是語言問題。拉家拉多那姆外相的，此問題等於固有民族文化的尊重的正式發言應可以受肯定。

　　然而，馬來西亞、印尼或其他地方，是否能追隨著做是頗有疑問的。在複合民族國家、各個的固有民族文化尊重路線，要求最弱的國家權力。但現實是我覺得國家權力的重壓會越發強大。如印尼的新幾內亞問題、馬來西亞的砂勝越問題菲律賓的民答那峨問題、還有台灣問題，不也都是這種問題嗎？而戰前的日本，連朝鮮人、台灣人＝日本國民≠大和民族的問題意識都沒有吧。

　　我覺得田中宏先生也參加這個報告的團隊很有意思。

　　5.頁22，從上面4～6行，我完全有同感。因為同感之故，第二篇第三章加加美先生的「革命文藝的馬來亞化論爭」報告給了我衝擊。這一類是我完全沒有關心的範疇之故，讓我讀的很有趣，但很可惜的是如果能夠將華人的文藝活動普遍均衡地提出問題的話就更好。

　　總之，從事「華僑」研究、介紹書幾乎對下層華人社會完全不涉及。盡是華人成功物語、對華人失敗史記述的也很少。真不愧是貴報告書，對華人沉淪傾向給了關懷這一點，我脫下帽子敬禮。當然只以單純的「階級分化」等陳規公式就處理掉也令人困擾。

　　確鑿的事實是，愈是華人上層愈世界主義化、下層是不得不本地化（落地生根）。然而下層的華人一旦抓到機會上升。也會急速地世界主義化。事情就是這樣。在這裡，「衣錦還鄉」，「落葉歸根」的路線與「落葉生根」路線的對立概念可說明的時代早已過去了。

　　同時以「階級分化」、「民族對立」的概念，組合單純的方程式，只是令人覺得非現實，如何作想呢？

　　以上，真是不得要領的羅列一些外行人的胡語亂言，感謝垂覽。再感謝惠贈如此出色的報告書（指《東南亞華僑社會的研究》上、下二

冊）。

　　今後，如有此類出版資料，請不要忘記，務必寄給我，當然我會欣然付書款的。

　　自年底我花了約兩週去印度的大吉嶺、加爾各答、孟買、德干高原（Ajanta艾姜塔、Ellora愛羅拉）旅遊。賤民（印度種姓制度的最低階層）們現在還維持著恐怕是公元前數世紀的生活方式。不需工業化、好像是無數的人，用很長的時間，吸盡了自然界的有機物的感覺。

　　回程，從緬甸飛到馬來半島上空時，地上一片的綠林繁茂著。我深深感到不看印度不能談貧困問題。東南亞真是富裕。敬祈有更多的研究成果。

中山一三於新加坡

1975年3月2日

從「落葉歸根」走向「落地生根」的苦悶與矛盾

前言

自1970年起，至我開始著手起草本文這刻為止，在日本以及在亞洲等地發生了何等激烈的動盪，以至於讓人感到連喘息的時間都沒有。如果說這不是與揭開激動的1970年代歷史序幕所相稱的氣息，那又會是什麼呢？越戰的戲劇性展開，就像一場暴風雨，暴風雨過後通常是一片寧靜，但是這場寧靜似乎來得很慢，那些在暴風雨之中呻吟的民眾模樣，讓我們感到無限的疼痛。

對於人類歷史上的一些重大教訓，身處歷史舞台上的暴君們總不知道去汲取，因為他們通常只不過是一群愚者而已。一直呻吟著的無告之民，終於在暴風雨中覺醒過來，發現自己訴苦的對象原來只能在自己的心中，不久便不再是無告之民。

在這裡我提到的華僑，乍看起來，其中大多數人也是無告之民，因為無處可告而不安，故而只能在苦悶之中呻吟。

作為經濟大國的日本，現在抱著過剩洋溢的美元與商品，再次大規模地與亞洲各國發生關係。

彼此產生關係的重要對象之一部分，即是華僑。我們可以在

這裡看到，華僑問題驟然且強烈地令人意識到的時代背景。

　　來自「通俗」的強烈要求，是「如何才能將一部分華僑掌握的流通機構，納入自己的流通機構體系之內的課題」「怎樣才有可能抓住做為資本投資的夥伴及媒介的華商」「如何才能將「華僑」的資金、人力資源、經濟管理能力，納入自己的資本活動的整個體系框架之內，並加以使用」等等。

　　筆者沒有回答這些問題的能力，也不知道該如何去尋找這些答案。儘管如此，對於不屬於「通俗」的「學術」之路，也深感日暮途遠。

　　我所能嘗試的，充其量也只不過是把最近突然備受關心的問題——「『華僑』在激烈動盪與變化重組的亞洲形勢中，會做怎樣的對應」，思考此議題時不可欠缺的「華僑像」，按照我的方式來進行素描，多少削去華僑身上的虛像，使其盡可能地接近實像。

沒有「華僑」的華僑問題

　　「華僑」到目前為止，一般理解的是指「『僑居』（暫時居住）海外的中國人」。但是因為語言是會發生變化的，第二次世界大戰之後，在除了居住在發達國家以外殖民地的華僑，由於新居住國的政治狀況（即從殖民地統治下解放出來，與民族主義的高揚，有時甚至出現變種為排外主義等），以及在他們的母國——中國大陸，發生了社會主義革命。從共產主義政權的出現，甚至到文化大革命的大變動，波及中國大陸的每一個角落，

使得特別是住在東南亞、在此之前一直自稱或他稱為華僑的中國系住民，除了部分老一輩人的習慣，或者在一些特殊狀況下（例如與擁有中國籍的人們對話時，有必要表示親近的時候）以外，都不稱自己為華僑。大多數人現在都自稱是華人，或者有時自己定位為華裔。

嚴格來說，華僑僅是指保有中國籍，因私人因素（與中國的公務無關）且長期居住海外的中國人（短期旅行或居留，例如企業的外派專員、留學生及研修生等不包含在內）。

然而，到底有多少人還保留著中國國籍，對這一點並不清楚。但在中國人的一般想法裡，不論是要保留著國籍、還是要歸化的人，習慣都將他們稱為華僑，至今仍根深柢固，這也是事實。

但是像新加坡一樣，華人系居民占住民總數的75%，在政治、經濟、社會等各個方面，華人均不會因其出身而受到任何差別待遇，毋庸置疑，新加坡在東南亞只能算是例外。在大多數的東南亞國家，實際上不只法律上對華人居民在政治、經濟等各個方面有所限制與歧視，尤其是對子弟進行母語教育的受教權，也受到限制，甚至遭到禁止。

自第二次世界大戰之後，排華運動頻繁地發生，甚至把華人系居民當作轉嫁國內矛盾的代罪羔羊，這類的例子可說是不勝枚舉。即使是在被稱為除新加坡以外，唯一華人系住民的安居之地，而且是在居住國同化程度最深的泰國，華人也被當成是1971年11月17日發生政變的理由之一。泰國總理他儂在演說中指出：「由於中國加入聯合國，而使得在泰國的中國人鼓起勇氣，恐怕

可能使泰國傾向共產主義。」他甚至還指出：「泰國政府認為中國加入聯合國，對於居住在泰國300萬名中國人的影響，是難以估量的。如果這些中國人中，有大多數受到共產主義思想影響的話，那會使得原本在泰國境內到處可見的恐怖分子浸透，會變得更加惡化，泰國有可能會陷於混亂之中。如果在現在的恐怖主義中，再加入中國人力量的話，對泰國的安全會造成威脅。從這些情況來看，有必要迅速採取徹底、果斷的手段」（原刊於曼谷1971年11月18日的AP【美聯社】通訊社電報，見《日本經濟新聞》同年11月19日）在這裡，華人系居民又一次被做為代罪羔羊而加以利用。這些都非常確切地向我們述說了沒有華僑的「華僑」問題的存在，筆者在華僑一詞加上「」，進行表現的理由也就在這裡。

過去自稱或他稱都是華僑的人們，即使歸化了居住國，取得居住國的國籍或者公民權之後，希望能成為居住國國民的一部分的華人系住民。但他們在生活中要自稱華人生活時，在生活的各個層面常被迫過著不安的生活，正如同馬克・蓋恩（Mark Gayn）所描述「法律上的壓迫與公認的暴力相結合」（〈「東南亞」中國人的悲劇〉，《每日新聞》，1969年6月24～26日）。

基於此現狀，我想可以把「華僑」當成少數民族（這不僅僅是因人口數的問題，而是指在客觀的政治、社會狀況下，有著經常被虐待可能性的人們之意）來掌握。

言歸正傳。他儂總理所說的300萬中國人又意味著什麼呢？

根據中國國民黨當局編輯發行的《華僑經濟年鑑》（1970年版，第52頁），在泰國的「華僑」中，有300萬人取得該國的國

籍，剩下的50萬人雖未歸化，但擁有泰國的居留權。在此應該講明白，中華民國的國籍法是以血統主義為基本依據，國籍的喪失必須得到內政部的許可。也有人認為這與辛亥革命以來的傳統有關，即使歸化居住國，通常還被計算在華僑的範疇之內。泰國總理他儂上述所謂「住在泰國的300萬名中國人」的發言中，假設這包括後面的50萬人的話，還有250萬是指已經取得泰國國籍的華人系居民，這也就是意味著所有住在泰國的華人系泰國人都與未歸化的華僑，一起成為當局懷疑的對象。

　　他儂發言的原意到底是什麼呢？當然有另作思考的必要性。泰國政變後，在新成立的國政評議會（他儂為議長）成員中，身為華人系的著名前外相他納被剔除，這是不爭的事實，也是我們不能忽略的一點。

從附屬品變成代罪羔羊

　　東南亞華僑社會的形成擁有相當悠久的歷史，在這歷史長河中，我們現在當作問題對象的華僑，大多是鴉片戰爭（1840年）前後，從中國華南地區外移的，可以說是這些流亡農民的後裔。這些流亡農民為何外移？在中國方面，主要原因可以說是以英國為中心的西方所帶來的衝擊，造成中國農村經濟的崩潰。另外，若相關國家沒有可大量接受外移流亡農民的承受能力的話，就不會有所謂1,500萬人這樣絕非少數的人口，分布在東南亞地區了。

　　這點我們暫且不說，這些「華僑」的前輩中，大多數是清國的棄民，或者是為了逃避母國的戰亂與生活的艱難，有的則是自

由的移民，或做為「豬仔」的契約勞動者。（「豬仔」在廣東話中是指小豬之意，有人說是因為他們形同奴隸般被塞在船底帶走的，故被稱為「豬仔」。也有人認為是因為苦力們的辮子形似豬尾巴，所以被比作「豬仔」。至於契約勞動者雖有「契約」兩字，卻是不平等的。）

除了泰國以外，其他接納流民的一方均為殖民地。其權力主體分別是印尼的荷蘭人、馬來半島的英國人、中南半島的法國人、菲律賓的西班牙人。當然，由於各國被殖民地化的時代，與殖民地化展開過程的具體情況有所不同，苦力的接納與流入的方法也不一樣。例如，像馬來半島的葉阿來在吉隆坡的開發、羅芳伯的蘭芳公司開發西婆羅洲的東萬律（Mandor）地區一樣，偶爾也有中國勞動者自身組成集團所開發的地方，後來由於相互間力量消長的關係，被納入殖民地統治體制之中（前者為英國，後者為荷蘭）。不管怎麼說，「華僑」前輩們在開拓東南亞時，並非是在母國適當又強而有力的保護下進行的，如同我前面所說，因為是流亡的棄民，故只能徒手空拳地到外國去。

他們之中的大多數都是勤勉、有能力的超低工資勞動者，多在農園（種植橡膠、甘蔗、胡椒等）、礦山（金礦或錫礦等）、鋪設鐵道或土木建設工程。

就以當時世界史的發展階段來說，歐洲殖民主義者是為了確保自己殖民地的利潤，大量接受淪為殖民地附屬品的苦力，並加以活用，而不是無緣無故地接受苦力。特別是19世紀後期，東南亞全面的殖民地化，以及伴隨著1833年英國所頒布的黑人奴隸廢止條例，皆使得相關殖民地對代替黑人的中國勞動者的需求變得

更大。

對於殖民地統治者而言，在維持、再編，與強化殖民地農村秩序的同時，讓殖民地農民釘在農村，然後再讓印度人或中國人，尤其是中國勞動者，作為殖民地統治中間機構的擔當者來使用，成為最合理的壓榨型態。作為中南美、北美黑人奴隸勞動者的替代「物」，中國勞動者尤其方便，歷史充分地向我們展示了這點。

歐洲殖民統治者把華僑當作殖民統治的附屬品來加以利用，但在具體作法上並非單純不變，當中國勞動者超過需要，他們便不接受；如果發現華僑有發展成為自己對手的徵兆時，便會毫不客氣地給予打壓。

同時，為了充分發揮分割統治的效果，殖民者把明顯有可能傷害到原住民感情的職位，都驅使華僑去做（例如舊印尼或馬來半島的鴉片製造、販賣和當鋪的經營，以及泰國王室的代理徵稅人等等）。他們這種卑劣的分割統治政策，促使被統治者將極大的反感的矛頭轉向華僑。

從當時大多數東南亞的原住民所處的歷史發展階段、宗教觀或是價值體系來看，他們一般都缺乏殖民主義者所要求的那種「勤勉」，也沒有儲蓄的習慣，當然也缺乏理財的能力。

在這種狀況之下，身為流亡之民的華僑中，有相當部分成為殖民地統治的緩衝器及有能力的附屬品。他們會鑽殖民地社會的空隙，徹底發揮他們的勤勉與商業才能，在統治者胡蘿蔔與大棒並用的華僑政策下，巧妙地處身對應。漸漸地開始由豬仔進化為小商人，進行具商人資本性質或商業資本性質的活動，以至於能

在東南亞各個角落的村落中紮下了根。

坦白地說，如果把原住民視華僑為放高利貸、缺德商人、守財奴、殖民地統治者代理人等這種印象，完全歸罪於歐洲白人統治者，那也是不公平的，也並不足以完全回答問題。

歧視意識的存在

在居住地社會由「豬仔」上升了一個級別的「華僑」們，開始成為殖民主義者的追隨者，他們把原住民看成是懶漢、低能兒、野蠻人而加以蔑視。不，目前在潛意識裡還繼續保有這種歧視意識的「華僑」事實上還不在少數。

讓這些暴發戶的歧視意識，更進一步起到增強作用的，即是所謂的「中華思想」。特別是這些暴發戶中的上層人士，將舊中國的生活方式帶入居住地，沉湎於奢侈享樂的生活，這也成為導致當地有良知的青年反感的原因。一些發了小財的華僑，則回到母國娶親找媳婦，將部分賺來的錢寄回故鄉，死後也說要「回到唐山」，把遺體裝進棺材用船運回母國，即是所謂衣錦還鄉、落葉歸根的原理。這些觀念至今仍根深柢固地滲透在生活之中。

為投靠發財的華僑，新到的貧窮華僑與自認為沒有「財運」的下層華僑（實際上屬於這個階層的人數占華僑的壓倒性多數），也都到發財的華僑處幹活了。實際上，他們都沒有從出外打工賺錢的慣性中脫離出來。華僑執著於「落葉歸根」的全部理由，當然不能僅限於從華僑基於自身想法基礎上的各種原因來看。正如我先前所言，對身為殖民者的歐洲人而言，華僑只是幫

手、附屬品而已。受限於此，華僑也常常成為被統治者排斥的對象。又限於是殖民者的附屬品、同時是外來的暴發戶，華僑同時也遭受到了來自於原住民的白眼與疏遠。在受排斥、遭白眼、被疏遠等不安的狀況下，華僑處於不得不靠自己的力量，以尋求謀生之道的嚴峻現實中，他們也是為人子女，在歸巢性及為了保全自身安全等考量之下，他們最終不得不選擇了「落葉歸根」這種生活原理，這也是理所當然之事。

　　清末中國的混亂及日漸高漲、激烈的革命，也將東南亞華僑捲入了這場漩渦之中。

　　他們當中有部分人認為是滿洲族的腐敗統治，才使得他們有不得不流亡的棄民意識，再加上漢民族對異民族統治反感的感情相乘，出現了這種在單純反感的基礎上所培養出來的愛國心。其中也有一部分人是長期遭受被排斥、遭白眼、受疏遠的不安折磨；有時甚至受到腥風血雨的鎮壓，戰慄於生活上的恐怖，期待著出現一個擁有強大庇護能力的近代中國。

　　另一方面，一些「運氣」較好，存了一些小錢而得以上升的部分上層華僑與一些激進青年們，為了到母國尋求自己資本主義發展的新天地，對創造出這種發展環境的資產階級民主主義革命（辛亥革命），毫不吝惜地獻金，並投入了年輕人的熱情。當然，革命的領導階層中，包括孫文在內的華南及客家出身者，也起了強化紐帶的作用，這一點是要記住的。

　　特別是馬來半島的殖民地開發，是隨著當時蘇伊士運河的開通，以及對橡膠、錫需求量急增之下，而得到飛躍性的擴張，這些亦與華僑經濟的發展相關聯。在英國人的間接統治下，以中國

革命為目標的運動，在不會威脅到英國殖民統治體制的限度內，華僑們政治活動的自由，也由華僑們自身得以確保。這些條件使得關於辛亥革命的運動，在當地容易展開。所以孫文讚美「華僑是革命之母」，也反映出以上條件，以及華僑與革命相關聯的經緯，同時可以理解為含有強烈呼籲他們參加革命的政治意圖的發言。

辛亥革命的挫折，以及接踵而來的軍閥割據、國共內戰、政治腐敗等等，無法讓他們開發新天地的精神得到充分發揮，沒有讓他們的歸國投資產生促成產業資本發展的結果。然而靈魂深處密藏著孫文主義，與對近代中國的強烈志向的中國人的新氣息，以及與此相關聯的啟蒙運動、新教育運動，深深地抓住了他們。這一切更進一步的與居住國創設中華學校，以及中國話（北京官話）教育運動的普及相關聯，進而發展到子弟的歸國升學、由陳嘉庚創辦著名的廈門大學等等。

進一步促進華僑中國民族主義的覺醒與共鳴，是中日戰爭與太平洋戰爭期間，在相關居住地的對應。

本來已經燃燒起愛國心的華僑，雖然在辛亥革命後看到母國的混亂，而懷有很大的挫折感，但以日本「出兵山東」、「滿洲事變」等為契機，展開了國防獻金、抵制日貨等運動，間接地開展了抗日運動。自「盧溝橋事變」爆發之後，至此僅止於在部分地區才能看到的上述抗日運動，更加廣泛地蓬勃發展起來，甚至發展到青年華僑回國從軍。

隨著太平洋戰爭的發展，日本軍隊開始入侵東南亞國家，使得情況變得更為深刻化。日本軍隊從一開始就把當地華僑，看成

是抗日運動的行動者，甚至是抗日戰爭中重要的經濟支援者（事實上，華僑中除了一部分當地出生，即所謂「僑生」，因為在當地已經經過了幾世代，與母國的聯繫較為薄弱之外，大部分都或明或暗地參加了抗日運動）。日本軍隊實施一種先是揮舞著鞭子給予打擊（新加坡發生的華僑大屠殺即為典型例子），然後再給他們糖吃，把日本軍所需要的軍需物資讓他們去籌辦的軍政策略。

由於太平洋戰爭一方面擁有反法西斯戰爭的性質，另一方面因為表面上大致也標榜著把歐洲殖民主義從東南亞趕出去，因此部分原住民在戰爭初期能夠被日本軍隊拉攏過去。在這一段時期內，當然也與日本軍的挑撥有關，特別是在馬來半島發生了原住民系居民對華僑的掠奪與殘殺。即使是用比較保守的眼光來看，也可以說是促使對華僑反目對立的結果。馬來亞共產黨化暗為明，展開激烈的抗日游擊戰，亦即此時開始。

而在泰國，情況就更為複雜了。泰國政府因為本身對中國、聯合國都是處於敵對關係之中，在戰爭以前就已加強對華僑的鎮壓。

在日本無條件投降後，而迎向終戰的東南亞國家中，泰國境內因沉醉於勝利喜悅的華僑，在曼谷與軍警發生衝突，使得大量的華僑被殘殺。另一方面，在馬來西亞國內，重新回來的英國軍隊與馬來亞共產黨、還有華僑組成的游擊隊，三股勢力是否會相互提攜，對曾協助過日本人的馬來人進行報復呢？與日本當局曾有過關係的馬來人們在感到威脅的同時，對華僑的反感愈是有增無減。

　　隨著終戰後的混亂、民族主義高揚與獨立運動高漲，以及歐洲殖民主義者在政治層面上無奈的撤退（在經濟層面上，雖然各國之間在程度上雖有所差別，但舊殖民地宗主國的資本依然得以留存，並且依舊擁有很大的影響力），各國大體上達成了形式上的獨立。

　　現在，曾經是直接的壓迫者、榨取者的歐洲人，從政治舞台前面消失了，只不過曾為白人殖民者附屬品的華僑，變成了眾矢之的。所謂的處理殖民地統治下殘留下來的「污物」角色，也必然地落在了附屬品的華僑肩上。至此，華僑可說是充分具備了做為代罪羔羊的資格，他們置身於隨時都有可能被拉出來的狀況之下，至今他們仍還是處於這種狀況之中。

代罪羔羊的掙扎

　　急劇發展的民族主義運動會帶來偏激行為，乃理所當然的事。與其說是獨立，實際上，在更多場合下是用形式上的政治獨立來搪塞或被搪塞。然而，與其說居住國的獨立是通過自身民族主義運動的發展，以及在這個過程中靠著自身的努力、鬥爭來取得勝利，毋寧說是例外。因此，也就不大可能自己認知或發現最大的敵人，其實是自己內部的矛盾與腐敗，以及缺乏真正的意識形態的自立精神等等。由於對於問題本質的認識，是屬於理性層次，故訴諸大眾是有一定困難；若把問題歸諸人種或民族層次，以此向大眾進行感性的訴求則明顯容易多了，所以找出代罪羔羊是最為簡單的作法。於是，「華僑」被當成「看不見的敵人」，

送上了祭壇。

也就是說，狹隘的民族主義高揚，變成了排外主義，輕而易舉成為國內矛盾的轉嫁對象，「華僑」因此被送上了血的祭壇。

自第二次世界大戰結束以來，東南亞境內的排華運動可說是不勝枚舉。印尼的九三○事件（1965年），馬來西亞吉隆坡的五一三事件（1969年），尚且是記憶猶新的例子。

對於這類頻頻發生在東南亞的排華運動與暴動、殘殺，我在這裡暫且不去深究。印尼的雙重國籍問題，與禁止外國籍零售業（其中大半為華僑）的問題；菲律賓華僑零售業排除法的頒布；1950年代，南越及柬埔寨，對華僑就業職種的限制，甚至限制與禁止中華學校使用中國語進行教育，強制使用居住國國語；在國籍與金融面的管束與壓迫，華人系青年在公務員任用問題上的限制等等。這些對「華僑」所實行的壓迫政策，雖然在程度上與實施年代有先後之別，卻是各國共通的。

面對上述種種的壓迫政策，「華僑」們通過「幫」（地緣、血緣、職業的同業公會組織）的相互扶助共濟，自衛組織的重組與強化，極力避免與居住國當權者的直接衝突，以及與原住民之間的摩擦表面化。

雖然還是像過去一樣，通過互助的方式來進行金融活動，但業務上的「幫」，內部的提攜合作已被強化。過去不肯歸化的華僑們，姑且不論內心真正想法是什麼，迫於現實的狀況，他們也都變得積極地通過歸化，從而取得居住國的國籍。特別是在戰後，引人注目的是「華僑」上層，據說向居住國的權力階層，送上政治獻金，以做為保護費；向軍部贈送賄賂，以及通過與官僚

資本的勾結攀扯，希望試圖保全自己，並謀求自我發展等新的手法與策略。這些上層的「華僑」還試圖通過分散風險的方式，人員方面，則是將子弟送到歐美留學，以及進行國籍上的分散；在資金方面，則是通過在國外存錢與投資等方式來規避危險。據說其中一部分人，甚至通過與有影響力的原住民系人士的聯姻，以創造出人脈關係等作法，來試圖獲得權力的庇護。

　　就個案來說，這些自衛策略或許能達到一定的效果也未可知，但事實上，正如我們所看到的，對於根本問題的解決，不是那麼容易奏效的。不僅對華僑一方如此，這種作法還可能成為促進居住國權力階層腐敗的愚舉。由許多例子來看，腐敗的結果，卻使自己處於不得不付出更大代價的窘境，華人系中許多有良知的知識分子對此發出了深歎。所謂代罪羔羊的掙扎，指的就是這個意思。

　　在這種掙扎的過程中，作為終戰後四大強國之一的中國，而且是真正完成統一的近代中國誕生了。自參加辛亥革命以來，一直持續不斷描繪的新天地終於成真。可以說，華僑是在居住地，一邊期待著母國給予適當強而有力的保護，一邊進行掙扎。

　　激進的青年階層，以及一些對國民黨為首的母國形勢比較了解的人，開始離開國民黨，轉而期待著一個社會主義中國的出現。

　　但是，隨著歷史進程的發展，國民黨在國共內戰中敗退，使得華僑們多年以來持續描繪著自己產業資本發展的場所，現在終於完全喪失了。倘若說是對二次大戰戰勝國中的四大國之一，以及戰後短暫的一段時間內，曾有所期待國民黨政權能提供適當強

而有力的保護，但自從國民政府撤據台灣孤島這一現實情況來看，縱使國民黨有這麼做的願望，實際上也沒有這個能力，這無疑是眾口一致的看法。

中國的華僑政策

那麼，社會主義中國又是怎麼樣的呢？從1949年的中共政權建立後，在經過朝鮮戰爭（1950年6月～1953年7月），到第一個五年計畫（1953～1957年）為止的這一段時間內，在經歷過第二次世界大戰、國共內戰、朝鮮戰爭之後，變得疲憊不堪的國內經濟與新政權，在來自國內、國際政治上要求的情況下，都必須保持促其強化。新政權對華僑向母國的匯款、歸國投資，都抱持歡迎的態度，並且強烈要求在海外的華僑們支援、擁護社會主義的新中國。剛剛獨立不久的東南亞諸國的政治狀況下，至少在這個時期，對一些激進的華僑青年歸國就學，在一部分的國家是持容許態度的。

然而北京當局的華僑政策基本內容規定為：

1. 希望華僑基於自發的意志，取得居留國的國籍，並對居留國保持忠誠。

2. 華僑在取得居留國的國籍時，不能再擁有中國國籍，但認為與他們之間在種族上的、文化上的紐帶，依然繼續存在。

3. 對於繼續保持著中國籍的華僑，有必要遵守居留國的法律，不參與居留國的各種政治活動。但是這部分華僑的正當權益應當受到保障，不得遭受歧視的待遇。

　　從北京當局將華僑政策定為以上三點看來，不言可喻的是，中國已經不是先前筆者所講過的那種華僑新天地了。

　　此後，東南亞政治局勢的發展，使得華僑青年的回國就學變得不被容許（即使允許他們歸國，也不許他們畢業後的再回國）。歸根究柢來說，新中國的邏輯認為，即使將嚮往社會主義的華僑青年，當作愛國青年來歡迎，或把他們當作社會主義建設的參加者來對待，也讓他們強烈地認知到，在中國已經沒有進行社會主義革命的實踐場所，如果有的話，也是在居留國。在這種情況下，不應該是做為華僑，而應該是定位在取得居住國國籍的華人系住民的基礎上來做的事。從上述基本政策的主旨裡，以及社會主義革命的一般邏輯來看，這一點是理所當然的事。

　　中國大陸在發生大躍進、文革以後的政治發展，而東南亞諸國連續不斷的排華運動，再加上1950年代末期以來，台灣海峽相對安定化、台灣高度經濟成長的展開，國民黨同時又提出華僑歸國投資優惠獎勵政策，使得一部分「華僑」被台灣方面爭取過去了。特別是進入1960年代以來，對台灣的歸國投資、觀光旅遊、歸國就學等皆呈現激增的局面。故宮博物館的開館，並非只是為了吸引外國人，也是為了喚醒華僑的鄉愁與加強文化上的紐帶。但即使台灣顯現了這種民族性、文化性的聯繫，但已經很難說是像過去那種構築於新天地觀基礎上的獻身行為了，特別是在投資方面，具有很強烈的將資金從居留國拿到國外進行分散的意願。因為其中大部分是帶來商品的投資，或者僅限於在什麼時候都可能撤走的業種（償還年限相當短，例如觀光飯店等），即使是奉承也很難說得上是產業資本。然而，台灣在1971年所發生一連串

的國際形勢變化，迫使「華僑」們不得不做出新的舉動。

圍繞著中國大陸與台灣的政治情勢，使得先前所述的「華僑」，不論在主觀上是否願意，都不得不將到目前為止「落葉歸根」的生活原理，轉換成為「落地生根」的新原理。不，也可以說這種轉換正在進行中。

到目前為止，將「落葉歸根」能夠不僅僅是從心理上，而是從物質上也能夠付諸實踐的，或者說是已經實踐的階層，也就只是一些中層以上的華僑而已。在「華僑」中占大多數的中下層的華人系農民、勞工及小商人階層，從物質的方面來說，沒有能夠實現「落葉歸根」的條件。對他們而言，「落葉歸根」到底還只是屬於心理層面。如果到東南亞去旅行的話，就可以清楚發現這件事實。

對於這種心理層面的「落葉歸根」，新的國際形勢發展，促使中下階層的「華僑」們，做出應該「切斷」的抉擇。

崎嶇的落地生根之路

我們翻開歷史，在第二次世界大戰前，就可以發現即使在「落葉歸根」占主流地位時，還是有少數「落地生根」的實踐。然而，並非將他們視為例外而不加以重視，而是他們所實踐的「落地生根」，始終是依附在歐洲殖民主義者的上層統治體系（與華僑處於統治與被統治的中間階層位置有所不同），這並不能真正稱為「落地生根」。屬於這個階級的華僑，即所謂的「僑生」或稱為當地生，在馬來半島也被稱為「峇峇華人」（Baba

Chinese）的這部分人。

　　一般來說，僑生群體在當時社會為了生存下去，在經濟上必須是處於相當上層的地位。在他們不得不從自己所處的優越經濟基礎降下來的時候，與其說是志願同化於原住民的價值體系，還不如說是在明顯曲折的心理狀況下，選擇了回歸華僑這條道路。這是因為在殖民地社會裡，歐洲的白人與有權有勢者，擁有做為統治者的優越感，華僑則擁有次優越感（而中華思想則增強了這種優越感），原住民擁有民族規模的自卑感、無力感，這三者微妙地交織在一起，形成了殖民地社會的心理上的差別與偏見的結構。因此，家道衰落的僑生採取其次的策略，選擇重新回到華僑圈的作法，從當時殖民地社會的價值體系來看，這是理所當然的作法。

　　僑生中的大部分人，限於身為僑生之故，與其說是向父祖之國尋求文化上的紐帶，還不如說是更願意到殖民地統治者所屬的歐洲文化中，去尋求生存的意義與價值。他們受的不是中國語的教育，而是歐洲語言的教育。在上述行為模式占主導地位的基礎上，即使他們能成為歐洲文化或文明的祖述者或追隨者，他們也不能真正成為創造出居住地文化的擔當者。可說他們比一般上層華僑所走的附屬品道路，在社會地位、發揮的作用方面，稍稍會有所不同。在殖民地時代，通常只不過是成為殖民地統治機構中，有才能的中下層級殖民地官僚、或者是歐系企業的好幫手而已。

　　第二次世界大戰後的東南亞的政治形勢，在表面上發生了變化。政治面的新興民族主義，與軍政、經濟面的新興民族主義、

舊殖民地宗主國資本部分的保存；官僚資本的形成與形式上的計畫經濟的實施；農業方面的施行僅限於技術面的農業改良；社會面則是為保持統治權力而對舊秩序進行再編與強化；對既存宗教的保護與將其國教化的意向相當強烈，這幾個方面複雜地糾纏在一起，用一句話來說，這種由上而下的近代化路線的推進，是東南亞各國主要的建國基調，到現在還一直在進行中。

在這種情況下，僑生被納入了權力機構的一部分，上層「華僑」在內部有名無實的同化，與為追求權力庇護與自己資本發展，而與官僚資本相互勾結攀扯、例如對軍人的籠絡及政治獻金，對外則是嘗試著將資金向發達國家及香港等地，施行風險分散的策略。

近年，趁著居住國實施引進外資獎勵政策的機會，也出現積極地與以日本資本為首的已開發國家資本，彼此提攜、合作，進行企業經營活動的形式。在這種情況之下，華人系資本家的目的，一方面是為了能夠與外資共同享有利潤；另一方面，他們是企圖借助於變成外資背景的外國勢力，期待著一旦出事時，能夠得到國際輿論的支援。也就是說，可以看出來他們試圖通過合資經營的方式，獲得一種無形的保險心理。

上層華人還嘗試著讓子弟到發達國家進行多方位留學，有時甚至發展到採取試圖通過取得留學所在地國籍，進而分散家庭成員的國籍，採取這種方式者也不在少數。

用「狡獪」一詞來責備這種行為方式，是一件很容易的事。這種責備正如同「把猶太人迫使猶太人不得不採取猶太式行動的人捨我們而無他」，凡有良知之士都知道，這是一種沒有絲毫自省意識

的驕橫者言論。

　　從居住國政治權力的特點來看，做為一般概念被散布的「華僑」觀，在國內矛盾被激化時，為了隱藏真正的矛盾所在，將華僑塑造成「看不見的敵人」、「背後的實力者」、「中共的第五縱隊」等，再加以轉嫁利用，再也沒有比這個更為簡單的藉口。如果在面對問題本質時能擁有理性態度的人，所謂的「看不見的敵人」、「背後的實力者」等，指的絕非是中下層的「華僑」。

　　儘管如此，在現實政治中被拉出來當成排斥對象的不是別人，而正是占「華僑」中大多數的小商人、農民、勞工們。

　　特別是在馬來半島南洋共產黨的發展，已故的胡志明也曾是其草創期的領導者之一，而至對日戰爭期間嶄露頭角的馬來亞共產黨，其黨員構成，做為歷史經緯的結果呈現，華人系則占較多數。

　　因此，只要是稍微提倡一點社會主義性的政治革新，或者是對馬來人優先政策提出糾正的主張，或是批判將回教國教化時，就會受到如「沒有忠誠心」、「是中共的第五縱隊」之類的反擊，有識之士指出這是當地政情的常態。

　　以由上而下的近代化為主基調的流通過程的合理化、國有化為名目，在農村實施華商的排除法案等措施，但法制上只是徒具形式，根本是對原住民實施優遇政策，其結果便是使官僚資本擴張，找到了突破口。這種法案絕非僅見於第二次世界大戰之後，泰國的例子很明顯地說明了這一點。可以看出來，至第二次世界大戰之後，隨著民族主義的高揚，使得這種法案在各國得以反覆實施。

　　但是，這些法案的實施，背後決策可以說完全不以該國政治、社會、經濟結構的改革為方向，而只是從上而來的法令實施，且常常是出現統治者自己使這些法案的實施變得徒具形式，或者是華商們被迫考慮想出新的對應策略（例如借用原住民的名義等方法），這些作為使得法案的實施變得有名無實，也使得情況毫無好轉的跡象。不僅如此，有時還會使問題由表面轉至地下，甚至於導致村落經濟活動的混亂與停滯不前，這類例子也是不少。

　　就居住國的實際情況來看，當局從不想去改變過去農村的秩序，甚至就是連手指都不去動一下，寧可在舊的村落結構基礎上，尋求自己政權的支持基本盤。由此看來，情況應當不會有所好轉。這種法案的實施，想得到預期的結果正如緣木求魚般，這是理所當然之事。

　　華人系的小商人，之所以能在居住地的村落結構中深深地紮下根，不是別的，正是歐洲殖民者的殖民地統治下的結果，以及相關國家舊的社會秩序所培育出來的東西。若是不對支撐、培育出華人系小商人的舊社會秩序進行手術——所謂由上而下的近代化路線之中，選擇了最為簡單的方式，即制定法令及從上而下來實施——最終除了走向失敗以外別無其他選擇。

　　即使我們可以看到阻礙東南亞諸國近代化的主要原因之一，確實是處於村落階段的華人系商人資本或商業資本，或者是藉由高利貸資本與地主一體化型態來發揮作用的小商人階層，但這些只是重要原因之一，並非主要的原因，也非……

　　中下層華人系居民成為……排華運動的主要對象、主要被

害者，這一事實足以告訴我們事情的本質。正是這些中下層的華人系居民，才都是一些連自我保護的手段（包括財力、武器、避難的手段等）都沒有的人們，都是一些無告之民。

如果國內的政治、經濟、社會的矛盾被激化起來的話，在民族主義的大旗之下，他們會被拉出來作為代罪羔羊，被當成迫害、屠殺的主要對象。這些中下層華人系的居民，可以說是一些被虛擬出來的「看不見的敵人」、「背後的實力者」而已，這是東南亞社會裡可見的下層華人系社會的實際情況。

應該指出的是，這群被虛擬出來的「背後的實力者」，是歷史所形成的，在新的政治狀況下，被進一步增強的民族偏見與歧視，在面對高壓的社會結構時，要找出積極對應的方法，則並非容易之事。

因為他們之中的大多數人屬於小商人，經濟力量薄弱，只不過是一些被分散的弱小的存在而已。他們遵循傳統的思維方式，自認為是外來打工賺錢的，專心致力於賺點小錢，也認為還是不要與政治發生任何關係，才是上策。這種被不忧於明哲保身、驚慌失措也不是毫無原因的，特別是由於其出身及所屬階級是小資產階級這點，就會使情況變得更為混亂。不難想像，這也因而使得走向「落地生根」之路，充滿艱難險阻、苦悶與矛盾，不容易找到出口。

但是，限於他們面前只剩下「落地生根」這條唯一道路的情況下，縱然這是一條充滿苦悶與矛盾的荊棘之路，也不得不勇往直前。

可以預見，今後的東南亞會出現的新動向，若用以往這種

彌縫的方法（對於相關國家體制及中下層華人系居民雙方都一樣），我想這會造成無法彌補的狀況。

必然的趨勢是：國民經濟的形成，統一市場的成立，農民與農業問題的深刻化，做為所謂的南北問題理解的南北間所得落差，由民族間的對立而引發悲劇的惡性循環與人性破壞等等，即使是屬於民眾的層次，問題的本質也會變得很明顯。

進行感性的訴求是一件容易的事，將很難消除的民族（或者人種）歧視問題，與政治、思想，亦即意識形態方面的問題，相互纏繞一起，使得狹隘的民族主義者有意識地對其加以利用。但這種方式的極限與缺點，將會被相關國家有理性的領導者看破，與廣大民眾的智慧相結合，使得這種方式最終將被廢止與揚棄。不，這裡也蘊含著筆者希望能夠在人類正義的大旗下，避免進行無意義的流血鬥爭這種主觀願望，本人冀望這一切都能夠實現。

其實筆者也有著自己或許對情況過於樂觀，讓主觀願望講得太多的感覺。但是，由於形勢的發展，歷史的車輪不但不停地轉動，而且還在加速地向前走。在東南亞諸國中，有良知的青年知識階層的覺醒已經很明顯，而這個階層，比起至今的任何一個時代而言，在質與量雙方面都已有所擴大，這情況也使人擁有更多的期待感。

華人系青年階層也於最近二、三年，與世界各國的青年一樣，為追求自己的identity（也就是華語中的「認同」）而極度煩惱著，這也足以引起我們的充分注意。

最後對華人系居民而言，真正走向「落地生根」的道路，同時也能與居住國的大眾相連接的真正進步之道，應該是不會相互

矛盾的。謹註記這點，以為結尾。

本文原刊於《中央公論経営問題》第11卷第2期，1972年夏季特別號，東京：中央公論社，頁180～192。原題「華僑観の誤解を解く——『落葉歸根』から『落地生根』への苦悶と矛盾」

東南亞華僑現況

給日本華僑的公開信

各位同胞、各位鄉親：

　　請原諒我如此唐突冒昧地寫信給你們，自從開始透過寫論文、著書及演講等活動，討論華僑的相關問題以來，轉眼間已經十年了。在這期間，大家以書信、電話或者直接告訴本人，而提供了大量的意見，在此我向大家表示誠摯的感謝。

　　因為批評的意見太少，使我也感到了一些不安……。此外，對於有人提出，不要光只研究東南亞華僑的問題，希望對我們這些居住於日本的華僑問題，也能作深入研究的這一要求，坦白說，讓我確實產生一點不知所措的感覺。特別是年輕一代的諸位朋友，他（她）們看問題大多比較尖銳，問題意識也很豐富：「戴先生，對於我們而言，自己的出路在哪裡？希望你能幫助我們進行這種探索。」聽到他們提出這種強烈要求，使得我在還來不及高興之前，已經陷入無限的困惑中。

我曾經不想成為華僑

　　出現這種困惑是有理由的，在這裡我坦率地告訴大家吧！我

在心理上一直對於成為華僑，懷著拒絕的情緒。

現在冷靜地對自己重新進行審視，我發現大概是直到四年前，我自身都還沒有意識到自己是處於「心理上的、社會上的moratorium（不願成長）」階段而處於徘徊之中。

「直到四年前」，是指我辭去亞洲經濟研究所的工作，剛剛開始到立教大學教書後不久的那段時間。

現在的我可以說，從入所的最初，就沒有把亞洲經濟研究所設想為自己「長期」工作的地方。這並不是因為覺得研究所的性質及工作場所的氣氛有問題，而是我把這方面的問題看得不是很重。

我主要的關心點在於超過研究所的範圍──以巨大形體存在的日本人社會、日本這個國家，會在什麼程度上容納得下我這個微小個體的問題。即對於我這個出生在曾受日本侵略的台灣的中國人、亞洲的一個外國人。稍微誇張點說，這才是攸關我自身「存在」的課題。

但我不得不說，對我而言，為了使自己限定於「當前」的自我定義──做為日本華僑的一員這一不可逆轉的角色，以及對日本華僑社會的自我誓約（在大多數場合很少被意識到）──做為自己應該做的選擇與決斷，我無意識地將時間拉長。

我個人確實只不過如滄海一粟般的存在，僅限於我是身為日本國內的中國人之一，日本社會是否會接納我的問題；也與日本人如何接納華僑，日本社會及整個國家如何定位華僑社會的問題相關，這個課題雖然很小，但很有可能發生互動關係。也正是因為曾有這樣的問題，或者說這樣的問題至今仍繼續存在，故為了

要確立社會性之自我的華僑青年，曾向我提出上述要求。不，我認為現在這個要求，還是繼續擺在我的面前。

1960年代後期到1970年代初的這一段期間，中日關係還處於不安定並且離正常化還相當遙遠的狀態下。因此，所謂的「華僑到底是什麼樣的存在呢？」，甚至「到底我是誰」的課題，加上華僑固有的問題，使華僑青年們意識到了強烈的identity的糾葛與危機，對於這個問題我是理解的。

有關華僑青年、學生諸君的問題，我後面再來談。在這之前，我想先告訴大家，我曾經有不想成為華僑的理由，以及產生這種理由的經過。

眾所周知，華僑社會是一個不喜歡議論的社會。與其說是不喜歡議論，或許更應該說是迴避議論才是聰明的想法，因為長期在外國生活的體驗下被教育成的生活智慧，或者應說，已變成體質化的東西了。在華僑第一代的身上，多少可以看到這種生活智慧的擴散。到了第二代、三代等年輕一輩身上，雖然程度上有所差別，但可以看到確實被傳承下來了。

因此，對於後來者的我的「回憶」，可能會有不快感也未可知，在這裡我想首先請大家海涵，並請諸位能暫且聽我說下去。

自辛亥革命以來，除了文化大革命期間的中國以外，中國的政權不論政治傾左傾右，對華僑均是採取優遇措施、給予特權的。對於在腐敗政治與貧困下萎縮、被無力感所折磨的廣大庶民而言，華僑形象總是很耀眼。特別是對雙手提滿外國貨品的歸國訪問、做為企業家的歸國投資、能夠往家鄉寄錢蓋房子的，這些為數不多的人擁有的「華麗風光」等投以羨慕的眼光。或者是若

徹底當經濟動物又不涉入政治的話，就不太會受到母國及居住國雙方「政治」上的拘束，而享有高度「自由」，這是眾所周知的（在苦力時代、中日戰爭時、第二次大戰後的殖民地解放鬥爭時代，以及第三世界在建國陣痛期對「華僑」排斥運動時的淒慘遭遇，至今仍持續發生著，我們這裡暫且不提）。對於投以羨慕眼光者來說，相對於自己在母國的逆境而言，只有華僑擁有的虛實交織的「華麗」、「瀟灑」等，特別躍入視野。

在這種情況之下，受到強烈壓制與長期飽受風霜等的華僑，不知什麼時候已被推到背後，或者是在熱烈歡迎的宴會下，被打入遺忘的深淵中。

大體上能給鄉里添光的人，通常都會吹噓自己在國外的得意事蹟，對那些曾經辛苦、失敗之事則很少會談起。

與華僑的初次相遇

我與華僑的初次相遇是在台灣，我所就讀大學的低年級新進來二十多名「僑生」（在這裡的僑生不是指當地出生之意，而是華僑學生的簡稱）。他們大多是從香港、澳門來到台灣留學的。從嚴格意義上來說，他們或許不應該被稱為華僑。因為他們是出身中國擁有潛在主權的香港、澳門。但是，中國國民黨的傳統與政策是將港、澳的出生者，均稱為華僑而給予特別待遇，其中也有少數不是出生於香港、澳門者。為了方便觀望形勢，部分與國民黨領導階層有關係者，曾經一度從中國大陸轉移到香港、澳門等地，受到美國重新開展對國民政府援助的鼓舞，才進入台灣；

他們的子弟為了享受華僑的特權，混入了僑生之中（東南亞諸國的僑生自1950年代的後半才開始來台。）

　　大家應該還記得，1950年代前半的台灣經濟，還是處於很低的水準，即使是有錢也還是很難買得到奢侈品；即使能夠買得到，也是天價，一般人很難支付得起。

　　僑生們在這種情況下，便充分發揮自己在關稅方面所擁有的特權，將全身用外國貨武裝起來。騎的是閃閃發亮的英國製28英寸自行車，考試時有優惠，連在校園內走起路來都是昂首闊步的樣子。若僅是純屬個人享受上還說得過去，但發展到濫用這種優惠制度，靠走私以賺取一點零用錢的「壞傢伙」也不少。還有，隨著台灣海峽的風雲變幻，徵兵的厄運就要真正地降臨到我們的頭上，所以一天到晚都處於恐慌之中，他們則一邊表現出若無其事的神情，一邊則說：「啊！因為我們是華僑，所以免除兵役，你們真是可憐啊！」這時，令人感到怒氣直沖腦門，這一半是年輕人特有的血氣，一半是由於嫉妒與忍無可忍，才會咒罵出：「這個混蛋」。

　　隨著《舊金山和約》的生效（1952年4月），以及此後韓戰停戰協定的簽署（1953年7月）以後，日本的華僑也可能是變得比較有錢了吧，抑或是認為台灣內部的形勢有所改善。曾是在日華僑的二哥（1962年去世）＊的朋友，開始零星組織訪問團回到台灣；他們全都毫無例外地帶著印滿了某某商事會社、貿易會社的代表董事，或者某某長之頭銜的名片，出現在親戚、朋友面

＊ 據《全集27・戴國煇先生生平年表》係為1964年。

前；報紙上也誇大其詞地寫上「日本某某僑領」等字樣，這是相
關當局巧妙地激起他們的功利心，以爭取他們捐款的一種手法。
見到我們偉大的僑領抬頭挺胸地衣錦還鄉，旁觀者的我，也曾羨
慕地深受感動。

　　記得好像是1954年春節期間的事吧！中學同學C得意洋洋地
和我聯絡，「我表哥做為日本華僑訪問團的副團長回來了，我想
把他介紹給你，你能否到我家來一趟啊！」

　　因為有到日本留學的可能性，同時或許有機會能打聽二哥的
消息，他自1941年到日本留學後，雖有書信上往來，卻一直沒有
回台灣的意思。於是，我就起身去了同學的家。

　　一進入C家的客廳，首先躍入我眼裡的便是堆滿諸如日本製
毛衣之類的衣服。同學的表哥正在得意洋洋地講述如何在旅行箱
做出雙層底，副團長的頭銜又如何的有效與方便，因此在台北松
山機場通關時，順利地躲過海關官員的眼睛；儘管如此，對華僑
的特別待遇也確實了不起。他正興致勃勃地吹噓得起勁著呢。

　　曾經對副團長的見識抱有很大期待的我，經過交談後才發
現，原來事實上不是那麼一回事。或許是因為我還不夠成熟，或
者是因為我還太年輕，正義感尚未被磨滅之故吧！因而對此不是
很愉快，我匆匆忙忙打過招呼後就離開了C家。

　　我的記憶中第一次留下了對華僑的負面印象。

　　在這之後，有關華僑的負面印象，不斷地在我面前出現，逕
自跑進了我的記憶中。令我至今難忘的一件事，是發生在1955年
11月21日上午十點左右，地點在台北松山國際機場。

　　那時我很快就要登上生平第一次乘坐的螺旋槳飛機，踏上留

學的旅途。搭機前的旅客們及前來送迎的人們，吵吵嚷嚷地擠滿了候機室。

中學時代的前輩、舊知的K，也將乘坐同一班飛機前往日本。

K剛治好嚴重的神經衰弱症，為了轉換心情，從父親那兒得到了赴日本旅遊的許可。

K的養父向我介紹了脖子上掛著相機、裝模作樣地擺弄著八釐米攝影機的黃某，與戴著金邊眼鏡、穿著一身得體條狀高級西裝、有著紳士風度的蔡某。記得黃某好像是客家系的台灣人，而蔡某則是閩南系的台灣人。蔡某彬彬有禮地給我遞上了名片，並且說到了東京後，希望能與他在日本橋的公司聯繫，名片上密密麻麻地印滿了四行富麗堂皇的頭銜。

然而在這個時候，那「僑領」黃某不知怎麼的，竟然隨便地把照相機的鏡頭對準前來給我送行的親戚朋友們，調了焦距又按動快門，同時還啟動了他的那台八釐米攝影機。

我出生於一個擁有14名兄弟姊妹的大家庭，也許是預感到這個專門愛作對的最小兒子，赴日後可能不容易再回到台灣了吧，還是想慰勞平時幫忙過的親戚們，於是父親在未與我商量，就擅自決定租一輛大型巴士，將我送到機場，並招待親友乘坐巴士旅遊，以順便參觀機場吧！當我知道這些安排時，羞得恨不得鑽到地洞裡去，雖然向父親作出在台灣最後的抵抗，要求取消這個決定，但是輕而易舉地就被駁回，說是因為已經交了訂金，所以不能取消。

大概是抵達羽田機場後一周左右，K打了通電話給我，說

是親戚陳先生在銀座的日本料理店裡請吃飯，能不能一起過來……。一聽是銀座，而且是日本料理，於是我便興致勃勃地去了。K充滿自豪地向我介紹說，陳先生除了現在這家店以外，另外還在銀座經營一家音樂咖啡廳。東道主的陳先生雖然個子不高，但腦筋好像轉得很快似的。雖然也會冷嘲熱諷，卻好像不太願意吹捧自己得意的東西，我則是把他看作是偽君子之類的人。剛坐下不多久，前面提及的那位所謂攝影師（這樣說是否有點失禮）黃某，便抱著攝影集入坐。

他旁若無人地對著戰後還未曾訪問過故土的「東道主」，開始吹起了牛皮，說「自己這次回台時得到了國民政府相當隆重的接待，去的時候受到了盛大的歡迎，而送別時的情景都照在照片裡頭了，八釐米的攝影機也拍了，什麼時候我再拿過來給你看。我今天先把相片帶過來了，請你們看吧！」說完就把相片放到了桌子上。日本料理店的老闆雖然也在附和著，但我看得出，他對此並不是很感興趣。

因為從高中時代開始，我就是一個「照相機狂」，於是我把攝影集拿過來看了。不看則已，一看可是嚇了我一大跳。照片上照的全是我的熟人，我情不自禁地笑了起來，質問他說：「黃先生，你認為這照片上照的這些人，都是一些什麼人？」。他一下子慌了手腳，說：「這麼說好像我在松山機場已經見過你」……我們的僑領因為熱中於蒐集表現自己的題材及吹牛，完全忽略了我的存在。我們彼此尷尬地吃完飯，他便鑽進一輛大型的凱迪拉克，自己開車走了。

黃某還是一副瀟灑樣，但我透過車窗，清清楚楚地看到了手

上握著方向盤的他，卻像是滿臉苦惱，這只不過是蹩腳吹牛大王的一幕而已。這個人後來時現時隱，偶爾有些傳聞，但最近則杳無音信。

過完在日本的第一個新年不久，我給日本橋的蔡某打通電話，按照蔡某名片上所印的電話打過去，接電話的小姐告訴我說沒有這個人。因為看樣子不像是故意不接，我只好善意地把他想成是名片印錯，而停止找尋。

與華僑最初的相逢並沒有交上朋友，這只能說是我自己的運氣不好。後來我才聽說，1950年代前期組團回台灣的日本華僑，大多是一些利欲薰心之輩，或者是善於玩弄政治、或者試圖玩弄政治之流。從這個意義上來說，或許更多的是「虛」業家（虛有其表）與政客也未可知。

華僑與「知性」

直到1950年代末期，我才知道還有一些雖然樸實無華，卻踏踏實實地站在日本土地上，一邊與逆境、歧視相鬥爭，一邊努力地生活著的同鄉、鄉親們。我也終於開始看到華僑的實際情況，並開始了對他們的了解。但是這些人在華僑舉行的聚會上，或者是公開的場合並看不到他們的身影。據說是因為有自卑感，認為自己不配與「成功」的華僑為伍。記得初聽到這些時，我非常吃驚，心裡感到前所未有過的煩悶與揪心。好像只有假裝成「成功者」的華僑，才會被人所知，才會引人注目、獲得發言權。

也許是一部分假裝為「成功者」華僑的負面形象，讓我留下

了太深刻的印象了吧！我自此對這一群人採取敬而遠之的態度。

　　其中確實也有因學校的研究生活太忙的原因，試圖遠離華僑社會的一面，但這終究只是我自己主觀上的想法而已。對於華僑來說，「留學生」等於是不存在之物，因為從一開始他們的眼中，就沒有留學生的存在。

　　「知性」一斤能賣多少錢？覺得他們幾乎就要說出這樣的話來。

　　華僑原本只是想到外頭打工、賺錢、給家裡寄錢、衣錦還鄉等，留學生對他們而言，只不過是一些異質的闖入者而已。

　　實際上留學生的華僑化的問題，可說是「邪道」。留學本來是為了歸國的目的，而到外國去求學。但是中國令人感到悲傷的「近代化」，卻不斷地使得留學生們像流浪漢一樣，被逼上了邪道。

　　在第二次世界大戰發生及戰後的混亂期中，兢兢業業地流血流汗，好不容易得以生存下來，並且積攢了一定的家產。通過對自己資產的經營，中上層的華僑們總算能夠「安居樂業」了。隨著日本戰後復興及高度的經濟成長，他們本來的願望慢慢地變成了現實；唯一感到不如意的是，「衣錦還鄉」的願望難以實現，這是因為複雜的國內政治環境，像一堵牆般阻擋了他們實現這種願望。

　　為了在黑市生存下去而進行生活上的鬥爭，是不需要「知性」這種東西的。不僅如此，而且它還會成為前進之路的障礙物。

　　如果僅限於停留於以自己資金為中心的小商人式企業經營階

段的話，對華僑而言，即使不說學問、理論、「知性」這些東西是多餘的，至少也不會認為那是寶物，而對其懷有特殊的渴望。

由於個人的理由，或者是由於國家、民族的「不幸」，相當多的華僑並沒有享受正規高等教育的機會。這段歷史投射到他們的心理上，變成了嚴重的精神負擔，產生出了他們特有對「學歷」的誤解與反彈，甚至醞釀出了一些反知性主義的東西。其結果是甚至出現把「學歷」曲解為「學力」，並試圖修飾自己學歷等值得同情的人物。我們認為同一人物的學力，如果從做買賣的角度來看，是擁有相當高的學力。但其人並不是虛偽，而是出於常常因為自己沒有上過大學而產生的自卑感所苦惱，因此虛張聲勢，假稱自己是大學畢業。對於大學畢業的學歷，不一定具備大學畢業的學力這點，好像並不理解似的，真是令人感到困惑。

不打聽「過去」，不談過去這一條，已經成為華僑界的新生活智慧之一。

自己或他人都認為是「成功者」的人們，不知不覺間變成了經驗主義的崇拜者，僅把經驗與金錢當成是唯一的崇拜對象。

華僑社會的價值順序被明確化，金錢變成了唯一的衡量尺度，大體上形成了與中華文化的菁華相差甚遠的價值體系，只要有錢才會被承認擁有發言權。雖然表面上看不出來，實際上貫穿在華僑社會的底流價值觀，就是現實主義者與拜金主義者。

讓我清楚地知道這一點的是，在1958年我受邀擔任東京中華學校的兼任講師以來的事（順便提一下，我於1963年3月底辭去了此份工作）。

以兼任講師為契機，雖然不是正面觀察，但我可以通過旁敲

側擊的方法，對東京周邊華僑的生活樣貌進行觀察。因為是兼任老師，同時又因為該校是屬於國民政府體系，因而具有一定的局限性，還談不上對華僑的全盤了解。但因為我自己是台灣出身，同時透過對以我的亡兄周邊為中心的華僑觀察、比較，我想這樣就能夠把對象在平面上擴展，同時進行立體的深化。

對華僑「不願意來往，感到討厭」時期的我，腦中所擁有的日本華僑印象，其一是故鄉喪失者的集團；其二是像被拔掉根的浮萍一樣，孤獨的存在；其三是永不疲倦地追求眼前生活的方便，並且是常常為擁有特權而貪婪地追求的獵者。

毫無疑問，這是充滿了偏見的曲解。

這種關於華僑的不良印象，至1960年代的前半還留在我的腦子裡。因而，我理所當然地在心中強制自己，進行「非華僑化」的自我誓約與願望。

我在內心深處對著自己發誓：　「我絕對不要成為華僑！有朝一日，我一定要回到故鄉，追求認同與回歸，但我絕不要穿著貨不真、價不實的織錦，回歸故里。」

我們的根與現狀

美國黑人作家艾力克斯‧哈雷的成名作《根》的日文版（由社會思想社發行，並被列入該社的教養文庫之中）發行快三年了。在該書基礎上拍攝而成的電視劇，在朝日電視台曾連續播放，想必各位同胞、各位鄉親中有許多人，已經看過這部電視劇。

　　《根》在日本走紅與帶來的旋風（作者哈雷曾趁著日文版發行時，於1977年12月6到9日，來到日本進行公開演講、上電視、在周刊上舉行對談等活動）會給我們華僑界帶來什麼樣的影響呢？會有一石激起千層浪的效果嗎？或者是甚至連一個小小的「漣漪」都激不起，就這麼過去了呢？我對此抱著很大的關心。

　　非常抱歉，這也許是出於我個人的直覺，但坦白地說，對我們華僑界是否有重視書本、培養讀書愛好的這種濃厚氣氛，我實在是不敢明說。

　　在這裡我想起了與日本人 J 先生的會話，他對漢文書籍比較精通、對華僑情況也有一定程度的了解。

　　「戴先生，漫步在香港、曼谷、新加坡、檳城等地的唐人街，令我感到大為吃驚的一點是，寶石店外那些富麗堂皇的展示櫥窗，以及其戒備森嚴的程度。此外，「華僑」婦女從戒指、耳環、手鐲、項鍊，甚至是腳鍊，都是用黃金首飾。這樣子是否有點太花俏了？」

　　「J 先生也認為這是一種低級的品味嗎？」

　　「是啊！但我就是不明白中國人為什麼會這麼喜歡黃金呢？」

　　「J 先生到過印度大陸嗎？」

　　「到歐洲旅行的途中，曾為了休息一下而順便去過一趟，但停留的時間很短。」

　　「你沒有感受到印度人特別喜愛黃金嗎？」

　　「沒有注意到啊！」

　　「原來是這樣啊！我對人們把特別愛好黃金首飾，做為中國

人的癖好或者是民族固有屬性之一的看法，表示反對。其一是因為在日本的華僑中，除了年老的婦女以外，對黃金首飾並沒有表現出特別的愛好。毫無疑問這或許會招致『他們是被日本人的審美意識同化了吧！』這種反論。但我在這裡所要指出的是，不管是什麼民族，所有『生活者』的色彩感覺，都是由賴以生存的『風土』所培養出來的東西。其二，我聽說印度大陸人也與過去的中國人、在台灣住的中國人，甚至東南亞的『華僑』一樣，對黃金首飾情有獨鍾。這種愛好不用說是由於印度大陸與舊中國的政治、經濟上的實際狀況以及歷史演變所形成的。用現在的說法來說，即用黃金來防止通貨膨脹。由於政治與經濟的混亂，在政府與通貨均不足以信賴的狀況下，庶民們將儲蓄黃金當作自我防衛的對策，是理所當然的了。」

「原來是這麼樣啊……沒想到從社會經濟史的角度，可以做這樣的說明。這麼說來，中文裡好像有句『書中自有黃金屋』的諺語，這是前一段時間與香港一位雜誌主編一起吃飯時，他教我的……」

「是在什麼樣的情況下，出現了這樣的諺語的呢？」

「這可是有趣的比喻。他是這樣說的：『當地（香港、澳門）的住民們很難抵禦黃金的誘惑……但對書中自有黃金屋之類的黃金寶庫，則好像感覺不到什麼魅力。這一點真是讓人感到困惑，盡是流行一些庸俗不堪的東西。要是能快點像日本文人一樣，能夠靠版稅謀生的話……』。雖然這樣講對戴先生你們而言，或許是有點失禮了，好像是指在東南亞的華僑社會之中，幾乎沒有培育出優秀的學者或文人似的。儘管這只是從我有限的接

觸中得到的感覺。可稱為優秀的學者或者文人的知識分子，全都是在中國大陸出生、在中國大陸接受教育的。」

「或許在中間人、買辦，或者說是內部沒有農業的社會，特別是在成熟的商業社會中，很難出現文人也未可知。」

「但是，在猶太人的社會裡……」

「雖然猶太人社會常常被認為與『華僑』社會有相似之處。但在我看來，有四點決定性的不同。

「首先是歷史不同。即經歷像浮萍一般生活的離散（diaspora）之民，在質與量上都有很大的不同。其次是不管是否要利用，或者實際上是否能利用，做為潛在的存在，華僑一旦遇到問題的時候，都有中國這個巨大的『逃避場所』。我認為對這種心理上存在著逃避場所，尤其不能予以忽視。而對猶太人而言，在以色列建國以前，並沒有這種『逃避場所』。雖然以色列建國以後，創造出來了這種『逃避場所』，但這也只不過是微小、不安定的存在而已，我希望這一點不要被忘記。第三點不同，我們可以從宗教面來看。一般來說，『華僑』不像猶太人那樣擁有堅定的『民族』規模的信仰。最後一點是，『華僑』雖然與猶太人同樣遭受迫害，但平心而論，這種被害程度在質與量上，都是有相當大的差別。

「這些不同之處，與我先前提到華僑社會自身的特殊性等相互交錯，使得『華僑』社會內部還沒有產生出『猶太式文人』，也就是做為離散與被疏遠的專家，而在毫不逃避與對應的境界中徘徊，將自己解放，時或將其與人類解放這項普遍課題相連結並使之昇華，把關心轉向人類尊嚴的鬥爭，以及正在進行這種鬥爭

的人們。然而，理所當然的是，這類優秀、能夠打動人心的，即
所謂以『華僑』為主題的『猶太式的文學』──描述『猶太式文
人』自身的、『猶太式庶民』的日常鬥爭軌跡，或者進一步說是
這種心理糾葛的小說、詩、歌唱尚未能拜讀到吧！」

　　「陳舜臣先生的作品怎麼樣？」

　　「雖然我對陳先生的文體及其文章的流暢、華麗，其推理小
說中有趣的推理深感佩服，但也許是我孤陋寡聞吧！我並不知道
他有真正以華僑社會的生活、情況為主題，切入華僑生活之中的
作品。我們暫且把日本的華僑社會放到一邊，從馬來半島、泰
國、美國等地的『華僑』社會，最近相繼誕生了以『華僑』為主
題的『唐人街詩』，或者說是『唐人街文學』。無論就其質還是
量的方面來看，都深深地給人一種才剛開始的感覺，但在相當
程度上，可能會讓人有所期待。最近被翻譯成日文的泰國波丹
（Botan）的《來自泰國的信（上、下）》」〔《タイからの手
紙》〕（井村文化事業社，1979年），與美國湯亭亭（Maxine
Hong Kingston）的《唐人街的女戰士》〔 *The Woman Warrior:
Memoris of a Girlhood Among Ghosts* 〕（晶文社，1978年），便是
其中的例子。」

　　對於這段對話，各位同胞、鄉親們，又是如何看待的呢？

　　「書中自有黃金屋」的比喻確實是太尖銳了！我本人直到現
在還能感受到這種疼痛。雖然只是在很有限的範圍內，我曾有
一段時期，只要遇到華僑的知己朋友，都要問他們有沒有讀過
《根》這本書。知道書名的人倒不少，真正全部讀過該書的人則
是沒有。後來我才知道，他們大多是透過報紙、電視，或者是雜

誌報導而知道書名的。

即使是問我所熟悉的鄉親，自稱看過《根》的電視劇，得到的回答也只不過是「白人做得太過分了」。

我對屬於視聽世代的年輕一代也進行過調查。毫無例外的，他們之中的大多數都是對時代毫不關心的感覺世代。結果是他們用驚訝的表情看我，他們雖然對電視感興趣，但對我為何特別在乎《根》這部電視劇，則感到不可理解。

一直毫不灰心氣餒、堅持努力著的我，終於發現了一個意味深長的現象。雖然時間不長，《根》曾流行過這點是毫無疑問的。50歲以上的華僑，特別是與日本女性結婚的人們，有機會便提起《根》的點點滴滴，在各種集會上，可以頻繁地看到他們強調「不重視自己的根不行啊！」的場面。

但是，這種《根》的現象，也僅僅是停留在「口頭上」而已，並且在不知不覺中煙消雲散了。

我認為小說也好、詩也好、電影也好，依照讀書的人、朗讀的人、觀賞的人之不同，而接受方式也有所不同。

我從《根》這本書中所汲取到真正有價值的東西，使我窺視到人對自己的出生充滿自豪，並弄清楚自己是什麼，自己是從何而來的歷史，並明確地意識到這一點而在努力活著的崇高美麗。

作者哈雷通過著書，從人的角度對壓迫集團——白人的過錯，給予了原諒，並同時找回自己曾被剝奪的歷史。他還在具體描述受難歷史的同時，試圖將其相對化，以消除舊怨，尋找自己共通的出口。我一方面想著這種態度是否過於天真的同時，另一方面則深受感動。

　　我過去在論文及隨筆中曾提出，如果用世界史的尺度來看的話，北美大陸的黑人問題，與以東南亞為中心的「華僑」問題，在其形成的歷史經緯上具有共通性。而我現在想再確認的一點是，做為相關國家社會問題的黑人問題與「華僑」問題，可以看到兩者間具有共通點，即被虐待、被忽視，以及社會流動（social mobility）受到了體制方的限制（並非出於自己的喜好）；甚至他們的社會移動是由於歷史、政治、社會、經濟等條件，而被限制、歧視、禁止的少數族群（請注意，這裡的少數並不僅僅只是人數上的少數或弱小之意）。這種意義上擁有許多共通點，這是世界史上的現狀。

　　正如有良知之士所指出的，實際上將各別不同的少數族群問題，放在近現代世界史的尺度之下，根本上都擁有相互的關聯性，做為相互不可分割的存在而繼續存在著。因此，我認為應該將「華僑」問題，與猶太人、黑人、美國、加拿大的日裔人等問題劃上等號，相互定位於少數族群問題的一部分。

　　非常遺憾的是，在我們之中也有一部分是人種主義者，試圖將自己的「黃色」皮膚凌駕於「黑色」皮膚之上的。他們還如同在雞蛋裡挑骨頭似地提出，如果將「華僑問題」與日裔問題，甚至是猶太人問題進行比較的話，還可以接受，若與黑人問題進行比較則會令人感到困惑的意見。

　　對於這種指摘，我是堅絕不會加以理睬。通過《根》這本著作及其餘波，使得全世界的黑人和許多屬於少數族群集團的人們，也就是關閉自己心靈的人們，終於打開了自己的心扉，取得了自己做為主體存在的證明。他們同時找回自己身為黑人或者少

數族群的自負，與對自己歷史和祖先的驕傲，並且進一步使自己的精神財富，得到了飛躍性的提高與豐富，對這一點事實，首先是我們要注意的。

也許是有點冒昧，我從《根》這本書上所得到的幾點感想與啟發，正是由於我上述的問題意識而產生的東西，我自己點頭同意。

日本華僑在繼承著特別重視祭祀祖先等中國傳統的同時，為什麼對《根》一書，卻沒有表現出那麼感興趣呢？也許是因為日本華僑社會的歷史還很短，很容易就能追尋到自己的根，而且也許這種根還在自己的身邊。

或許是因為大家的家中，都還保留著「家譜」、「族譜」之類的書而感到安心，因為自己的祖先自古以來即擁有文字，擁有共同的，如二十四史的民族遺產，所以認為自己不用像黑人哈雷一樣，去尋找自己的「根」。

日本華僑是堅如磐石的「可怕」集團嗎？

根據日本當局發表的統計資料（法務大臣官房司法法制調查部編，《第19出入國管理統計年報》，1980年版），可以推算出日本華僑大概有五萬人左右。因為據說已經歸化日本籍，應該被列入華人範疇的人已達到一萬人左右，如此推算起來，日本的「華僑」大約已有六萬人左右。

各位日本人，不至於將這六萬人，看成是堅如磐石般的「可怕」集團吧！然而，並不是完全沒有善意的誤解與充滿偏見的

曲解。

　　有相當一部分的日本人，是通過「中華料理」與「中華街」
（又名南京街，在日本以橫濱、神戶、長崎三地最為有名）來想
像華僑形象的。

　　如果這樣也是無可奈何的事。就像一般的外國人透過富士
山、藝妓來看日本人一樣，對其他民族或者國家進行庶民層次上
微觀的理解，幾乎是不可能的事。本來要接近對象本身，便非常
的不容易；進入外國或者外國人社會的內部去進行觀察理解，更
可說是一件相當困難的事。即使是在與我關係較好的日本人當
中，仍然有不少人認為日本華僑全都是靠經營中華料理店來謀
生。

　　以名人為例並不是件好事，但因為這對啟蒙日本人中的知己
朋友很方便，所以我常常試著這麼做。例如，醫生謝國權、作家
陳舜臣、棒球選手王貞治選手、藝人鳳蘭、二期會的女高音歌唱
家邱玉蘭、為東京Kids編舞並取得巨大成功的謝珠榮（寶塚音樂
學校首席畢業）、安排穆罕默德‧阿里（Mohamed Ali）前往日
本演出的經紀人康芳夫（東京大學畢業）等等。此外，已經歸化
為日本籍的有高樓建築師郭茂林、曾在腹腔外科領域聞名的東大
醫學部名譽教授林田健男（原名林鼎乾）、現任東大醫學部副教
授箕田健一（原名沈健生，專攻眼科）、現任東大農學部副教授
大岳望（原名許雲岑、專攻應用微生物學）等等，便是其中一
例。

　　實際上「華僑」的職業比我前面所提到的這些，還要更為多
采豐富。在人數上也有相當部分的人，從事自由業或者是專門

職業。

　　曾有大量的台灣醫生來到日本，擔任無醫村的駐村醫生，通過報紙的報導，大家應該都已經知道了吧。

　　記得在我所屬的客家同鄉會（日本崇正總會）進行聚會的席間。有一天的話題是，到底有多少客家出身的在日醫生。這時候某位理事屈指數了一下，很快舉出了包括歸化者在內近一百個人的人名，著實令我大吃一驚。

　　正如我們所知道的，在這6萬人之中，除了國籍的不同，而且在政治立場上也可看出有著相當大的分歧。

　　如同要1億的日本人、1,200萬的東京人，都擁有同樣的思考模式是不可能的事一樣，我們的同胞理所當然的也絕不是「堅如磐石」般的團結。

　　即使說「堅如磐石」般的團結有可能的話，恐怕也只有在血緣、家庭、宗教的紐帶，或者是地緣、同鄉、同民族的基礎上才可能看到。

　　日本華僑在政治上的分歧，大體上可以分為北京支持派、國府擁護派、台灣獨立派、民族統一願望派（能被分類進這一派的人們，大多數人都可看到他們平常採取對政治不甚關心的態度者為多）這四派。

　　在不怕誤解並且意識到有可能惹惱部分人的前提之下，我大膽地下結論，從一般意義上來說，上述的分歧僅停留於政客階段的，即以表面層次的分歧為大宗。

　　在此意義上來說，屬於意識形態、思想層次上的深刻分歧，僅限於少數人的事例。我們可以看到老一代的「華僑」，在「血

緣」基礎上的共通舞台，現在並非毫無再構築的可能。

從許多現象來推測的結果，可以認為對老一輩或者是第一代的華僑而言，尋「根」還是比較容易的事。

然而，對於在日本出生、長大的年輕一代而言，尋「根」就面臨著種種困難了。困難之一是由海峽兩岸的政治對立所造成的，這種政治上的對立使得「政治之牆」被人為地製造出來，使得試圖尋找自己「根」的人們，無法接近那塊「約定的樂土」，這是令人感到悲哀的現實。

除了第二次世界大戰以前就住在日本的老華僑（其中大多數是中華街的住民）以外，有相當多人是在中日關係最為不幸的時期變成日本華僑的。據說這些人中的第一代，尤其是出身自中國大陸者中的大多數，把自己「政治上的過去」做為精神上的負擔，並且一直背負著這種重擔。這種「政治上的過去」可說是指「滿洲國」的關係者，汪精衛政權的相關人士，來自於國民政府的脫離者、亡命者，甚至是來自國共內戰期間的避難者等等。

不管是誰，只要是人，大家都擁有自己的血統、祖先、和家庭。進一步地說，每個祖先、每個家族均擁有自己的歷史。

如果是一個正常人的話，不管是誰都會擁有想知道事情真相、想知道祖先與家庭成員歷史及經歷的熱切願望。因此，我想，通過明白事情的真相，應該是能對自己為人處事的方法、生存方式帶來好處的。

然而，對於擁有「政治上的過去」的第一代而言，即使是想起過去的事情都可能很痛苦，更不用說被知道事情的真相是伴隨著沉痛的苦行了，這種情況也不在少數。

　　然而，台灣出身的第一代華僑（據說約占總數的一半），又是怎麼樣的情況呢？眾所周知，他們是在殖民地統治下台日關係的歷史基礎上華僑化的人們。他們之中有留學生出身；受到日本當局徵用而來到日本，之後就一直居留在日本的工員們[10]；有被當成戰犯追究，而後曾關進巢鴨監獄的人們；有從戰前就從事台日間的進出口業務者；也有國民政府的亡命之徒；戰後重新來到日本的留學生；近年來還有擔任無醫村的駐村醫生，而被招到日本來的人們等等。

　　像出身中國大陸並背負著複雜「政治上的過去」的第一代華僑般的例子，在台灣出身的第一代華僑之中便很少見到，取而代之的是不論本人是否意識得到，客觀上都得被迫背負著他們是日本人培養出來的日本軍「走狗」這類精神上的負荷。（對於因日本殖民統治而被給予的「近代」，毫無意識地全盤接受的「半日本人」的存在，著實令人感到痛心）。

台灣人華僑的認同糾葛

　　一般來說，與在中國大陸出身的華僑相比，台灣出身的華僑在認同的糾葛上更為深刻。

　　台灣人的華僑第一代所擁有對歸屬感的不安，主要是由日本的殖民地統治所導致。日本對台灣50年的殖民統治，理所當然地把被殖民者一方的文化、語言、民族意識都磨滅、解體掉了。

---

10 軍事工廠的少年工。

　　因為不能過著像在中華街那樣的社區交流生活，而引起對於自己歸屬感的不安（台灣人的華僑全都不住在中華街）。此外，台灣與中國大陸雙方在政治上的混亂，也促進了這種不安，並使之發展到對自己的歸屬感產生動搖。

　　特別是對於那些娶了日本女子為妻，其第二代相繼進入成人期的人們，由於子弟們的留學（日本護照是目前世界上最為便利的護照）、就職、結婚（日本社會現在還是忌諱國際結婚的）等現實生活上的需要，妻子方面要求歸化加入日本籍的願望變得更為強烈，其結果是導致他陷於更深的困惑之中。

　　部分幸運者得以搭上日本高度經濟成長的浪頭，而獲得成功的華僑，現在不是為了子弟，而是為了自己更方便在國際上走動，挑戰更大的成功而嘗試著在「匿名性」之中生存。

　　以總理田中角榮訪問北京，中日兩國建交（1972年）為契機，日本當局改變了過去的方針，開始大幅度容許華僑的歸化。國民政府當局也企圖為了保存自己的力量，放鬆了對脫離國籍證明書的發行（因為日本不承認雙重國籍，辦理歸化日本籍手續時，必需提交申請者的國籍脫離證明書。而在此之前，國民政府當局為了確保兵役來源及維持政權，對於國籍脫離證明的核發相當嚴格）。這是在提供華僑入籍歸化手續方便的名義下進行的。

　　華僑界的「成功者」，即使歸化入日本籍，也是很難進入到日本人「成功者」的世界裡，這點是每個華僑都明白的真實情況。

　　部分華僑的歸化者曾受過日本殖民統治的洗禮，並蒙受到日本高度經濟成長餘蔭，他們在接納日本人占優勢地位的經濟，及

隨之所形成的日本價值體系同時，在「外在」生活方面，則不斷地進行頑強的努力，並試圖使自己與之同調，以走向與日本價值體系的同化。於是，開始出現了聽到別人用中國名字稱呼自己時，就變得不高興的人；當親戚從家鄉來到日本訪問時，則讓他們住在旅館裡，而不將他們帶回到自己家裡去的現象。

有的人好像還不讓自己的妻子、孩子，回台灣的老家省親；甚至還出現了偶爾帶著日本人妻子與孩子前去台灣訪問時，對於日本妻子與第二代們私底下的「台灣太髒了」、「台灣人太吵了」這種譏諷之詞，非但不予解釋，反而忘了自己的出身，與他們一起合唱的傢伙。

類似這類「父親」般存在的歸化者們，因為尚未確定自己安定的自我認同，一般來說，也處在還沒有形成屬於自己的「人生哲學」情況下，只能靠「虛張的威勢」來支配自己的家庭。

他們不能將具有不同歷史與生活的人們之間，所產生的鴻溝和對生活節奏不相容的存在，當成是人類社會普遍的命題來看待，並加以釐清整理。因此，在一般情況下，他們甚至連讓妻子能夠接受的說明，都尚且說不出來。

花甲，日文也稱為「還曆」，是指天干地支的組合輪過一回（60年）後，再迎向出生那年的干支。祝賀花甲（還曆）之年，是祝賀這個人又回到了自己出生那年相同干支之年的意思。日本人祝賀花甲之年時，要讓被祝賀者穿上紅色的背心，這可說是極具象徵性的事。

在這裡我向諸位講述某位迎向花甲之年的華僑所發生的悲慘故事吧！他一直堅持拘泥於講他那口帶著台灣腔的「日語」，盡

可能不與華僑打交道，絕不讓他的日本妻子及其子弟回台灣老家省親。他僅僅是一位非常平常的「有錢華僑」，而且他相信只要有錢，什麼事情都是可以解決的，可說是一位「財神爺」的信徒，同時也是最為可憐的拜金主義者。

就在他臥病在牀的某一天，他突然格外想念起他的家鄉，講起「母親煮菜的味道」、「台灣的蔬菜」，就想回到家鄉去。但是，到病牀前來看他的日本親人中，卻沒有一位能夠理解他的心情。

臨終的前幾天，他對著勉勉強強從台灣來看他的弟弟說到：「我過去真是對不起你們，我終究還是台灣人。你嫂子、你侄子、你侄女，他們都是日本人，他們只是巴不得半身不遂的我，愈早死掉愈好……。」據說他流著眼淚一邊說、一邊嚎啕大哭。

他本來應該在不失去自己的民族性特質，即不失去本質性內容的前提下，去掌握適應日本生活的智慧。他還應該在「家庭內」教育自己的妻子、兒女，不論是什麼民族、什麼人種、什麼階級的人，其做為人的尊嚴及能力都應該得到尊重與肯定的，並且應該親自努力與他們一起共同耕耘。

可以說是由於他拒絕了自己的「台灣」、拒絕了自己的「中國人特質」，所以用自己的手造就出自己晚年的悲慘故事。雖然這是後話，據說其遺族在他過世後，不久就走向非法之途，最終導致家庭離散。結果來說，連他妻子、兒女也都被他的溺愛害慘了。

因為上面所講述的故事，並非只是僅僅發生在我舊友一個人的身上，可以說問題已經相當嚴重。

雖然我不希望悲劇會再重演，但我並不認為悲劇會就此終

止，因為在老一輩華僑中，與我的舊友採取同樣處世態度的人並不少。

關於台灣人華僑的自我認同問題，最終是華僑個人層次的問題，其結果最終是不能避免而落到華僑自己身上。

然而日本社會就完全沒有責任了嗎？接受歸化入籍的一邊，把華僑當作鄰居而一同居住的日本人、日本社會，應有的態度就完全沒有問題了嗎？特別是眼前各方面都在嘗試著促進國際化的日本社會，為了一起對這種存在方式進行審視，是否也應該對歸化的形式進行重新思考呢？

出路在何方──歸化與改名

令人感到遺憾的是，由於日本社會中的閉鎖性還持續著，有不歸化入日本籍的話，就不能成為公務員的狀況，民間的就業歧視也依然存在。此外，大多數的歸化者，無形中被迫將名字改為日本式名字，這一點使得「華僑」要保持與發展自己的民族性，相對變得更為困難。

歸化入籍本來只應該是在法律手續的基礎上，取得居住國的國籍，而且這也應該只是屬於政治、法律層面的認同問題。

著名的猶太裔美國人有季辛吉（前國務卿）、名著《孤獨的群眾》〔 *The Lonly Crowd: A Study of the Changing American Character* 〕作者黎斯曼（David Riesman）、以認同理論而享有盛名的艾利克生等人。此外，日裔美國人中的有名人士有井上健（Daniel Inouye，夏威夷州選出的參議院議員，最早進入美國國

會的日系第二代）、加拿大出生，在加州當選的參議院議員早川雪（語言學家，前舊金山州立學院校長，以鷹派而著名）、知名雕刻家野口勇（Isamu Noguchi）（山口淑子的前夫）等，中國裔美國人有獲得諾貝爾獎物理獎的楊振寧、李政道、丁肇中三位博士，他們均已經取得了美國國籍，現在自稱為美籍華人。

從以上所提人物中，我們可以看到一個共同的特點，就是他們都是取得了美國國籍，對星條旗盡政治上的忠誠，依據美利堅合眾國的法律做為自己的行為規範，並在這個基礎上行使自己身為一個美國公民的權力與義務。

然而，他們之中的任何人都沒有改變自己的姓名，都好像沒有放棄自己的民族性，包括猶太人特質、日本人特質、中國人特質（想將其稱為中華人特質，由於中國裔美國人、中國人特質等用詞法都包括有政治、法律意義上的國家漢字，容易引起漢字使用者的誤解）等跡象。

毫無疑問，本來包括「靈魂」問題在內的文化認同，與以風俗習慣為支柱的社會層面的認同，絕非是在一朝一夕間想丟棄就可以被丟棄的東西。同時我認為這也絕非簡單地就應該放棄的「不值錢東西」。或許是在離散（diaspora）之中，包括華僑在內等不得已過著浮萍般生活的人們，才能清楚看透國家、政府（政權）這些東西，都只不過是一些人工的產物而已。

他們是透過自己的身體，感悟到對他們而言，自己所屬的民族是宿命且是無意識的，或者進一步地說，應該是從自己的文化連續性之中去尋找。

而且我們還知道所謂長期歷史體驗中的文化連續性，絕非僅

同類之間的「互相包容的結構」、在「幸福」之中的自我陶醉、或在敷衍主義之下一定可保有的。

我認為民族性的保持、繼承、發展與文化的真正創造與傳承，是在燃燒著欲擴張的自我，與自我之間的「殘酷」較量中，才能夠達到本源性的實現。認為自己的「出身」低賤，自己是劣等民族的人們，這類人能夠成就傑出的事業、創造性貢獻的，據我所知還是史無前例。

一旦逃進「匿名性」之中，結局是當事者很快就會陷於被窮追猛打的境地，從而形成陰險的性格，最終變得對堂堂正正、抬頭挺胸這種生活方式，都不敢正視。

日本社會接受這種連人的尊嚴尚不知道、氣力全無的，並且是陰險的歸化者，又具有什麼意義呢？與其僅是將歸化者當成日本社會的one of them（他們中的一員）來接受，還不如迎來具有明確的民族性，並且能夠持續擁有這些東西的，也可以說是擁有豐富的「他者」性的、能夠明確地確立社會性自我的歸化者，歸化才會變得有意義吧！我認為只有這樣的人，才能對今後日本的存在方式產生益處，諸位又是如何看的呢？這一點正是我想向有良知的日本友人提問的地方。

「華僑」理所當然地應該在自己的「中國人性」的基礎上保持自己的感性與文化，並使之發展的同時，為了使自己能為日本社會做出貢獻而進行自我耕耘，同時也應該努力進行耕耘華僑社會，這一點正是我想向大家呼籲的。

令人感到遺憾的是，至今為止，一般的日本人，有時還確信自己的國家是「單一民族國家」。可以看出，他們還沒有發覺、

認識到在民族上，更為純粹的國家最終將會變得衰退的史實，甚至今後都將走向衰退這點的重要性，確實是一件令人感到非常遺憾的事。

四大文明古國之中，唯一只有中國能夠保持這種文化的連續性，現在還能不失活力地嘗試著各種社會實驗，最大的活力源，就是能容許、接納多元的民族、多元文化的這一點。

美國的活力，以及能進行各種社會性的實驗與嘗試，也是在其以多民族國家為基礎才變得可能的，對於這一點我認為我們是應該給予注目的。

同樣地，我們也可以看到，日本最近120年間的成果，即到所謂的江戶末期為止，由於接受了北方、南方、中國、朝鮮等地的各民族，最終使之集大成而長成了名為日本民族的這棵大樹，開出了燦爛之花並結出了碩果。

不僅如此，歷史事實還告訴我們，到明治20年代前期為止的日本社會，在接受外國人方面不僅是寬大的，同時也是積極的。

就此意義來說，我們華僑在不干涉內政的範圍內，現在應該是站在善意的「他者」立場上，積極發言的時期。就某種意義上來說，從知性的側面達成對日本社會高層次的參與，從而達成對照顧過自己的日本人、日本社會，進行高層次的回饋，同時也是為了宣告終結先前所提到的悲慘故事，我想我們都應該主張自我。我認為我們要重新審視既有「單一民族國家」的神話，拿掉帶引號的「華僑的良識」的框框，讓子弟們恢復民族的尊嚴，使他們對自己的出生在充滿自豪感的基礎上，能夠自由地舒展，並嘗試著去冒險，我希望能夠彼此進行努力。

　　這種努力會使有良知的日本人感到高興，會成為對他人的幫助，同時也會成為自我的救助，我對這一點是深信不疑的。

　　因為，如果說我們已經對做為「華僑」這種特殊「存在」，感到精疲力盡而準備放棄，這是不行的。我們應該從因為我們不屬於既存的任何東西，對任何東西都沒有真正地表示過關心，因而唯一保持關心的就只有「金錢」這種境地中脫胎換骨出來，這一點正是我在這裡所要強調的。

　　中南半島的「華僑」系難民，其淒慘的境遇，應該讓我們這些「生存下來的」，或者是「能生存」下來的「華僑」們，得到許多重大的教訓與啟示，這是我近來仍從心靈深處極想發出的吶喊。

　　我認為我們應該自己付出代價，尋求、創造出與普遍性相連結的自我超越手段。

　　最後，對於雖然沒有錢，但擁有「豐富的精神財富」的諸位兄弟姊妹，也送上問候，以結束我的這封長信。

　　祝各位同胞、鄉親們

生活平安、精神快樂！

1980年9月1日

【附錄1】
陳舜臣

　　陳舜臣又獲獎了，這次獲得的是「大佛次郎獎」。

　　自從昭和36年（1961）獲得江戶川亂步獎（《枯草之根》〔《枯草の根》〕）以來，先後獲得昭和43年度下半期的直木獎（《青玉獅子香爐》〔《青玉獅子香炉》〕），昭和44年度的日本推理作家協會獎（《重遊玉嶺》〔《玉嶺よふたたび》〕）、《孔雀之路》〔《孔雀の道》〕）與兵庫縣國際文化獎，昭和46年獲得每日出版文化獎（《實錄鴉片戰爭》〔《実錄アヘン戦争》〕），昭和49年獲得神戶市文化獎，再加上這次以《敦煌之旅》〔《敦煌の旅》〕為對象而獲得的「大佛次郎獎」，至現在昭和51年10月底為止的紀錄，共獲得七個獎項。

　　提供這些資料給我的朋友，一邊說著一邊感歎道：「即使是日本作家中，能夠獲得這麼多獎的人也不多吧！」然而所謂的「即使是日本人作家」云云，可以說這是很明顯的把陳先生看成是外國人作家，不，是強烈地認知到陳先生是中國人這點的基礎上，所作出的發言。

　　在這裡讓我想起的是，據說因為今年度諾貝爾獎的得獎者七人，全部均為美國人所獨占，大為興奮的福特（G. R. Ford）總統為此還發表了特別聲明的「壯舉」。

　　據筆者所知，在這七位獲獎者之中，按照日本習慣的話，至少有兩人應該可以被看成外國人也不覺得奇怪的獲獎者。

　　文學獎得主索爾·貝婁（Saul Bellow），是擁有猶太裔俄羅斯人的父母（他們是移民加拿大的第一代），而出生於加拿大魁北克州的人

物。獲得物理獎的薩米爾C. C. Ting（Samuel Chao Chung Ting），雖然是擁有中國父母而在美國出生的，但他從少年時代開始到大學一年級為止，均是在中國大陸及台灣度過的，中文姓名即為「丁肇中」。

對於福特總統的「壯舉」，我們或許可以看作是稚氣，或者是對「只有開發史而沒有文化」的反彈，而作出的過剩反應，甚至也可以看作是選舉對策之一，對我們而言，是件怎麼看都行的事。

在這事件中最重要的是，與福特總統的聲明相比，擁有中國人雙親而在神戶出生的典型老神戶；在日本，而且僅用日語進行寫作，卻一直被看成是外國人作家、中國人作家這件事的意義，日本人的讀者是如何思考？我只想就這一點向諸位請教。

如果按照美國的作法，陳舜臣毫無疑問地應該被列入日本作家之列，而稱為Chinese Japanese（日籍華人）作家。

不言而喻，這裡暫時不把陳舜臣行使他的選擇權做為問題來看的前提。這個我們暫且不談，在大家的眼裡，他是一個恬淡、有長者之風的好人物。從這一點來看，他應該不會是「獎的囚人」吧。

也許是我的偏愛使我這樣看的吧，我認為到目前為止他自己並沒有「明確」地站出來，拿出他自己並不是「獎的囚人」的證據。

如果恕我僅從表面上來看，並且是披露出不負責任看法的話，我有時甚至會想到陳先生是否與其說是其內心感覺到認同糾葛，還不如說是巧妙地將雙重認同運用自如的中國籍神戶國際人。

大概是四年前的事吧！我因有事到神戶大學去，所乘的計程車恰巧從山上的陳宅前經過。上了年紀的計程車司機用關西方言自豪地，並且是充滿親愛之情地告訴我：「這位客人，那裡是陳先生的住宅喲！」這有點讓我感到吃驚，在那一瞬間，使我再次感覺到陳舜臣所操持的關西方言，所具有的深刻含意。

　　因為陳舜臣是中國籍，兵庫縣還專門將文化獎的前面冠以國際二字，以「兵庫縣國際文化獎」名義頒獎給他。神戶市也緊跟著頒贈神戶市文化獎，讓人深深地感到有點摸不著邊際。

　　他不僅在日常生活方面，是純粹的老神戶，還向世間發表包括《神戶這個城市》〔《神戶というまち》〕隨筆在內的，以神戶為舞台的各式各樣作品。

　　他絕非「無根的浮萍」，也許更應該說，他是在神戶紮根的中國蘆葦。以限於是中國蘆葦這一點來說，他是在向中國尋求自我認同；同時從在神戶紮根，融進了關西方言這點之上，我們不能不看到他在向六甲山麓，尋求他的另一個認同。因此，恐怕他絕不會向日本「國民」尋求自己的認同吧！這只能說，要癒合中日間的傷痕，仍然需要很長的時間。

　　華僑中的某位有識之士曾說過：「我們的同仁都以陳先生為榮，誇他表現很好，而替他加油。但也許是我孤陋寡聞，我沒有聽說他發表過有關中國人的作品。中國當局把陳先生當作愛國華僑之一來款待，也在敦煌旅行等方面，提供了許多方便。但是，中國當局或者中國國內的作家，是如何地肯定陳先生的作品，或者是不肯定陳先生的作品，卻從來沒有告訴過我們。這雖然只是我個人的意見，我認為身為作家的陳先生，雖然從日本人的立場來看是中國人作家，但從中國人的立場來看，如果不問他的國籍與意識形態的話，他是否應該被看成是日本文學的作家呢？習慣於拿獎，不要在不知不覺間成為『獎的囚人』的話，那就好了。我們所希望的是，有朝一日他能突然改變主意，衝破禁忌，通過描繪出華僑的內在的世界，強烈主張自己的存在，來開拓出一塊新的境界」等等。

　　在日本目前的狀況下，能夠行使雙重認同的「神戶國際人」，其存在是相當珍貴的。同時在知道還有一些殷切地期待陳先生能夠衝破日

本框架而更加飛躍的夥伴存在，我只能再次對陳先生的好人緣低頭敬禮了。

本文原刊於《中央公論》第91卷第12號，1976年12月，東京：中央公論新社

【附錄2】
自我確認與自我實現
──林田教授的事例

　　東京大學的中國留學生們，於1960年代初組織了親睦團體「東大中國同學會」，大家決定同心致力於努力學習、研究，不捲入無聊的政治漩渦，會員們並通過決議，決定將其當作校內的登錄團體。學生部對學生們說，要成為校內的登錄團體，必須要有顧問教官。由於有關中國研究領域的教官，全多是親北京政府的，而該會又以來自台灣的會員占多數，故我們希望能避免刺激中華民國大使館；然而右傾的老師們，又都是緊隨著國民政府，故引不起我們的興趣。

　　真是怪事，最後我們還是決定去與學生部的老師商量，學生課長長谷川先生給我們出了這樣一個主意，他說：「請台灣出身的林田教授當顧問不是很好嗎？他是大家的前輩，而且又屬於醫學部，不會有捲入政治麻煩之中的嫌疑吧！而且，林田老師還擔任了某網球部的部長（或者是顧問？我記不清了），據說是一個很熱心的人，你們是否可去與他商量一下呢……」數名幹部在經過預約後，到東京大學醫學部附屬醫院分院拜訪了教授。

　　林田教授聽完幹事們說明來意之後，露出困惑之情的同時說道：「我已經是日本籍了，我不能接受你們的請求」，充滿歉意地拒絕了我們的邀請。

　　回來之後，幹事們嚷嚷不停。因為歸化了，就要把自己的出身隱藏起來，有這個必要嗎？連自己都看不起自己出身的人，能真正獲得別人的尊敬嗎？逃進「匿名性」之中，即懶於自我確認，這種自己欺瞞自

己的人物，果真能追求到真正的學問嗎？大家紛紛你一言我一語地談論著……。

　　就這樣一邊喝著啤酒、一邊進行著激烈的討論，一直延續了幾個小時。Ｔ君提出了一個問題，「林田教授是不是太可憐了？大家是否應該考慮一下使林老師（我們在會話中一直用舊的讀法，即中文的讀法稱呼他的名字）變成這樣的背景與原因呢？林老師最終當然是該為自己所採取的態度負責任。然而，使他在台灣問題上變成現在這個樣子，至今為止的日本與日本人的作法，就沒有問題了嗎？過去，日本人對於我們曾是什麼呢？現在，日本人對於我們又是什麼呢？將來，日本人對於我們又將是什麼呢？對於這一點，我們是否應該有經常審視、經常提問的必要呢？」

　　幾天後見到了醫學部的會員Ｈ君，林教授的事已變成了彼此會話的話題，他相當平靜地說：「原來是這麼一回事啊！林田教授（Ｈ君用日語的訓讀法稱呼教授）真是太可憐了，他拚命地想遮掩自己的『出身』，但在醫學部裡沒有人不知道他是台灣出身的中國人。」一旁的Ｋ君，一邊冷笑著一邊接過話說：「因為他躲進了匿名性之中，因此雖然他擔任了第一講座課程的主講，卻還依舊被迫在臨床醫學看護學第二講座教授的位置上。」「由於他專精的是臨床與技術，因此即使躲進匿名性之中，也不會有太大的障礙吧。」Ｈ君一邊微笑著、一邊從嘴裡說出了這般諷刺的話語。

　　林田教授與我一樣都是出身客家，我曾聽說客家在日同鄉們，為自己同胞中有一個東京大學的教授而感到無限的自豪。Ｈ君、Ｋ君的話，卻使我感到非常震驚。

　　Ｈ君在這之後，在美系的在日醫院裡實習，結束後便移居美國。恐怕是他看透了自己，若在日本的話，最多也不過是只能走林田教授的路

而已，所以才到美國去的吧！

　　林田教授自身是否肯定自己？是否已經在最高境地裡，發揮了自己的才能？這我們並不清楚。從外表上來看，他是走了「技術者」這條路，並且就此停止了。對於客家人的聚會，則從來沒有出席過。即使後來在日趨盛大的客家大會裡，也不再有人會提起他了。

　　他後來退休了，從真正意義上來說，他實現了自我了嗎？這一點對我而言，雖然屬於他人之事，但我卻非常在意。不，實際上這絕非他人之事。

　　阻擋了他的自我確認的日本社會，是否同時也剝奪了他實現成熟的自我的可能性呢？如果我這個假設是正確的話，這就不僅是他個人的損失，而是日本醫學界的損失，甚至是世界醫學界的損失。由於一些微不足道的人為行為，從而使得我們不能得到，本來通過林先生所應該能夠得到的「成果」。

　　這裡所謂的人為的行為，是指歸化加入日本籍，比這個更為稚拙的是，不但把象徵著個人人格的「林」這個姓，讀成日本式的林田，還把父母給取的名字，改成純日本式的名字，使個人的尊嚴受到了無限傷害。

　　　　　　本文原刊於《大学の国際化と外国人教員》，東京：第三文明社，1980年7月

【附錄3】
難以揣度的我們同胞的生存方式

到了西元2076年的時候，人們會怎樣來看20世紀的1970年代，特別是1976年時的中國呢？最近我有時會突然想起這一點。

或許諸賢會認為思考百年後的問題，是一件遙不可及的事。也就是21世紀的2070年代，會將20世紀的某一年，例如1976年，置於一個什麼樣的歷史地位呢？

然而，實際上果真是如此嗎？在我們思考漫長的人類史，或者擁有甲骨文以來的將近四千年的中國史時，1970年代的十年間，特別是其中的1976年的365天等等，或許只能算得是悠久歷史長河中的一瞬間而已。

1976年到底發生了什麼事呢？請讓我們沿著記憶的線索，來回顧一下吧。那年初的1月8日，周恩來去世，在4月5日清明節時發生著名的天安門事件中，被貼出來的反體制詩中末段寫到：

中國已不再是過去的中國
人民也不再愚昧
秦始皇的封建社會已經一去不復返

這裡好像是暗示了中國的「今日」及「明日」似的，鄧小平這位不屈不撓的人，繼文革初期之後第二次下台，華國鋒登上了歷史的舞台，朱德、毛澤東相繼進入冥界，包括逮捕「四人幫」（10月6日）在內，結束激烈的文革，成了這一年的主要大事。姑且不說發生使擁有百

萬人口的唐山，於瞬間倒塌的天災唐山大地震，可以說在中國的政治舞台上，上演了一齣相當激烈的打鬥劇。

在逮捕「四人幫」及同體制的解體過程中，人們慢慢地開始知道了「文革」的否定面及黑暗面。

許多「悲慘」的死亡開始被揭露出來，也許是因為《論共產黨員的修養》的名著「修養」過了頭吧！沒有還擊一槍一彈便被裹在一塊破毯子裡病死的劉少奇。深刻地體會到了庶民的生活哲學，在知名的隨筆集《老牛破車》中，描述南洋華僑的生活方式時，寫到中國人擁有另外一種忍耐方式的作家老舍，也死於「非命」（有自殺、他殺二說）。

被虐待太久的中國庶民，在大多數場合將「忍的哲學」做為生活中無限的智慧而體質化。然而，這種「忍的哲學」在近代以前的主要內容，是在被動、消極、宿命、達觀的基調上被支撐著。老舍在前面所提到的《老牛破車》中，稱讚南洋華僑用積極、肯定的生活智慧，即所謂在主動的忍耐基礎上，冀求「生的哲學」，他寫到：

> 中國人不怕死，因爲他曉得怎麼應付環境，怎樣活著。中國人不悲觀，因爲他懂得忍耐而不惜氣力。〔譯註：出自〈我怎麼寫《小坡的生日》〉〕

但是他自己（如果自殺之說是正確的話）卻在被動的「忍的哲學」與主動的「生的哲學」的矛盾與緊張的池塘之中淹死了。

曾任《人民日報》的總編、社長（1953～1959年）的著名學者鄧拓也自殺了。順便一提，鄧是因為在宣傳反右派鬥爭、大躍進政策等運動方面表現不力，惹惱了毛澤東而被革職的。此後在當時擔任北京市長的彭真、總書記鄧小平等人的庇護下，就任北京市委書記，企圖避過風

頭。這期間雖然留下了名著《燕山夜話》,但其結果是和書一起成為被批判的對象,鄧拓本人也遭受到猛烈批判與殘酷迫害。

與鄧拓一起為「三家村札記」專欄(北京市委機關報《前線》)的執筆者,而同遭受批判迫害的吳晗(明史的權威,文革前的北京市副市長),曾嘗試著保持操守熬過這一關,但弓折箭盡地病死了。「三家村箚記」作者之中,唯有廖沫沙(文革前的共產黨北京市委統戰部長)好不容易活下來了,但據說現在幾乎是處於廢人的狀態。

中國有句俗諺叫「忍字家中寶」(忍這個字是家中之寶,即家庭成員之間要相互忍讓才能保持家中之和),僅限於從現在來自中國的傳聞所知,是否為「家中寶」已經不重要了,還不如說這句俗諺好像已經成為1957年(反右派鬥爭)以來,知識分子的「人生寶」,而在中國大陸擁有「活性」。

在傳出「死訊」並杳無音訊的馬寅初、梁漱溟等學者,以及丁玲、胡風、蕭軍、劉賓雁、王蒙等作家,總算僥倖得以生存下來了。他們被當作「臭老九」(被放在地主、富農、反革命分子、壞分子、右派分子、叛徒、特務、走資派之後的第九位臭傢伙,即是知識分子)而受到鄙視。雖然自1957年以來,多少存在著一些個人差異,實際上在這長達20年的期間,這些「文學的青春」、「知識分子的知性」被「冰封」起來,這些筆曾在公共場合被折斷的人們,現在終於能夠開口、動筆了。

據說是鄧小平的復出,與重新確認、定位「知識分子是無產階級的一部分」的政策公布之後,才使得知識分子重新被當作「人」來開始得到容許。

與中國人「忍的哲學」相反的是中國人的「命運觀」,文豪魯迅過去曾將一篇名為「運命」的小短文,選入其雜文集《且介亭雜文》之

中。他在文中寫道：

> 中國人的確相信運命，但這運命是有方法轉移的。所謂「沒有法
> 子」，有時也就是一種另想道路──轉移運命的方法。等到確信
> 這是「運命」，真真「沒有法子」的時候，那是在事實上已經十
> 足碰壁，或者恰要滅亡之際了。運命並不是中國人的事前的指
> 導，乃是事後的一種不費心思的解釋。（引自魯迅先生紀念委員會
> 編，《且介亭雜文·運命》，1947年10月）

我完全贊成魯迅的說法，兼具對生的強烈冀望時所倚靠的「忍的
哲學」，與做為新轉換開場白的「命運」觀，使我們的同胞得以苟延
殘喘。這就是我將他們取名為「難以揣度的我們同胞的生存方式」的緣
由。

將「忍的哲學」與「命運」觀相結合，並將其體質化形成中國人
的歷史觀與歷史意識。他們在尊重現實精神，進行再生產的同時，將其
做為自己命運的外延，並與對未來的浪漫憧憬相連結起來。他們之中的
不少人對於地位、權力、財富等東西並不在意，然而對真理與中華民族
的將來、中華文化的走向，卻一直懷有無限的關心。

帶有命運性，並且是無意識地被灌輸對中華文化，或者說是對中
國這塊大地的「認同」，這促使著人們變得向前看。

紅衛兵的所作所為與所進行的各種迫害，確實是淒慘的且停滯
的，卻嘗試著用終究是一場暫時性的遊戲，這種達觀的原理去理解。當
被害者占絕對多數這一點，同時在某種意義上而言，也是一種拯救。它
起著使憎惡、怨恨的昇華變得簡單、便利的槓桿的作用。

在1957年到文革期間，受到迫害的文學工作者、詩人之中，有的

人開始撰寫「傷痕」、「暴露」的東西。據說文革世代也正情緒低落，也確實看到他們試圖把所有的責任都轉嫁到林彪、四人幫身上去的時期。雖然還有許多曲折，但總算會回到正常的軌道。

為當下在中國的超級暢銷書《李自成》（描寫明末的農民運動領袖李自成的歷史長篇小說。現在出版了第一卷二冊、第二卷三冊。預定全書共分五卷，計300萬字），本書作者姚雪垠因此而受到高度評價，住在東南亞的朋友S先生向我指出，這是否可視為自1957年至今，文學者、歷史家典型的吉兆。

在1957年的反右派鬥爭中，姚雪垠被劃為右派分子，他不畏所有的迫害，相信總有一天會有發表的機會，一直堅持埋首從文獻中摘錄卡片，從事寫作。他說如果生前沒有出版機會的話，死後能由子孫們將其呈獻給中國人民，那就很滿足了。因此他珍惜寸秒光陰，堅持寫作，並且現在還在寫，令人們感慨不已。

姚雪垠兢兢業業地從事文學、知性的經營，應該是非常稀有的例子吧！做為個人的經營，確實可以說是稀有的。但是，確認支撐著姚雪垠這種「私」的經營，背後的社會、風土、民族、文化的土壤，在傳統中國仍存在的這一點，我想並不是毫無意義。

作為諸位讀者最切身的例子，即是中日戰爭之後的「以德報怨」，也就是用中國人的德，報答對日本人的怨，這種中國庶民對應敗戰國日本的語言與態度。

羅曼・羅蘭（Romain Rolland）留下了「勝利與敗北同樣是道德上的危機」這樣的名言。我們難以揣度的同胞先賢之一——老子，也在遙遠的西元前即給我們留下了這樣的名句：「禍，福之所倚；福，禍之所伏。孰知其極？其無正焉。正復為奇，善復為訞。」（《老子》第58章）

　　衷心地希望劫後餘生、滿身創痍而難以揣度的同胞們，能擁有光明的未來與巨大的幸福。

本文原刊於《ぶつくれつと》第28號，東京：三省堂，1980年9月

中南半島的劇變與「華僑」

引言

　　眾所周知，東南亞是「華僑」居住的密集地帶。

　　在這個地帶的中南半島三國中，隨著紅色高棉與越南解放勢力的勝利，和越南反共政權的崩潰，以及寮國連立政權的左傾化及寧靜革命的進行，更進一步促進了當下的劇變。而且在東南亞國協（ASEAN）加盟的五國中，菲律賓由於受到中南半島劇變餘波之震盪，大幅度提前與中國建交之日程，於1975年6月9日，發表與中國彼此相互承認，並建立大使級外交關係的共同聲明。

　　根據外電報導，泰國也將於7月1日以前談妥與中國進行建交前的交涉，可以說接近中國在東盟國家裡，好像是正在形成一種「時勢」。

　　中南半島劇變對中國而言，可說是把其看成同區域內誕生了社會主義的「兄弟」國家，加上中菲、中泰的建交，以及1974年5月31日的中馬（馬來西亞）國家關係正常化，使中國在過去外交上被視為空白地帶的東南亞（與印尼的外交關係，自1965年以來一直處於凍結狀態之中），終於抓住了能夠構築外交上發言機

會的契機。

　　本文試圖指出正處在流動化情勢中及發生劇變的東南亞諸國中，居住於該區域內的「華僑」，會表現出什麼樣的動向，並就「華僑」問題今後可能會發生怎麼樣的變化，來進行斟酌探討。

什麼是華僑？

　　當下發表對所謂華僑世界規模的推算數，以及其分布概況的，僅有台灣的國民黨關係機關「僑務委員會」而已。據僑務委員會的統計，1963年末世界五大洲的「華僑」分布概況，有如表1所示。

　　即推算約有1,700萬人的「華僑」散住於世界各地，其中約有超過95％的華僑實際上是在亞洲，特別是居住在東南亞諸國。

　　此外，有關分布在東南亞諸國的詳細情況，雖然這個推算年度有點舊，但正如1969年末（表2）所揭示，在絕對數上最多的是馬來西亞的400萬人，泰國的350萬人，印尼的300萬人，新加坡的〔約〕150萬人。

　　此外，占居住國總人口比例最高的是新加坡，約為75％；其次為馬來西亞，約為38％；第三位為汶萊，約為25％；第四位為泰國，約為11％；以印尼為首的其他國家，都是僅占總人口的5％以下。

表1　五大洲的「華僑」分布概況（1963年末）

洲別	人數（萬人）
亞洲	1,631.6
美洲	45.1
大洋洲	4.9
非洲	4.8
歐洲	3.4
合計	1,689.8

表2　東南亞的「華僑」分布概況（1969年末）

國家	居住人數（萬人）	占總人口比例
馬來西亞	400	38.0%
泰國	350	10.8%
印尼	300	2.7%
新加坡	151	74.4%
越南	145	4.3%
柬埔寨	30	4.3%
菲律賓	11	0.3%
寮國	10	3.3%
汶萊	3	25.0%
緬甸	55	2.0%

　　然而，正如僑委會自己所說的，這個分布概況中所指的華僑，並不是單指本來意義上的華僑，即指至今仍保持著中國籍，因私人因素長期居住於海外的中國人，還包括已經取得外國籍的人，或者說是所謂的雙重國籍者，因而是一件非常曖昧之事。

　　曖昧、漠然地對待華僑的，並非僅有僑委會而已。至今為

止，除了新加坡以外，其他所有的東南亞國家，都還與僑委會一樣，對華僑問題採取模糊的態度（但北越的態度還不透明）。

國民黨關係者之所以採取曖昧的態度，恐怕其一是為了實行以保持自己政權為至上命令的華僑政策所需；其二是把其看作是承襲傳統中國人，重視血緣習性而來的作法，這應該是不會錯的！

有關於重視血緣的習性，我暫且先擱置不談。撤退到台灣後的國民黨當局，為了維持政權，比在大陸時期更為重視強調與「華僑」的連結，為導入「華僑」資本和募集國防獻金而四處奔走。

前者不用說，是為了最小限度地阻止自己在國際政治上的孤立，而後者具有爭取「華僑」在經濟、軍事上，為建設反共基地台灣提供一部分資金的意義。

此外，居住國的關係者對「華僑」問題採取曖昧的態度，一方面是起因於新興國特有的優越感與自卑感相互交織成錯綜複雜的心理狀態，另一方面則是出於對「華僑」做為「外來者」的同時，卻能執掌流通經濟之牛耳，這種在居住國的特殊經濟地位感到的不協調與反感的相互作用，由此形成了廣泛的反「中國人」的感情，與對「中國人」的恐懼感而引起的。最典型的可由印尼的例子中看出來。

雖然說印尼現在與中國凍結了外交關係，但在東盟諸加盟國之中，印尼是最早與中國建立外交關係的國家，而且曾是唯一與中國建交的國家。

印尼雖然於1955年4月，與中國簽訂了有關雙重國籍的條

約，但主要是由於印尼國內的原因，使得條約批准的交換，延遲至1960年1月。不僅如此，即使是批准書交換之後，印尼當局還是不管你是保持著中國國籍上的華僑，還是擁有雙重國籍的人，或是已經歸化取得印尼國籍的人，即在法理上早已不再屬於華僑，而是應該被看成華人系印尼人（Indonesian Chinese Origin）的人們，都是全部把他們看成中國人，而繼續進行歧視對待。

此外，前面提到對中國人的恐懼感，便將「華僑」看成是「看不見的敵人」、「背後的實力者」等言論得以產生。對於這種論點有火上加油作用的是，作為美國「多米諾骨牌理論」的一部分，而廣被宣傳的「華僑即是中共的第五縱隊」的觀點，有識之士是這樣認為的。

對華僑概念採取曖昧的態度，不僅會導致用語上的混亂，而且從事實上曾引起相關國家「華僑」政策的混亂，與導致悲劇發生的這一點上來看，問題是非常重大並且深刻的。對於這點，人們尚未注意到，確實是令人感到非常的遺憾。

表1、表2之中關於「華僑」的統計，由於概念不明確因而有缺陷。同時由於居住國的統計整理的遲緩，甚至是由於相關國家出於政治上的意圖，即使有統計數據也拒絕公布等各種原因。在目前狀況之下，要對「華僑」做出正確的統計，幾乎可以說是不可能的。然而，由於上述的統計數據是現有唯一的資料，我們在思考問題時，把其做為大致上的基準來看還是有用的。

東南亞的「華僑」與美國的黑人問題

　　1975年2月27日的《東京新聞》，並排地刊登兩則有關東南亞「華僑」問題，以及美國黑人解放運動的相關外電報導。

　　前者是26日金邊發共同社報導柬埔寨的學生，襲擊了位於首都金邊繁華街上，中國人經營的飯館及數名中國人露天攤販事件。後者是《東京新聞》駐美國紐約的佐橋特派員的報導，主要是美國黑人解放運動中的一派、黑色穆斯林（黑人回教團）的創始者，伊萊賈‧穆漢默德（Elijah Muhammad）病死的消息。（25日因心臟麻痺逝於芝加哥的馬歇爾醫院，享年77歲）。

　　這兩則消息同時刊登在一起，當然完全是出於偶然。

　　然而，處於這兩件事的深層地帶，不是別的，而是共同擁有許多歷史淵源的「人種問題」。

　　對此我們暫且不去深究，在金邊遭柬埔寨學生襲擊的中國人，恐怕就是一般意義上所謂的「華僑」吧。

　　翻開第二次世界大戰以後的30年歷史，在東南亞國家只要發生什麼「混亂」或者政變，可以說「華僑」必定會遭到原住民，特別是青年、學生們的襲擊，這好像已經變成為一種慣例。

　　本來東南亞「華僑」的形成歷史，與西歐列強的東漸、殖民地開發的歷史，雖然在時間上稍微有點前後的差異，卻是平行地進行著。

　　美國的黑人社會是伴隨著白人殖民主義者，對美洲大陸的侵略與「開發」而形成的，知道這點的人相對較多。然而，近代的「華僑」社會是由中國勞動者所形成的，他們同樣由白人殖民主

義者引入東南亞，當作黑人奴隸的替代勞動力，這點卻意外地不為人所知。

　　本來，現在散住在東南亞約一千七百萬名「華僑」的祖先，幾乎全都是自鴉片戰爭以來，在西歐列強侵略、蹂躪下，而被迫離開的流亡農民。而且將他們帶到東南亞的，則是白人殖民主義者們，他們因為奴隸解放令接連的施行（英國1833年、法國1848年、秘魯1855年、美國1860年、荷蘭1863年、西班牙1870年），進而喪失了低廉的勞動力資源而感到困惑。

　　而只是由苦力貿易，或者說豬仔貿易替代了黑人奴隸貿易而已。

　　由於世界歷史的發展階段，與該時期非洲與中國的發展階段等方面上不同之故，黑人奴隸與中國苦力（後來變成華僑）之間，在身分與待遇上也有所不同。但是，無論是黑人還是華僑，都是伴隨白人殖民主義者的侵略，被當作進行「開發」時的勞動力而被活用、被榨取，這一點是同出一轍的。

　　白人殖民主義者侵略美洲大陸以後，對原住民印地安人採取種族滅絕的方式進行鎮壓，奪取了他們的土地之後，再利用黑人奴隸來進行「開發」。在這個基礎上，白人賴著不走，從而創造出一個無論在量或者「質」（財富與權力的顯現）上，以白人社會占上層的倒金字塔形的「複合社會」，並且最後將美國建設成一個白人國家。

　　在東南亞國家，情況很明顯地是有所不同。原住民社會的人口密度非常高，主要的生產方式也已經處於農耕定居階段，也許是因為這個原因吧，種族滅絕式的大屠殺沒能得以貫徹下去。殖

民主義者將原住民封閉在農村中，讓他們生產自己需要的香料等
農產品；另一方面他們又周詳計畫地導入中國苦力，從事礦山開
發、原始叢林的開拓、橡膠的栽培。他們甚至還讓華僑收聚原住
民的生產物以吸收利潤。其結果是形成白人處於頂層，華僑處於
中間，廣大的原住民處於最底層的複合金字塔社會。

　　第二次世界大戰後，原住民系民族主義高漲，與如火如荼展
開的殖民地解放獨立運動，使得西歐殖民者統治勢力不得不從政
治層面（在經濟層面則雖然有程度上的差別，舊殖民地宗主國所
殘留資本，至今依然擁有很強的影響力）開始撤退。東南亞原住
民系青年、學生們，在失去至今為止的「敵人」後，不管對與不
對，把所有的帳都算到了現在被當成眾矢之的的「華僑」身上，
在原本的意義上，「華僑」只不過是殖民地統治體制的附屬品而
已。

　　在美洲大陸如同「燎原之火」一般燃燒著的「紅色權力」運
動中，正因為盎格魯‧撒克遜為中心的白人在美洲賴著不走，
不，因能賴了下來，使得印地安人慘遭種族滅絕般的屠殺。好不
容易生存下來的「印地安人」才沒有把帳算到黑人的身上，而能
夠把其當作「白人的原罪」，原封不動地算到白人後代子孫的身
上。

　　此外，因為美國黑人過去曾是奴隸，在長達四個世紀的漫長
歲月裡，遭受到歧視與偏見的同時，也被迫過著牛馬一般的生
活。他們的解放鬥爭得到了同情，共鳴者也在穩健地增加中。

　　與此相比，「華僑」由於殖民地遺制的存續結果，在社會經
濟結構方面，顯現出在國民所得再分配中的優越地位，持續不斷

地被加以利用而被當作攻擊的對象。

他們近百年被迫為苦力、「豬仔」的悲慘生活，也被忘卻。對於不管主觀上是否願意，可以說是完全被別人強推上「代罪羔羊」寶座的今天角色，對此能夠有正確認識的也並不多，認為被襲擊了也是沒辦法的人也不少，這確實是令人感到遺憾之事。

無論如何，眼前的黑人、「華僑」問題，儘管出現方式上有所不同，如果我們追究根本的話，都是資本主義造出來的罪孽與「負債」的一部分。地球上所有的居民現在必須要成為好鄰居，我認為不管黑人也好，「華僑」也好，做為人的尊嚴與平等的地位，都應該得到保障。

「華僑」問題的本質

東南亞諸國自「八一五」〔指日本戰敗〕以來，正在高漲的民族主義基礎上，嘗試著建國運動。圍繞在建國運動的問題上，存在著由上而下的近代化路線，與自下而上的現代化路線，兩條路線在或明或暗地進行著激烈的抗爭。

兩條抗爭路線的具體內容我們暫且不去管他，兩條路線做為推行政策的前提，也就是對於殖民地所遺留的體制如何整理？如何定位？是進一步嘗試著「搭便車」？或者是克服並且進一步嘗試著將其當成確立自己的主體性而手段化？對上述兩種的認識與選擇，可以說是這兩種路線的分歧點要素之一而顯現。

一般而言，執行由上而下的近代化路線的當權者們，在對殖民地遺制進行整理、分析，並把其手段化且嘗試著去進行克服方

面，表現得相當怠惰。即使有這種想法，也沒有付諸實施的力量，這樣的例子也很多。坦白說，由於政權的體質、領導階層的出身階級的制約交織在一起，怠惰可說是理所當然之事。他們之中的大多數人出於維持政權的需要，僅僅在形式上做為新興民族主義的代表者而行動，實際上是通過對舊殖民地宗主國資本的溫存，以及引進外資實現工業化與培育官僚資本，實施徒有形式的計畫經濟，僅限定於技術面的農業改良，社會面的舊秩序重編與強化，實行對既存宗教的保護與將其國教化的強烈志向等，當作建國的基礎並進行嘗試。

如果僅僅是沿著這樣的基礎前進的話，如何正確地認識與定位殖民地遺制問題，就無法進入他們的視野之內。如果說有曾被考慮到的話，充其量也只不過是如何巧妙地利用搭殖民地遺制的便車，而逐漸達成其目標這個課題而已。

本來追溯「華僑」的形成歷史，對支撐其現存型態的社會、經濟基礎，進行社會科學分析的話，「華僑」的存在是殖民地遺制的一部分。做為社會現象的顯著形式，被看到的是「華僑」平均國民所得相對比較高，包括都市、村落階段的「華僑」系的高利貸資本及商人、商業資本的跋扈，不是別的，而應該是殖民地統治與居住國的前近代社會內在結構相關聯的歷史產物，這一點應該是一目了然的。

平均國民所得的偏頗性，即所謂產業上、職業上的一種民族分業（其形成的原因是殖民地統治時期的分割統治），產生了國民所得再分配的民族間差距。如果說舊態依然的前近代社會、經濟結構，是支撐著「華僑」系高利貸資本及其商人、商業資本跋

扈的真正土壤，這絕非誇大之詞。

令人感到非常遺憾的是，推行由上而下近代化路線的所有東南亞諸國的主政者，都沒有看出來我之前曾提到殖民地遺制重要部分的「華僑」問題本質，或者是故意輕視這個問題。在這樣的政治風土下，「華僑」在以華僑走向華人的大方向為志向的同時，出現了以下的對應與接納的形式。

上層的「華僑」為了在居住國內部，追求形式上的同化，而歸化了居住國，為了尋求權力的庇護與自己資本的發展，而嘗試著採取與官僚資本相勾結攀扯，並與外國資本的合資、政治獻金，對軍人進行籠絡等手段，企圖保存自己生存而四處奔命。與此同時，也有些人面向海外，試圖通過將資金轉移到各個發達國家及新加坡、香港、台灣等地，進行分散風險。更有甚者，據說試圖通過將子弟送到外國留學，以達到分散國籍目的者也不在少數。

如果對這種行為方式，僅用狡猾一詞來加以責難，是一件很容易的事。當然還留著出外打工賺錢的習性，則是產生上述行為的原因，因而華僑也是有一部分責任的。

但是，可以說更多的責任與原因，是由於居住國主政者不正確的「華僑」認識，與對華僑概念的模糊，因而未確立堅定的「華僑」政策，甚至也可以說是國內政治的混亂與腐敗所導致的結果。

這就是說，本來上層「華僑」在推行由上而下的近代化路線過程中，是具有被容納進去的可能性對象。然而，由於前面所說的認識上的貧困，主政者不能把已歸化的華人系居民與華僑區別

開來，而是籠統地把他們全部都看成是中國人，而繼續限制他們的職業及企業活動之舉。即是主政者自己摘掉了「華僑」融入居住國社會的幼芽，使事態往錯誤的方向發展。沒有對等的給與，而是單方面地要求華僑的「忠誠心」，這種要求不論是形而上還是形而下，最終結果通常都將成為泡影。

由上而下的近代化路線與自下而上的現代化路線，展開了空前激烈的抗爭，我們可以從過去的南越看到最為典型的例子。

與西貢〔譯註：今胡志明市〕相鄰接的堤岸區，約占一百五十萬南越「華僑」中的六成，大約有九十萬人左右居住在此，是相當著名的唐人街，據說是掌握著南越經濟命脈的地區。

自1954年《日內瓦協定》以來，舊南越政府使用強權，推行強制歸化、進行職業限制等「華僑」政策。在這之後，堤岸於1968年的春節攻擊之際，成為解放勢力的根據地，這不能不說是一大諷刺。

從目前為止的居住國政權性格來看，再也沒有比利用已變成一般想法的「華僑觀」，如「看不見的敵人」、「背後的實力者」、「中共的第五縱隊」等，在國內矛盾激化之際，成為主政者可以用來做為隱蔽矛盾、轉嫁危機等更為便利的藉口了。

事實上，1965年的「九三〇事件」（印尼）、1969年的「五一三事件」（馬來西亞）等排華運動，1971年11月泰國的他儂前總理的不流血政變等等，都是利用了華僑問題為藉口。因此，被當作排斥對象而被送上血的祭壇的，絕大多數都是中、下層的「華僑」。

他們既沒有僱用保鏢的錢、也沒有避難的資金，因為他們是

過去的附庸，故被拖出來當作代罪羔羊而推上了祭壇。

此外，以由上而下的近代化為基調的流通過程的合理化、國有化為名目，實施排除在農村的「華僑」系商人法案等措施。然而，這些法案的實施，實際上是對原住民實施優惠政策，但由於徒有形式，結果卻是被利用為官僚資本擴張的突破口。

然而，正如許多例子所顯示的，在對既存的社會經濟結構，其中包括既存的農村秩序，均沒有進行改變的情況下，只是簡單地頒布法律條文，最終非但不能促進情況好轉，而且有時還會使問題變得隱蔽化，甚至是導致村落階段的經濟活動，出現停滯的狀態。其結果是使主政者不得不自己放棄法令的實施，或者是華商被迫考慮採取新的對應策略，例如借用原住民系住民的名義等，法令的實施變得虛有其名，實際效果為零，或者出現負面效果的例子也不少。

儘管如此，舊南越政權還要嘗試推行此一政策，其結果是促進了「華僑」的階層分化，使得不當籠罩在「華僑」問題上的擬似民族面紗，被漸漸地揭去。出現了與舊西貢政權的意圖完全相反的結果。例如「華僑」參加解放後的慶祝遊行，慶祝標語上一併記上華文口號，以及看起來似經過軍事管理委員會許可，而發行的《解放日報》、《華人報》等華文報紙，這些都象徵性地向我們表明西貢政權的作法，出現適得其反的結果（《東京新聞》，1975年5月9日）。

在西貢解放時圍繞在「華僑」問題上所出現的象徵性，毫無忌憚地打破了我們通常的看法，除了前面所提到的例子以外，還有靠化學調味料製造業致富的華商陳丹〔音譯〕，是解放戰線的

同情者，在解放後也一直留在西貢，以及曾是阮文紹政權時代親
政府的華文報紙之一《人人日報》的李榮柱社長，在解放後遭到
同樣是「華僑」出身的勞動者鬥爭委員會議長何樂康等人，對其
進行聲討鬥爭等，這些都是一部分實例（《東京新聞》1975年5
月26日）。

　　「華僑」問題因為與各居住國的複雜情況，以錯綜地相互交
織一起的形式出現，同時其內部又包含有「人種問題」、「民族
問題」與「階級問題」等因素，可說是一個非常難解的問題。然
而，在其一般歷史背景等方面，首先是有舊殖民地的統治，其本
質是局限於殖民地遺制的一部分，只要是擁有理性、直視問題的
人，應該都是可以看明白的。

今後的動向與展望 ── 雙重國籍禁止條款的意義

　　中南半島三國終於將在自下而上的現代化路線基礎上，**轟轟**
烈烈地展開社會主義建設。在這個過程中，未來將如何對待「華
僑」？如何把「華僑」當作其中的一員，納入到當地社會之中？
似乎未有明確的方針。

　　但可以預見的是，肯定會與過去由上而下的近代化路線推進
者們，有著根本不同的政策。堤岸地區的南越解放勢力，被認為
是華人系越南人的人民革命委員會幹部巴‧霍付〔音譯〕曾表
示：「與強制性要求歸化越南的吳廷琰政權的抑壓方針不同，應
該在革命政府對待外國人的具體、並且是獨特的方針基礎上，與
越南人同等對待吧。……革命政府將尊重中國人的希望，是繼續

擁有中國國籍，還是加入越南籍，或者是繼續居留在越南，還是回到自己的母國，這將完全由本人自由做決定。」（《每日新聞》夕刊，1975年5月14日）從巴・霍付上述的發言中，也可窺見一斑。

不管怎麼說，東南亞社會主義國家將實施的少數民族政策，恐怕會成為「華僑」政策的一部分，因為那是「華僑」的密集地帶東南亞的最初嘗試，這一點就值得引起我們的注目。

此外，筆者也認為，隨著中南半島的劇變，以及美國對中國圍堵政策的失敗，即使是在東南亞國協諸國之中，也由於對中國親近，甚至是禁止雙重國籍條款在建交聲明中的被插入，使「華僑」問題終於邁出明朗化的第一步，華僑與華人系居民在法律上的範疇將被明確化。

1975年6月9日，菲律賓共和國政府與中華人民共和國政府發表了共同聲明，聲稱兩國政府為了促進兩國人民間的傳統友好關係，決定於同日起相互承認，建立大使級的外交關係。菲律賓對中建交，是因受到中南半島劇變的衝擊而大幅度提前，這一點是眾所周知。

根據外電的報導，泰國也將於7月上旬完成與中國的建交前交涉工作。

不難想像，在這裡東南亞國協諸國加快對中接近的步伐，其在國際政治、國際關係方面，所帶來的影響是不可估量的。這是因為，菲律賓、泰國與過去的南越，都是台灣國民黨政權反共、反中國的盟友，這些國家又是中國的周邊國家，對中國而言是最不友好的存在，曾經發揮了圍堵中國的重要鎖鏈作用。

　　由於建立外交關係，這條鎖鏈不僅是被切斷，而且使得中國
政府終於有可能在曾是其外交空白地帶的東南亞，抓住構築恢復
權力立腳點的契機。

　　然而，由於不斷高揚的民族主義，還有做為多米諾骨牌效應
理論一環的「『華僑』是中共的第五縱隊」的謬論散布等等，所
引起的排華運動，別說是華僑問題未能解決，還導致了許多流血
的慘事及混亂。

　　我們能夠理解對長期以來遭受殖民主義統治與壓迫痛苦的東
南亞諸國國民，所抱有的排他情緒，當然這也不是簡單就能夠消
除掉的東西。然而如果在關係諸國之間，華人系居民與華僑間在
法律上的概念能夠明確化的話，最小限度地能對「華僑」問題本
質的認識，以及摸索解決之策做好準備。

　　在這個意義上來說，中南半島三國在新體制之下，如何解決
「華僑」問題，這是值得注目的。

　　同時採取非社會主義體制的菲律賓，於1974年5月31日繼中
馬（馬來西亞）共同聲明之後，在先前所提到的中菲共同聲明第
四項中，明確記載了所謂的禁止雙重國籍條款這一點，具有非常
重大的意義。同條款主張「中華人民共和國政府與菲律賓共和國
政府確認，取得對方國家國籍的所有本國公民均自動地失去本國
的國籍」。

　　恐怕泰國也會在建交之際的共同聲明之中，安插入內容相近
的禁止雙重國籍條款吧。

　　順便提一下，中馬共同聲明中禁止雙重國籍條款中的第五條
主張：「中華人民共和國政府留意到馬來西亞是由具有馬來血

統、中國血統及其他血統的人們所組成的多民族國家。中華人民
共和國政府與馬來西亞政府雙方均聲明不承認雙重國籍。在這個
原則的基礎上，中國政府認為已經根據自己的意志加入馬來西亞
國籍者，或者說是已經取得馬來西亞國籍的中國血統的人均視為
自動失去中國籍。對於根據自己的意志仍然保持中國籍的居留
民，中國政府根據自己的一貫政策，要求這些居留民遵守馬來西
亞政府的法律，尊重這塊土地上人民的風俗習慣，與這裡的人民
進行友好的交往。這些居留民的正當權利與利益由中國政府給予
保護，並同時由馬來西亞政府給予尊重。」

　　中國方面對禁止雙重國籍政策的表明，並非以中馬共同聲明
為開端的。早在1955年4月就與印尼簽訂了有關雙重國籍問題的
條約。

　　然而，儘管印尼與中國締結了條約，但這僅僅停留在形式上
訂立協定的階段，完全沒有發生實效。實際上，印尼政府於事
後，對無論是已經歸化者，還是「華僑」或雙重國籍者，均當成
中國人來看待，繼續施行差別待遇。

　　可以說，在共同聲明之中，相互承認禁止雙重國籍條款是否
能真的發生實效，大多是受到東南亞諸國今後的政治態度，以及
國內的情勢所左右。

　　對於這一點我們暫且不論。對禁止雙重國籍條款進行相互確
認、相互誓約這件事，其意義就在於將先前所提到的曖昧「華
僑」概念，做為中國與關係諸國在外交上的誓約事項。將華僑與
華人系住民兩者在法律的範疇上進行分離，使之明確化這點上進
行約定。

　　在法理上來說，如果兩者在法律上的地位被明確化的話，不管華人系住民在居住國是否會被當成少數民族來看，在法律上就變成不論是華人系住民，還是原住民系住民，都應該賦予其做為居住國一員的權利與義務。此外，對於那些仍然做為華僑，或者是不得不繼續做為華僑而停留在居住國的人，居住國應該賦予其做為外國人居住者的權利與義務，並在這個基礎上，允許他們經營自己的生活才是符合情理的。

　　中南半島的劇變與中南半島戰爭的教訓，還有圍繞著中國的國際環境變化，與在東南亞區域的外交關係展開、建立，使得在激烈變動新情況下的東南亞諸國，如果還用過去那種訴諸排他性民粹、彌縫式的「華僑」政策，或者說是不花成本、只是靠上面發下來的一紙徒有形式的空文，這種實施政策的方式，我認為是不能掩飾現在的困境。

　　由於前面所述的原因，當然還受到中南半島新嘗試的影響，使得禁止雙重國籍條款相繼被相互承認，雖然也許會有些曲折，但相信關係諸國能夠超越印尼的情況，而使其在各國發揮其機能。這樣想，應該不算操之過急吧！

本文係依據下列三篇文章改稿而成：〈インドシナ激變と「華僑」問題〉（原刊於《經濟評論》，1975年8月）及〈二つの人種問題〉（原刊於《東京新聞》夕刊，1975年3月4日）、〈東南アジアの對中接近と「華僑」問題〉（原刊於《中日新聞》，1975年6月16日）

無告之民「華僑」
——因「血」引起的流血事件何時休？

持續動盪不安的東南亞

在發生「喋血星期日」事件（1973年10月14日）至「喋血星期三」事件（1976年10月6日）之前的這段期間，有良知的人們一直注目著並祈願著泰國（自由之國之意），希望真正的自由能造訪這塊土地，並希望在東南亞「最後的民主主義的實驗」能順利地進行。

即使是對泰國事情表示關心的人們，也只是想到泰國的軍部是否在策劃著捲土重來，像這樣殘酷地對市民及反軍部學生進行屠殺與鎮壓，則是完全出乎意料之外。

這種殘酷的程度不僅是如同電視影像所傳播，連印尼軍部右翼的有力人物而出名的那蘇蒂安（A. H. Nasution）將軍最終也驚歎：「因為泰國的軍事政變採取了太殘忍的手段，有可能會失去國民的信賴，助長共產勢力的增長。」（《每日新聞》，1976年10月22日）。

如果我們能回憶起來，那蘇蒂安將軍即是印尼發生的「九三〇事件」中的當事者——國軍首領的話，就該知道他的這一句

「殘忍的手段」該具有千鈞之重了。所謂的「九三〇事件」就是指發生在1965年9月30日，當時印尼的兩大勢力——國軍與印尼共產黨的抗爭事件。據說在這次事件中，包括失敗的印尼共產黨及其同情者，和受到牽連的「華僑」在內，共計有20萬人（馬力克〔Adam Malik〕外長的發言）至50萬人（西歐媒體的報導）被殺。

因這次泰國軍方的政變，是使得三年的「議會制民主主義的實驗」化為烏有，所帶來的結果是東南亞國協〔以下簡稱東協〕五國之中，不再擁有嚴格意義上的議會民主主義政治國家，甚至於再次看到強權政治漸趨普遍化的傾向。

由於這個劇變，使得冀望「越戰悲劇不要再重演」的善意人們，所描繪的中南半島三國（越南、寮國、柬埔寨）的社會主義圈，與東協五國（泰國、菲律賓、馬來西亞、印尼、新加坡）的非共產主義圈的和平共存構圖，提早蒙上了一層陰雲，處於有可能歸於畫餅充飢而落空的情勢。

以此為契機，部分東協的性急領導人想出了新的「多米諾骨牌理論」，一部分的「利己主義者」深怕引火自焚，提倡與泰國劃清界限。還有一部分有良知的有識之士，則對東協軍事集團化的表面化表示憂慮。

所謂的中南半島解放圈，與東協的和平共存的構圖，仔細思考一下就可以發現，首先描繪這一構圖的，僅僅是東協一邊及冀望於「越戰悲劇不要再重演」的和平主義者，這就令人感到困惑。

被期待擔當這一和平共存構圖描繪者的另一邊——中南半島

三國，從一開始就沒有認同東協這一組織，甚至連將做為區域共同體的東協，做為對話對象的跡象都沒有。

如果我們追本溯源的話就可發現，東協各國集團向中南半島三國發出和平共存的「秋波」，從1971年11月的《吉隆坡宣言》中便能看出這一預兆。

《吉隆坡宣言》取名為「東南亞和平、自由、中立地帶化」宣言，包括「東南亞希望能被當作不接受任何形式的外部勢力所干涉的和平、自由、中立的地域而得到承認、尊重」的內容。

現階段的這一宣言，只不過是將已故的馬來西亞前總理拉薩（Tun Abdul Razak），老早以前就曾提倡過的「在美、中、蘇三大國保障下的東南亞中立化構想」，在東協五個加盟國的外相會議上，由外相們確認後再加以明文化而已。

中南半島社會主義圈出現後的新情勢，使得不僅是需要向以上三大國尋求同意與保障，對於成為身邊更近存在的中南半島三國，也不得不向他們尋求這種同意與保障。

正如同通常被指摘的一樣，東協方面所追求的和平共存是防守的共存，將國內的不平等繼續保留著，而不是根本地解除其內部的政治、經濟、社會的種種矛盾，如果把它看成是使這些狀況得以苟延而爭取時間，也是無可奈何之事。可以說這是站在維持現狀，肯定現存秩序的立場上的對外政策。

此外，東協首腦們最為擔心的不是別的，而是中南半島被解放時所獲得的大量美軍兵器，以及打敗了美國介入的中南半島三國充滿鬥志的精兵們，對東協國家的滲入與對自己國內的共產游擊隊的直接支援。

　　指責和平主義者們只是基於「越戰悲劇不要再重演」這種心情上的願望，描繪和平共存的構圖是有失公允的。

　　看起來他們似乎是一邊恐懼蘇聯從印度洋，開始積極進入東南亞的同時；一邊對於美中關係的改善、美國的新太平洋主義與對美國該不至於再對亞洲重新介入等抱有期待，並且他們還把中國首腦有關認知東協的發言等適當地編進去，做為描繪這幅和平共存構圖的第三者。

　　不管是「秋波」還是「冀望」，這種和平共存的構圖，即使是在這次泰國軍事政變發生之前所謂的融冰時期，尚且未得到另一方當事者，及被期待的中南半島三國的贊同。儘管如此，暗送「秋波」的一方，或者說是懷有「冀望」的一方，現在好像還在將一縷希望寄託在「夢想」之中。

　　對此我們暫且不深究。雖然還不足以成為這種和平構圖的描繪者，但東協五國內還有成群的「人民」，然而這其中有一些是格外小心謹慎地，寄身於居住國「屋簷下」的人們，這就是被世間稱為華僑的這一部分人，當然，在沒有排華運動的新加坡則是例外。

　　然而除了新加坡以外，在印尼、泰國、菲律賓、馬來西亞等四個國家居住的這些人們，特別是那些雖然還沒有被逼得走上「進入叢林打游擊」之路，但還是未能被居留國的體制所接納的；或者說是沒有進入這個體制的資格，因而即使是依附在體制之下生存，尚且不能如願的階層的「華僑」，我想是否可用「無告之民」一詞來稱呼他們。這些「無告之民」雖然不足以成為和平共存構圖的描繪者，但他們比誰都更寄希望於和平共存這一夢

想的實現，並且可以說他們是把自己的存在，做為賭注押碼其
上。但與通常賭博方式不同的是，他們並沒有自己擲骰子的權
利。

　　他們儘管沒有擲骰子的資格，但不管他們自身主觀上是否願
意，代罪羔羊的角色被強加到他們身上，一旦有事發生，他們便
不得不被推上祭壇。常常被迫擔任這種不利角色的「華僑」們，
因為迫切地感覺到了這種危機感，他們比任何人都對這種和平共
存的構圖，抱持著更多的期待。

　　泰國發生政變之後，自曼谷發出的外電很快就傳來了有關
「驅逐殘留的中國人」、「關閉中文學校」等說法的報導。

　　具有良知的人們開始擔心，「排華」這種過去常被當作「反
中國＝反北京」的一種顯現而表露出來不祥之兆，會重新捲土而
來。

　　這種不祥之兆並不止於片段的外電報導。

　　由於在前述的那蘇蒂安將軍在有關發言之中曾提到：「從中
國革命、奠邊府、到西貢、金邊的陷落，在戰後30年裡，多米
諾骨牌理論在現實中存在，並且威脅著東南亞的非共產主義諸
國。……在馬來西亞中國人中共產主義同情者也很多，對此絕不
可樂觀。」等等，這已不僅是一絲不祥之兆，可以說已充分足以
讓人們產生巨大的不安。

　　所謂「華僑」是中共的第五縱隊的觀點，實際上是美國的前
國務卿杜勒斯所發明出來的「多米諾骨牌理論」的副產品，也可
以說是那蘇蒂安將軍新的「多米諾理論」，可見到這種華僑是中
共第五縱隊的觀點，又被原封不動地搬了出來散布，這是一件很

可怕的事。

茫然不知所措的「華僑」

在前面所提到的「喋血星期日」事件裡，被市民及學生們打倒的前泰國總理他儂，也曾是「華僑是中共的第五縱隊」這一觀點的信奉者。不，他不應該算是虔誠的信奉者吧！之所以這麼說是因為從他被打倒後，選擇了新加坡此「華僑」之國為亡命場所這一點來看，可以推測出他並不一定是深信這點。新加坡還算好，儘管到處受到「華僑國家」、「第三個中國」等誤解，但新加坡的當局者對此從未給予肯定。

現在把變成李光耀總理的著名談話的一部分，提出來供作參考：

> 歐美的學者們並不把澳大利亞人或紐西蘭人稱為「在外英國人＝英僑」等。儘管如此，卻把我們稱為「華僑」。還有比這更為荒唐的事嗎？我們是新加坡人，擁有自己的利益、自己的判斷與自己的路線。（《日本經濟新聞》夕刊，1976年5月18日，「春秋」欄）

事實上，李總理一直違反「血」的囚徒（也可說是一種人種主義的血緣重視者）們的期待，一貫奉行反共、不親中國的路線。從李總理的思想軌跡上，我們可以看到「華僑」們嘗試著的自我定位。不用說是稱他們為華僑、中國人了，即使是在英語中

被稱為Chinese、Overseas Chinese，或者是Chinese Abroad，也表示出拒絕反應，有時甚至是表現出強烈的反彈。出於使自己與國民中其他語言使用集團，或者是歷史、社會的淵源不同的集團相區別時，他們才以英語自稱為Singaporean Chinese，或者是Singaporean Chinese Origin，或者是以華語（不說中文）自稱為新加坡華人、新加坡華族（人種或者是民族的範疇）。

然而令人感到玩味的是，可以說曾被認為是他儂總理的左右手的副總理兼內相、國家警察長官、三軍副司令官——巴博（Prapas Charusathien），卻偏偏選擇了台灣為其亡命地點，並在當地停留約三年時間，直到最近（1977年1月上旬）才回到曼谷。

眾所周知，台灣的國民黨當局制定了血統主義的國籍法，並且現在還堅持奉行。正因是他們領導階層才是真正期待著華僑的不變者。他們不僅是只限於在國籍法方面，即使是在實際政策方面，也是試圖通過三民主義教育、中國語教育來鼓吹中華文化、儒教倫理，並與讚揚中華文物同時並行，以勉強維繫與正走向居住國化華僑間的關係，並且努力從物質及精神兩方面，來強化與華僑之間的聯繫。

即使是華僑已經歸化，用新加坡式的叫法是已經變成了「泰籍華人」，台灣當局依舊執著於「血緣」上的聯繫，並且期望華人們將所追求的歷史、文化的認同，最終能與自己所信奉的孔孟體系走向同一歸屬。不僅如此，他們還強烈要求華人們將政治上的認同，換言之即是政治上的忠誠對象，也應該是歸屬於自己所信奉的體系。台灣對華僑政策的價值觀，像巴博這樣的大人物並

不是不知；不用說，巴博的亡命事件已經超越了華僑問題的「末節」，僅剩在台灣這個反共要塞中，尋求暫時棲身之地的意義。

這樣的話，他儂總理於1971年11月17日的政變中所陳述，所登載發動政變的理由又意味著什麼呢？不，在這裡我們或許首先應該究明的是，他這段談話在政治上又意味著什麼呢？

他儂當年舉出發動政變的理由是「由於中國加入聯合國，這些被鼓足了勇氣的中國人有可能使得泰國出現傾向共產主義的可能性」，並且強調「泰國政府對中國參加聯合國，對住在泰國的300萬名中國人所產生的影響早已有所預估。如果這些中國人中的大多數人受到共產主義思想薰陶的話，泰國領土內到處可見的恐怖主義分子滲透，就會更進一步惡化，有使泰國陷入混亂之中的可能性。現存的恐怖主義者中如果再加入中國人力量的話，就會成為對泰國安全的威脅。由於上述的原因，有必要採取迅速、徹底、果斷的對應措施（曼谷1971年11月18日發，美國聯合通訊社電）。」

順便提一下，根據台灣當局所編纂的《華僑經濟年鑑》（1970年版第52頁），在泰國的華僑中，有300萬人已經取得了泰國的國籍，剩下的50萬人則是取得了泰國的居留權。正如前面所說的，由於國民黨當局實施血統主義的國籍法，將已經歸化入籍於泰國的華僑，即所謂的泰籍華人也當成華僑來對待。

他儂前面所提到的所謂有關「住在泰國的300萬名中國人」之類的發言中，即使假設其中包含有台灣當局統計中所提到的僅擁有居住權而未歸化者，即本來意義上的華僑的話，其餘的250萬人應該是指已經取得了泰國國籍的華人系泰國人，即所謂的

「泰籍華人」。儘管如此，300萬的「中國人」還是全部變成了懷疑的對象，據說泰國的華僑相對於其他國家的華僑而言，是與當地民族融合得比較好的，而這歸究起來，到底又是怎麼一回事呢？

「華僑」的生態——從與K先生的對話談起

在此次政變之後，碰巧為亞洲通並且精通中文的歐洲記者K先生來找我。因為對前面美國聯合通訊社的報導非常在意，也許是這個原因吧，從談話一開始就開門見山地進行了如同詰問般的議論。現在特地把此次談話的內容轉錄如下：

「你們這些歐美系的記者，在言詞的使用上確實是有不謹慎的毛病！」我一邊給他看前述的他儂發言，一邊說：「在這裡所提到的中國人，到底指的是誰啊？」

「戴先生您今天怎麼了？歐美記者又怎麼了？我再怎麼說也僅能夠代表我本人而已，與任何人均非同類，也無意代表別人。」K先生迅速反擊後，繼續用中文說道：「這裡說的應該是華僑吧，難道不對嗎？」

「當然是這樣，但是雖然說的是華僑，而華僑又指的是誰呢？」

他似乎有點困惑不解，沉思了半晌後才說 ：「這一般應該是指居住在外國的中國人慣用語吧！」

「當然應該是這樣的！然而目前在泰國居住的中國系人，更為嚴密地來說，雖然是指體內流著中國人血液的這一部分人，但

據說其中近六成的人是出生於泰國，年輕一代中有相當大的一部
分人不會講中文，而且大部分人均已取得了泰國的國籍。根據國
民黨當局的統計，泰國的350萬中國系人中，有300萬人已經歸化
加入泰國籍，為什麼他儂總理口口聲聲不分青紅皂白地，將他
們都稱為中國人、中國人呢？最好讓我們思考一下吧。1969年
的『五一三事件』，即吉隆坡發生的人種暴動，以及在此之前
（1965年）印尼發生的『九三○事件』而引發所謂的華僑屠殺事
件，用一句話概括地來說，我認為都應該被稱為是因『血（血
緣）』而導致的喋血事件……」

「我明白了，簡而言之，戴君是在為如何能中止這種因
『血』所引起的喋血事件，連無辜之民、毫無關係者都被株連的
毫無意義紛爭，而煞費苦心吧……」

「不，我本人哪擁有中止紛爭的這種力量啊！充其量也只不
過是將所謂的華僑問題稍作一點整理，倘若能對圍繞著華僑的一
些誤解與偏見，有一些更正的話……我只是這麼思考而已。當
然，如果這種整理的方法能夠被接受，或對抑制紛爭能夠起到一
定作用，那可真是該謝天謝地了……然而實際上的問題，並沒有
這麼簡單啊……」

「是啊，因為有關人種、民族的偏見，絕非一朝一夕之間可
以克服的啊！」

「因為可以說這是人，不，是人類的『業障』也不為過的事
情……因此，確實相當難……」

「可是，戴君你的整理方法又是什麼呢……？」

「首先第一點有著語詞層面的問題。要將華僑一詞進行認真

的定義，不要將已經歸化成居住國公民的，也可以稱為是市民的這一部分人，與本來意義上的華僑混淆在一起。本來所謂的華僑這一名詞的語義，用一句話概括來說，就是指暫時居住的中國人，如加以引伸的話，就是指到海外打工賺錢的中國人了。如果再按照我的方式去對其進行定義的話，『華僑是指從中國領土移住到外國領土且保有中國籍的中國人及其子孫。但是由中國當局或者是其他的公私機關派駐外國或是居留的外交官、駐地人員、研修生、留學生及其家屬等，則不包括在內。』是這樣子的。」

「戴君你為什麼這麼在乎國籍問題，對此我感到難以理解。」

「當然，也有學者將華僑定義為『在法律、政治、心理層面屬於中國國民的海外居住者』。然而，即使在法律、政治層面可以這麼說的話，提到心理層面就很容易發生混亂了，你不這樣認為嗎？你之所以給我呈上『過分在乎國籍』的忠告，實際上我把它看成是有主權在民，也就是說以可以看到『個人主義』確立的歐美社會的想法為根柢，暗示著對國家的『個人』的相對地位，或者是『個人』所應該擁有的優勢，應該是更加得到強調的東西……。然而令人感到遺憾的是，在亞洲的社會裡，個人主義、基本人權等尚不足以成為問題；在自我主張尚且不能得到充分容忍的社會裡，在缺乏人性的尊嚴、誠實及人格上相互尊重的現況下，談起心理層面的問題時，人們，特別是那些居於上層的人，是不會把其看成一回事的。神權政治的國家志向依然強烈，不進行政教分離，反而加強國家宗教的制定，或宗教在政治、法律層面所占有的意義，在社會上仍擁有巨大的影響力，主權在君主的

濃厚政治風土下，談論所謂的『心理上的』之類理論，我認為幾
乎可以說是沒有實效的東西。有關這一點，我們暫且擱置一邊，
暫時從國籍所屬走進去看問題。我認為已經在居住國歸化入籍
的原來華僑，理所當然地應該被當成相關國家的公民來對待。
因此，有關於他們的稱呼，也應該停止用舊的慣用語華僑——
Chinese稱呼他們，而應該用類似新加坡式的泰國華人、印尼華
人，或者中國血統的印尼華人等稱呼，將其與華僑進行區別使
用，才更為妥當。」

「在日語中又是怎麼樣的一種情況呢？」

「一直到第二次世界大戰中為止，還是通用華僑一詞，我想
這應該是對的。問題是，因為戰後對漢字的限制，使得僑字被取
消了，不分青紅皂白地都把所有的華僑稱為『華商』，這實在是
太糟糕了。當然，因為華僑之中確實有商人，故而華商的用語並
非完全不正確，然而因為同屬於漢字文化圈，如果用華商一詞來
將華僑全部概括進去的話，很有可能使大家對華僑的不正確印
象，自此被固定下來。華僑即是華商，通過新聞媒體接受了這一
觀點的人們，一般都會武斷地產生華僑都是些有錢商人的看法。
此外，平均算起來，每個人平均的國民所得比起原住民系的住民
而言，相對比較高也是事實。這常常與缺乏政治上的忠誠心問
題，會一起被當作問題看。」

「戴君的論文中，有所謂的『華人系住民』的這種表
現⋯⋯」

「日本的媒體用語中的另外一個問題是，伴隨著戰後政治、
社會的變動，而發生華僑自身的脫胎換骨，或者說是由於外在的

生活環境、政治風氣等的變化，不得不變換自己的座標軸。對於這種動態，無論在實際狀態還是在用語上，似乎都有未掌握到的遺憾。至於我們剛才所討論過的從華僑，開始走向華人的改變現象，可以說日本的媒體直到最近，還尚未在動態之中對此加以掌握。有關『華人』一詞的用法，直到近年才終於被當作日本的媒體用語開始使用。這點也是一個進步，但是還相當的不成熟，並且還不能說是已經被固定下來。因此，我在這裡大膽創造了『華人系住民』這個名詞來使用。已經有華人的人這個詞，同時還在同一用語中包含著住民的「民」，雖然明知這種提法不自然，目前還是在使用中。有時我也在思考，是否可以像日裔美國人似的，用中國裔馬來西亞人這種提法比較好。然而中國系的情況，因為有中國這個國家的存在，在語感上感覺不是很好。因而把『華人系住民』一詞做為總稱來加以使用，專指特定國家的華人的時候，使用泰籍華人或者華人系馬來西亞人等稱呼，讓其有所區別。」

「這麼說起來，剛才所提到的他儂的發言又該如何解讀呢？……」

「總而言之，他儂發言中所謂的『住在泰國的300萬名中國人』，這部分在法律上來看，則是非常荒誕可笑的，這是第一點。

「然而，這種觀點是除了新加坡以外，其餘東協四國的政治家及原住民系菁英階層的共通看法，這一點雖然令人感到非常的遺憾，卻是事實。這是由於做為帝國主義的長期統治的反動，他們均有嫌惡外國的傾向，大概僅有泰國算是個例外吧！由於是法

國與英國兩大強國的緩衝地帶，勉勉強強地總算保持了獨立，是
否可以從這個意義上來說，在心理層面上與其他國家具有極為共
通之處。他們還都面臨著建國，即達成社會層面、政治層面的結
合，已成為其所面臨到重要課題的一部分。而且正如眾所周知
的，他們還善於運用『討厭外國的民族主義』為這種建國的助成
手段。這種民族主義，理所當然地同時具有把造成自己分裂與貧
困的所有原因都歸罪於殖民地主義頭上的特性。正如大家所知道
的，華僑及華僑社會形成的基本要因，是由於西歐列強東漸之後
展開的殖民地經營。由於『華僑』的現存型態，確實是屬於殖民
地的遺制，因此做為反殖民主義的一環，而遭受排斥是具備充分
理由的。這些統治階層的菁英們，將『華僑』們的從中榨取當作
導致國內貧困的另一個理由而加以譴責，由此當作鼓舞討厭外國
民族主義的一環。甚至還常常把『華僑』當作阻礙國民統合、社
會結合的存在，而加以責難的例子也不少見。」

　　「這麼說來，他儂的政治發言，是否也應該在你現在所指摘
的背景之下進行理解呢？」

　　「是啊！即使是他儂總理，也不會把300萬人全部都看成是
中國共產黨的同情者吧！只是把排華的口號做為鼓舞討厭外國民
族主義情緒的一環，是為了維持政權或當國內政治、社會、經濟
矛盾激化時，為了轉移國民的視線，而一時地把問題挪後，如果
將此當成一項手段來進行利用，還有效果的話就加以利用而已。
因此把這看成是經過算計之後而進行的政治發言，應該不會有誤
的。這是幸運還是不幸，『華僑』們的母國——中國大陸已赤化
這一點，成了期待排華效果的另一個附加因素。從而出現了試圖

將討厭外國與討厭赤化的兩種感情，都能在同樣的代罪羔羊身上得到發洩，進而達成一箭雙鵰的可能性。」

「將寓言中的『狼』比作『華僑』，給它披上『紅色』的頭巾，稱其為『紅色之狼』就可……」

「『狼是中國人啊！他們對我們缺乏政治上的忠誠心，也拒絕與我們同化』。這是原住民一方的說法。」

「在印尼、馬來西亞一帶，有這麼一種罵法，即認為中國人儘管是『外來者』，卻都是些有錢人。他們赤手空拳地來到這裡，只知道拚命地賺錢，並且盡吃我們認為是污穢之物的豬肉，還面無愧色。」

「我在馬來半島時，實際上也聽到過這些，他們這種說法原封不動地傳給華人，聽到的是如下的還擊：『馬來人盡是些低能兒加懶惰漢，錢在手頭不過夜，整天盡知道玩樂，完全沒有儲蓄觀念。他們一遇到有事就只知道伸手借錢，好像生活的意義就是對著清真寺頂禮膜拜似的，一天要進行五次的禮拜，還要進行長達一個月的斷食，甚至還要舉行割禮。只能說是太落後了』……當得知雙方的不信任感，居然存在著這麼大的誤解之時，我不禁感到啞然，那種感覺至今還清晰地留在我的腦海之中。庶民間感情上的對立，我們暫且放在一邊，我也曾試著去聽華人系新聞記者們的意見。……『華人一方對馬來人一方的蔑視，與馬來人對華人的反彈，把這兩件事解剖開來看的話，就可以發現其實際上是屬於同根的東西。我請大家首先不要忘記的是英國人的分割統治與日本人的挑撥離間政策，到現在還發生著作用這一點。由於民族的不同，從而存在風俗習慣、宗教等方面的差異，這是理所

當然的事，並不存在誰是誰非的問題。不錯，我們確實不是本地
人，是從中國來的「外來者」後代。但第一代的人已經不多了，
七成左右都可以說是當地土生土長的。

　　儘管如此，我們的祖先豈止只是挑著一根扁擔來的呢？他們
之中的大部分都是光著上半身，被當作苦力拉到這裡來的。開拓
原始叢林，使之成為橡膠園的不是別人，正是我們的父祖之輩。
錫礦山的礦工也正是他們，為了修築道路、架設橋樑而流血流汗
的，也是我們的父祖之輩，希望大家一定不要忘記這一點。他們
並不是跟隨著砲艦而來的，確實是赤手空拳地來到這裡，因而可
以說對馬來西亞是有所貢獻的。

　　人們常說華人執經濟之牛耳，然而事實是否真的如此呢？與
官僚相勾結攀扯以占取便宜的華人系企業家確實存在。但這只不
過是其中少數而已。真正掌握著經濟命脈的還不是外國資本嗎？
在民族別的平均國民所得上，確實可能是華族的一方比較高，但
對此我們應該追求結構上的原因。殖民地統治期間，統治者大半
是有意識地造成了複合經濟社會，這造成出現今天這種結果的原
因。將馬來人封閉在農漁村之內的，既不是華人，也不是印度系
的人們，而是英國的殖民統治當局。包括馬來人在內的馬來西亞
全體的貧富差距問題，是全體馬來西亞國民的問題，若不對傳統
社會結構進行全面的轉換或者改善，就不可能解決問題。如果僅
僅只是罵華人，進行排華運動的話，充其量也不過只是會導致毫
無意義的流血事件發生而已。

　　更加顛倒是非的說法是，一方面說華人是有錢人，另一方面
又把同樣是這些華人都說成是馬來亞共產黨的同情者，所謂有錢

的共產黨同情者，這不是完全在開玩笑嗎？不會因為是華人、是什麼人、是什麼民族便成為共產黨員的吧！是因為飢餓、遭到迫害，才會走進叢林〔譯註：指參加馬來亞共產黨游擊隊〕的啊。』」

「有關忠誠心啊、同化之類的問題，又是怎麼樣的一種情況呢？」

「馬來系的右派統治菁英者，一有事就會提出『華僑』缺乏忠誠心的問題，但到底對誰忠誠卻未必說得清楚。對於能最低限度地保障我們做為公民的權利、基本人權的國家、政府，不用說，我們都會竭盡我們的忠誠。我想他們所說的忠誠，應該是指對國家的忠誠，但這到底還只是表面上的招牌而已，而實際上只是指對自己所屬的政黨、自己擔當的政權，或者是包含自己在內的統治菁英階層的忠誠，這才是他們心裡真正所想的，而且這才是現在的實際情況。

「如果說是允許反對政黨的存在、對少數意見的尊重、對少數民族的權利給予保障這些不說，就連做為一個公民的權利，尚且當下都得不到承認的東南亞的政治現況下，也只能說是無可奈何的了。悲劇並不是發生在很久以前，印尼的情況就是其中的典型。

「對於1957年，中部蘇門答臘與蘇拉威西的地方主義者，曾發動反對爪哇蘇卡諾（Bung Sukarno）體制的叛亂一事，大家應該都還有印象吧！據說包括親國民黨系統的在內，再加上住在與叛亂地很近，只是為了自我保存而無可奈何地被迫小小表態的部分及被冤枉的人在內，被迫死於非命的『華僑』，達到了一個相

當大的數目。發生在1965年的「九三○事件」，全國各地發生大
規模對華人系房屋、工廠、學校進行的放火破壞及屠殺等行為，
外電已經作了相關報導。這回的理由據說是認為在蘇卡諾與PKI
（印尼共產黨，Partai Komunis Indonesia）的背後，有中共存在而
發生的暴舉。到底應該對誰盡忠誠才是好呢？剛才我所提到的華
人系的記者是這樣說的：

　　「『……有關同化的問題，也可在同樣背景之下進行思考。
在這裡事先說明一下，我本人並非像一般的華人一樣，把馬來人
看作是劣等人，我自己認為已經從毫無根據的人種主義的束縛中
走出來了。一般來說，能夠順利地進行同化的前提條件是，同化
的一方必須有必要擁有為了同化而可供選擇且居於上位的同化價
值的存在，而當下在馬來西亞正在施行，由政府主導的馬來人優
先政策，反過來不是正好說明了對華人、印度人一方而言，馬來
人一方並不擁有居於上位的同化價值嗎？把伊斯蘭教制定為國
教，由上而下強制性地要求歸依同化的這種作法，當然是不會取
得成功的。

　　「……總而言之，既不想弄濕手、又想撈取水底石頭的這種
作法，再怎麼嘗試也不會使事情有所好轉。我認為統治者菁英階
層對此應該盡早有所認識，南越的例子不是正好說明了這一點
嗎？自1954年的《日內瓦協定》以來，舊南越政府與當下東協諸
國，同樣對「華僑」採取了職業限制，展開了排華運動，將深刻
化的社會矛盾轉嫁到『華僑』的身上，甚至推行了強制歸化的政
策。然而現在又是怎麼樣的一種狀況呢？現在是處於連華僑的
『華』字都不能出現的狀況。寓言裡的狼我們姑且不論，現實社

會中的狼是從飢餓的民眾、對社會的不公正而深惡痛絕的庶民、對橫暴與腐敗感到憤怒的青年學生之中衝出來的，這應該是古今東西所共通的。

「日本的知識分子來訪時，也談起過同化的話題，我只是問了他們一句話，到北美大陸去的日本人，又在什麼地方找到了同化的價值呢？然後問題得到解決了嗎？還有一部分肆無忌憚地坦誠地說出他們關於中國人頑冥不化，既不通婚，也不同化的超時空想法的人也有。另外一方面持同一論者，也提到在泰國的融合情況比較好，這真是毫不負責任的一派胡言……這已經讓我感到的不是氣憤而是可憐了，最好是應該讓他去麻六甲。

「在早期，或者更確切地來說，是在辛亥革命以前，遷渡過來的人們，是既不討厭通婚，也不在乎當地化的。不論是在印尼也好，菲律賓也好，這種例子都不在少數。應該知道的是，通婚同化是由歷史階段、附隨的條件等因素來決定的，並非是一成不變的東西。是由隨著相互間民族主義高揚的程度，以及每個人所屬的階層，如何來決定同化程度與通婚頻率的。

「早期當地出生的上層，大多是向居住地的統治民族、文化去追求同化的價值。例如，在印尼是向荷蘭、馬來半島是向英國，去追求同化的價值。他們的後代們構成了現在統治菁英階層的一部分，這已是眾所周知的事實。在最下層的場合，跨越風俗習慣、宗教的障礙與原住民系住民的通婚，也在不斷地進行。而且應該知道的是男女之間的通婚情況，還是有所不同。眼前的馬來西亞是華人系女性與馬來系男性通婚，這已經司空見慣。但是華人的男性娶馬來人女性為妻的例子，則還不多見。

「我聽說在日本發生的國際婚姻中，也是壓倒性的是與白人男性間的通婚。與娶進來的人數相比，嫁出去的更多，這一點是否也是相同的呢？在這裡讓我來作一個結論吧！我們面前所留下的出路，是否就剩下了嘗試著以香港、日本為榜樣的新加坡之路？或者是走越南解放戰線之路了？儘管不論哪條都是充滿荊棘之路……』」

中南半島戰爭與「華僑」

在這裡，讓我們來追溯一下馬來西亞華人系青年記者所指出的兩條道路之一，越南解放戰線與「華僑」問題的軌跡吧！

「八一五」之後，特別是吳廷琰政權之下的排華運動搞得非常厲害，因為他們也是在前面所提到的「紅色之狼」，不，是「多米諾理論」的原點土地之故，或許應該說是南越這方創造出了這種原型也未可知。從排斥華僑開始發展，到關閉中華學校、對華僑實施職業上的限制，最後發展到利用手中的強權發動強制歸化。

並不是因為有高尚、高層次的目的，而來推行強制歸化。主要是由於軍隊的「人力資源」開始枯竭，為了從華僑之中求取所需要的人才而發動強權。

越戰的末期，有關在香港海上發現多數華人系青年，為了逃避兵役而租帆船偷渡出國的事件等外電報導，至今還令我感到記憶猶新。當然在這裡也出現了對誰盡政治忠誠的問題。被強求對腐敗的、反人民的、並且是反「華僑」，甚至於是反「自己」的

政府盡忠，就不只是給當事者帶來困惑的問題。只要是有人情味的人，甚至是第三者，也能從某種程度上感受到這種作法，顯然是缺乏誠意。如果這種忠誠的結果會帶來無意義流血的話，只要是人對此不會感到氣憤，那才真是奇怪。

與西貢相鄰接的堤岸區，150萬名越南華僑中，有六成約90萬人居住在此，是相當著名的唐人街。南越政府的關係者也對外宣傳著，掌握南越經濟命脈的正是堤岸地區，也是當地的「華僑」。

然而，諷刺的是，所謂有名的春節攻勢（1968年），偏偏就是以這個城市為根據地而展開的。

到這個時候，持「華僑是中共的第五縱隊」論者也躲起來了，中共操縱越共，越共更利用華僑發動了起義攻勢，這些到目前為止被慣用的解釋，終於不能拿來解釋一切，是不是看到用「華僑」問題來隱蔽國內矛盾的手法，已經不能奏效了吧！

伴隨著在中南半島發生的兩條建國路線（即由上而下的近代化路線與自下而上的現代化路線）間的抗爭與激化，「華僑」問題在伴隨著流血衝突的同時，也變得愈來愈明確化了。

所謂的由上而下的近代化路線，是目前為止除了新加坡（後面還要專門談這個問題）以外，其餘東協四個國家正在追求的路線。

一般地來說，推行近代化路線的統治菁英階層，是以殖民地時代的舊貴族、地主、買辦資產階級出身者為中心而形成的。因此，以他們為中心所構成的政權體質，是受到領導者階層的出身階級、階層的制約。他們中的大多數人，不願意去做明顯地有損

於自己利益的事，幾乎不會去著手對自身所處的傳統社會經濟結構，進行全面的轉換；同時還缺乏對殖民地的遺制進行整理、分析，進一步將其手段化，並在必要的時候採取破除革新的熱情。

他們中的大多數為了保存自己的政權，僅在形式上以新興民族主義的實踐者形象出現。然而實質上只是在對舊的殖民地宗主國資本的溫存，導入外資進行工業化，培養官僚資本與實施形式上的計畫經濟，僅限定於技術面的農業改良，在社會面進行對舊秩序的再編強化，對既存宗教的國教化或是準國教化的強烈志向等為基礎而進行的嘗試。

我在這裡並不想發表一些關於他們沒有見識、沒有善意等極端議論。對於他們而言，在現在的世界史階段裡，「可以運用的時間」並不是很多，這是很清楚的。因為「可以運用的時間」不多，所以感到焦急，因而他們其中的大部分不得不將國內的不平等，原封不動的放在那裡，便匆匆忙忙地向前走；還可以說他們根本沒有足夠的餘力，來對國內的政治、經濟、社會等諸多矛盾，採取根本的解決策略。此外，由於過急於發展工業化，甚至出現導致城市問題的激化，進一步加深了貧富之間差異的結果。

由於社會面、經濟面、政治面的不平等與矛盾的激化，理所當然地使得革命勢力與反體制一方蓄積了能量。一旦這種能量開始爆發，這時為了對此進行鎮壓，除了強化軍事與獨裁政權、打出強權政治以外，並無他法。軍事與獨裁政權容易產生腐敗，常常會導致社會的不公正被進一步擴大，使得社會的緊張局面被進一步增強，可以說是使自己陷入了處於惡性循環的泥沼中而難以自拔的狀況。較早的例子我們可以從過去中國大陸的國共抗爭及

內戰，近些的我們可以從現在中南半島三國的例子中看到這一點。

所謂的「華僑」問題，又是如何與上述的動態相互關聯而得以展開的呢？

「華僑」的現存型態，正如我在前面曾簡單提過的，僅僅是殖民地遺制的一部分而已。更具體地說，是在歐美殖民地統治與東南亞的傳統社會經濟交織一起的「土壤」之上所形成的。因此，如果採取由上而下的近代化路線的推進者階層，不對傳統的社會、經濟結構與殖民地遺制進行改造的話，從理論上來說，「華僑」的現存型態基本上是不會改變的。

但是，隨著圍繞著他們國際關係的變化，華僑母國的中國大陸出現社會主義政權，居住國達成有限的政治獨立等變化的同時，自己的生活原理也不得不改變，這可以說正是1950年代以後華僑所面臨的狀況。

從苦力勞動者變成華僑，做為居住國的複合社會中間人的存在過程中，他們的生活原理、人生觀，一般地來說還圍繞著「落葉歸根」、「衣錦還鄉」。只要華僑還是中間人的話，他們就只不過是殖民地統治者的附屬品及幫手而已；反過來說，做為附屬品及幫手而不得不成為殖民主義者「爪牙」的他們，在另一方面，也是常常遭受到被統治一方的原住民的白眼。不管怎麼說，可以說他們並不能主導自己的生活，因此，他們只能做為打工者，奉行「衣錦還鄉」、「落葉歸根」的生活原理而已。

就像古今中外的出門打工者一樣，為了賺錢而不擇手段，旅行在外無相識，言行出醜也無所顧忌的行跡，也可以在他們身上

看到。這就更加引起原住民一方的反感，並導致原住民形成對今日華僑的負面印象。

　　但是，能留給他們賺錢的「場所」，再怎麼說也都是一些屬於殖民地統治者不去做，或者是不願意去做的有限領域而已。其中的大多數都是屬於一些瑣屑生意，所能賺到的金錢數額、獲得成功的人數，也沒有傳說中的那麼多吧！

　　總而言之，「落葉歸根」曾是一種理念；應該說，不僅僅是在情感方面，在物質方面也能夠將其付諸實現，或者說已經落實的階層，可說是僅限於一些中上層的華僑而已。大多數華僑所屬的中下層——特別是有資格做為悲劇主人翁的農民、工人、小商人階層，並不具備能夠將「落葉歸根」付諸實現的物質條件。「落葉歸根」到底還是屬於情感上的，說他們只能將其當作一種理念來奉行，也是不過分的。

　　這我們暫且拋開不談。進入1950年代之後，前面提到的圍繞著他們生活環境的劇變來臨了。「落葉歸根」已經變得不可能，取而代之的是「落地生根」的生活原理，已成了他們的生活基調。

　　所謂的「落地生根」，指的是在現居住地生根並使樹木繁茂之意。他們一方面是出於迫不得已，另一方面是為了對應新的客觀形勢，而為尋找自身發展所作出的最終選擇，再試圖把這種新的生活原理努力付諸實現。

　　在居住地發財的少數中上層的華僑，從他們所處的階級體質來說，他們已經不能像從前一樣，在政治上與法律上把社會主義中國視為自己的祖國，像從前一樣把中國當作自己這些資本家的發展樂園而尋求政治上的自我認同。這個階層很明顯地開始嘗試

著摸索雙重認同，其構圖就是向自己的母國尋求「血緣」上及文化上的認同，向居住國尋求政治上、經濟上的認同。然而事實上，後者如牆之高厚，絕非簡單地就能跨越，特別是對中間階層而言，更是如此。

上層的部分人士在殖民地時代，就開始向歐美尋求同化的價值，即以歐美化為主流，也可以說已經嘗試了假的「落地生根」。即使有少數不屑於這麼做的人，到戰後立刻就開始討好新居住國的權力階層，向軍部贈送賄賂以作政治獻金、保護費，最終與官僚資本相互勾結攀扯，成為官僚資本的幫兇。可以說是在一種不健康的情形下，在居住國尋求政治、經濟上的自我認同，為保存自己而四處奔走；另一方面，在下層階級中，有一部分人認為現在已經沒有再回到已經完成社會主義革命祖國從事革命的必要，而「落葉歸根」的生活原理，也只能成為情感上的一種理念，但在現實上卻很難實現的東西，現在正好出現了能夠對其進行一刀兩斷的客觀形勢。

可以說他們都是一些雖然擁有心理上的轉折，但本來就與居住地的「草根」共有生活的舞台，過著接近於「落地生根」實際生活的人們。可以想像他們追求認同的方式、描繪的構圖，也與除了歐美志向強烈的極上層之外的中上層華僑，所描繪的構圖是很相近的。然而，他們是寧願隨著潮流，沒有明確地去追求歸屬意識，在日常生活中忙碌地為生活而奔波的階層。據說小商人較多屬於這個階層，他們既沒有足夠的錢支付得起保護費而接受保護，也不擁有與居住國權力者相互勾結攀扯的保身之術，只有抱著感到臉上無光的想法而蜷縮著。他們與農民、工人的「枷鎖」

相比，還多少擁有一些捨不得扔棄的小店與小錢。因此，只要一出事，他們就被推出來當成代罪羔羊、「紅色之狼」，可以說他們是一些代替殖民地統治者背負「污物」的人們。

從「落葉歸根」走向「落地生根」之路，同時也是從華僑走向華人的變貌化過程。然而這是一條充滿苦悶與矛盾的艱難道路。而在這個過程中，以最激烈形式表現出來的就是中南半島戰爭，在春節攻勢前後，早早就有上層的越南華人，將據點移到歐美、香港、曼谷、新加坡等地的風聲傳出來。中上層的一部分擠上了去美國的難民船，而一部分逃得太晚，就只得乘著小船在南中國海漂流。今後的一段時間裡，漂流事件還有出現的可能性。

在激烈地兩極分化中，「落地生根」者階層，參加了西貢解放之後的勝利遊行。

關於此，我們暫且擱置一邊，中南半島三國變成了「華僑」密集地域內，最早開始嘗試社會主義建設的國家。在這個由下而上的現代化路線基礎上，所進行的建國過程中，「華僑」將受到什麼樣的待遇？真正地走向「落地生根」之路，是否會被容許還是一個未知數，他們走向社會主義改造的勞苦，是理所當然地不可避免的。然而，我想他們已經不再會因為自己中國人的「血」而遭受迫害了吧！不，祈願不要再發生這樣事的，應該不止是筆者一個人吧！

新加坡存在的意義

其次，我們再來加以看看通過新加坡，所看到的另外一條道

路吧！

在赤道下面的、像日本淡路島（面積584平方公里）一般大的都市國家——新加坡共和國，通常也被稱為「華僑國家」、「第三個中國」，最近有一些外國人又將其稱為「東洋的以色列」。對於這些稱呼，新加坡人已表示反彈，並對此提出反駁，認為這是偏見與誤解，關於這點我在前面已經講過。儘管新加坡方面對此提出了反駁，但這種看法還是廣泛地、根深柢固地存在著，這並非是沒有理由的。

無論怎麼說，最大的理由都是在於該國人口中各民族別所占比例的高低。根據1973年6月的統計，在新加坡總人口219萬人之中，華人實際上占了75％的壓倒性多數，馬來系人口占15％，印度、巴基斯坦系人占7％，剩下的就是歐亞混血兒及其他。如果僅從歷史事實來看的話，國民構成的種族別人口數的高低，並不一定會代表其國家的性格。然而，儘管新加坡所出現的華人人口數的偏頗是殖民地統治所遺留下來的「遺產」，但至今還會產生出上述的看法，並且流傳下來，是否可以說持此論點者，或者說是觀察的一方，也存在著問題呢？

用一句話概括來說，就是把新加坡看成是「華僑國家」、「第三個中國」、「東洋的以色列」等論點的人們，至今還沒有從人種主義的迷思中掙脫出來。至於所謂把新加坡視為「東洋的以色列」的看法，除了是從新加坡是被回教徒包圍著的國家、是美英的亞洲戰略據點國的觀點來看之外，很明顯地是從根據人種主義的觀點而形成的猶太人觀，與出於同本同源的黃禍論相混合在一起，因而構成他們的論點。

眾所周知，自從萊佛士爵士（T. S. Raffles, 1781～1826，把新加坡當作英國的亞洲政策根據地，進行開發統治的英國殖民行政長官）以來的「分割統治」所形成的人種割據主義，存在於新加坡社會的底層裡。人種割據主義在程度上雖然各有差別，但是在馬來西亞、印尼等東南亞諸國裡，卻是到處可見的事情。

同樣是採取由上而下的近代化路線做為建國的基調，僅有新加坡一國是不一樣的，該國沒有把人種割據主義，或者是人種問題當作「威脅的手段」來進行使用，在某種意義上而言，可以說正是這一點拯救了新加坡。

或許人們可能還會提出如下的說法，無論是從人口數，還是包含政治、經濟實力在內的綜合實力來看，華族都是占「優勢民族」的地位，因此，僅僅是沒有使問題表面化而已……。

這樣說也有一定的理由，然而，以西歐的近代化國家為目標的新加坡政府，以華人系為首的領導階層，提出了建設所有人種、民族平等，容許多元的宗教、多元的語言與文化共存的多民族國家建國綱領，這確實可以說是一個具有劃時代意義的嘗試。

建國綱領的另一個重要支柱，是揭示了實現「非共的民主社會主義國家」（實際上是反共），經濟政策上主張引進外資，採取近似於無限制地導入歐美多國籍企業為中心的高度成長政策，甚至是採取「亞洲美元」市場的積極培育政策。到底是不是可以使「可運用的時間」，朝著自己希望的方向爭取進來呢？不明確之處還很多。

上述他們所揭示的多元宗教、多元語言與文化的共存政策，能夠在什麼樣的程度上達成，今後是否還有可能積極且持續地展

開，對於這些問題，今後都還有進行充分探究的餘地。

　　確實是圍繞著新加坡的國際環境、客觀上的諸條件，使他們的領導階層訂定了今日的建國綱領。1950年代前半，他們結合了包括共產主義者及容共左翼的「統一戰線」PAP（即現在的執政黨，人民行動黨，People's Action Party），在激烈的反英鬥爭中取得自治（1959年6月）。此後，PAP政府走向右傾化，在英國的協力下，對左翼進行鎮壓，並於1963年9月16日加入了馬來西亞聯邦。本來，當初是為了實現「同牀同夢」而結成的馬來西亞，但主張馬來西亞人的馬來西亞PAP，與終究還是固執於馬來人優先主義、要實現馬來人的馬來西亞的UMNO（巫統，全稱為馬來民族統一機構，The United Malay National Organization）為核心的馬來西亞中央政府，彼此相互對立並走向激化，還有圍繞著關稅及歲入等方面的傾軋，使得新加坡從馬來西亞分離出來，走向獨立（1965年8月9日）。在這之後，PAP確立了一黨獨裁的體制，推進前面所提到的建國綱領與經濟政策，一直至今。沒想到這個過程卻向世間證明了「華僑」問題，並非人種問題與民族問題，而其本質上是階級問題。「華僑」問題如果在本質上，僅僅是停留在人種問題與民族問題的層面，從理論上來說，PAP就不會對左翼進行彈壓，甚至還應該與據說是以華人為中心的馬來亞共產黨攜手共進，選擇走馬來亞聯邦的獨立與建國之路，才是符合情理的。

　　包括馬來半島華僑在內的「華僑」中上層，所選擇的不是馬來亞共產黨，而是作為其反對勢力已右傾化的PAP，與馬來西亞的MCA（馬來西亞華人公會）為首的從中間到右派的華人關係政

黨組織。這種選擇的結果，是他們以協助英國當局的形式，把馬來亞共產黨再次趕入叢林。

隨著以工業化為中心的新加坡高度成長政策，而形成的國民統一市場（雖是欠缺農村的），使得地方自治主義（communalism）從表面「沉澱」到底下，取而代之的是使階級對立問題暴露出來。只要曾經踏上新加坡土地一次的人，就可以證實。占優勢民族的華族，有各種的職業、階層、階級的人們，大家都在同一國內謀生這一點。如果75％的華人全都是屬於中共的第五縱隊的話，李光耀總理所率領的PAP政府，就不至於會如此花精力去鎮壓左翼勢力了。即使是在經濟界的實際面，雖然說有少數的大企業家、資本家存在，但大多數的華人企業家，還只是一些小規模的經營者。

現在掌握世界公認的多國籍企業群島的新加坡經濟主導權的，並非華人，而是以歐美為首的多國籍企業、國際資本。對此，有識者不會持否定態度的吧！就連口無遮攔的外國記者與論者間，甚至還有持「李總理已經成為多國籍企業這種體制的優良看家犬」這類極端觀點的人存在。現在還堅持奉行「紅色之狼」就是「華僑」之類神話的人們，對於即使是已經掌握了政權的華人，尚且不能完全主導自己經濟的事實，到底又該提出什麼樣具有整合性的理論來加以說明呢？

這是否妥當？我們尚且不去說它，新加坡於1960年代達成的成果（平均國民所得1250美元，1972年末在亞洲僅次於日本），引起了其他東協加盟國的國民，其中包括奉行由上而下近代化路線的非華人系領導階層的羨慕與不安，甚至是嫉妒。如果只是羨

慕的話，就不要把他們做為「華僑」而進行排斥，應是把做為華人系市民的他們，如何變成認同自己路線的幫手，設定為一個課題來進行，還是有可能會使他們採取積極作為的。然而，放眼望去，在目前的狀況之下，「華僑」們似乎還是處在來自不安的恐怖，及最無意義的嫉妒折磨中，這實在是令人感到遺憾。

馬來西亞的「布米普特拉政策」

也許是我的孤陋寡聞吧！由於急著走向由上而下的近代化路線，在東南亞的統治階層之中，未曾聽說過曾經制定以科學分析與理論為依據的華僑政策。大多數僅僅是用有「紅色之狼」、或者是「紅色之狼」來了之類的宣傳，大不了只用最不花成本的通過法令的頒布，將華僑從流通經濟領域之內排除出去，對華僑進行職業限制、禁止與限制華語教育，甚至是限制與封鎖中華學校等行動，以此敷衍了事。民族化是他們所標舉最冠冕堂皇的藉口，實際上，非但沒有實現民族化，還為官僚資本打開了突破口。就目前為止的慣例來看，最終往往是產生導致經濟停滯不前的後果。

在這個意義上來看，現在馬來西亞正在推行中的「布米普特拉政策」（Bumiputera在馬來語中是土地之子的意思），從不同的角度來看，或許可以說是一個具有「劃時代」意義的「華僑」政策。

「布米普特拉政策」是以實現馬來人的馬來西亞為前提的，包括馬來人優先政策，由於國內的主要施行的馬來化政策（請留

意這裡指的並不是馬來西亞化政策），強化、擴大馬來人的政治
地位，提升馬來人的社會、經濟地位等諸多方面的綜合政策總
稱。

　　馬來人優先政策是馬來半島自1957年8月作為馬來聯邦獨立
以來，一直被大力倡導的。但由於當時的客觀形勢，即與馬來亞
共產黨的影響力，特別是與其中華人系、印度系人的政治勢力相
較而言，馬來人的政治勢力（包括政治意識、組織力在內的綜合
實力），還處於較為弱的地位，使得馬來人的領導階層，暫時放
棄了此一政策的具體實施。

　　然而，隨著馬來人作為原住民「自覺」的高漲（這種高漲是
與印尼的右傾化同步且密切連動的），政治勢力的伸長，特別是
以1969年5月13日的人種暴動事件為契機，馬來人一方發出了攻
勢。為了製造理論上的根據，他們於1971年3月進行了憲法的修
改，將(1)蘇丹的地位；(2)國教的伊斯蘭教；(3)國語的馬來語；(4)
馬來人的特權；(5)禁止對有關馬來西亞的公民權進行公開的批判
等集大成。此外，有關布米普特拉政策的法律依據，也可以從
1957年憲法的以下條例中看出來：

　　1. 以伊斯蘭教為國教（第3條）。

　　2. 維持以蘇丹制為基礎的君主制（第32條）。

　　3. 以馬來語為國語（第152條）。

　　4. 確保馬來人的特權地位（第153條）（順便提一下，把確
保馬來人特權的地位做為國王的責任，其內容是在有關聯邦級的
公務、獎學金，及其在教育與訓練的機會或方便，有關經濟活動
的執照等方面，為馬來人設定一定的框架，而其具體的量則在國

王自己認為適當範圍內，以確保馬來人的利益。）

　　前述1971年的憲法改正令，說起來是在因鎮壓人種暴動事件為名目的戒嚴令之下，以及「在法的壓迫與公認的暴力」（《日本日記》〔*Japan Diary*〕的著者馬克・蓋恩對「五一三事件」的評論，參照1969年6月24日的《每日新聞》）的威脅下驚慌失措，因恐怖而嚇得戰戰兢兢、縮成一團的華人等反對者們的「沉默」，從而得以實現的。在禁止對有關馬來人優先政策的所有批判（包括國會內的發言）之後，布米普特拉政策轉為具體的實施。

　　在這裡，我僅舉出其具體目標之中的一點來看，布米普特拉政策與1971年的新經濟政策相配套，而當下正在實施的「有關僱用與財富的所有」的改革目標，是規定在到1990年為止，即20年期間內，使得在商業、工業的經濟活動領域裡，所有經營、僱用等各個方面內，最小限度要有30％是由土地之子，即以馬來人為中心的原住民所掌握。為了達成這個目標，在教育、經濟、社會等各領域中，開始實施僅以「土地之子」為對象的人為措施（如設定優先錄用的框架等）與財政援助。

　　對已經實施的對非馬來人的軍隊、警察、公務員錄用限制的繼續，以及布米普特拉的實施，進一步加深了非馬來系馬來西亞人的不滿，據說譴責布米普特拉政策為在馬來西亞所實行的種族隔離政策的氣氛，正四處瀰漫著。如同我再三提到的，對不是以傳統的社會經濟結構進行全面改造為前提，即所謂「過度保護」的馬來人優先政策，要期待其發生效果確實是過於勉強吧！

　　布米普特拉政策最終不是培養出屬於健康優良的土地之子，

而是培養出僅會濫用「原住民的特權」的「豆芽菜之子」。由於官僚資本的強化與跋扈，使得出現了部分土地之子享受不到這種恩惠的可能性，也可以說是已經出現了。即使是在土地之子之中，是否也帶來了階級、階層的分化呢？有識之士擔心這問題已經產生。

認為即使是對試圖通過布米普特拉政策的實施，對民族的所得差距、教育差距進行修正的這種主觀意識應該表示肯定，但其結果則是恰恰相反，不但助長了民族之間的互不信任，促進了民族間的分裂，甚至進一步導致民族間對立的擴大，這點是相當清楚的，持這種看法的人不在少數。這一政策很快就會激化華人社會的階級、階層分化，結果是會導致被阻擋在大學門外及失去就職機會的華人系青年，被迫進入叢林打游擊。持此論點者雖然不多，但確實是存在的。

不管怎麼說，將名為人種問題的「野獸」放入鐵籠內，在名為政治的「馬戲」舞台上，對著庶民們恐嚇著「放開了！」「放開了！」的時候，多少會收到一些令人感到逗趣的效果。然而，一旦真的放開的話，就有可能出現野獸連馴獸師都咬傷，使自己陷入不可收拾的困境局面。

還會再因「血」而引起流血嗎？

對布米普特拉政策表示出異常興奮的馬來系右翼，藉口「五一三事件」的再現，還不惜與印尼國軍相聯手，步調一致地試圖將「中國人」趕出去，我最近甚至是聽到了這般危險的風聲。

　　自「九三〇事件」以來，在印尼執政的蘇哈托政權，儘管據說預備於本年（1977年）5月進行總選舉，已進入第二期的十年。以依靠外資促進經濟成長，與控制通貨膨脹來安定民生為最大目標的蘇哈托政權的治績，正如通過Pertamina（印尼國營石油公司，東南亞最大的企業）的破產騷動、顛覆政府的陰謀文書、總統夫婦的暗殺計畫等反政府活動的頻傳事件中可以看到，應該是不會太好。對東帝汶的武力介入，不是不可以看到印尼大國主義的對外表現，不知印尼當局對過去被稱為裝有「滿洲國」這顆定時炸彈的日本帝國主義軌跡，又是如何看的呢？

　　現在哪談得上東協與中南半島社會主義圈和平共存，從最近的東南亞政治情勢來看，擔心東南亞國協自身內部出現崩潰，也不是無稽之談。

　　如果還再因「血」引起流血的話，所引起的騷動就不止會像從前一樣，僅限於一國之內了，發展成為捲入數國的人種戰爭，也不是不可能的。感受到這種不祥預感的應該不止筆者一個人吧！人們何時才能從人種主義的囚禁之中解放出來呢？創造出歐洲的近代亡魂們，現在還在亞洲、非洲的大地上遊蕩著。

本文原刊於《中央公論》第92卷第3號，1977年3月，東京：中央公論新社，頁164～183

【附錄】
「東京玫瑰」的悲劇
──對「血」的漫長鬥爭之路

　　1977年1月20日在所有發行的報紙中，均報導了美國總統福特在其任內的最後一天，即1月19日所發出的「臨別紀念禮物」，宣布自1949年10月6日以來，曾被控以國家叛逆罪的「東京玫瑰」──愛娃・戶栗・達基諾（Iva Toguri D'Aquino）進行特赦的消息。

　　東京玫瑰之名在「八一五」（當時筆者尚是初中二年級學生）以來，與李香蘭、川島芳子之名一起並列，至今鮮明地印在我的腦海裡。

　　三者之「名」之所以被並列在一起而留在我的腦海裡，恐怕是因為我對她們都有一個相同的印象，即她們都是屬於「叛徒美女」吧！

　　在戰後依然是燦爛存在的李香蘭，儘管那時還是不諳世事的我，多少還是知道一點她的情況。

　　然而，東京玫瑰的情況則有所不同。直到最近，我還始終無知地認為她已經走向了與川島芳子同樣的命運。換言之，就是我已經隨意地宣告了她的死刑。

　　當通過有關要求對她進行特赦的運動高漲的相關報導，才開始知道她還活著，確實是讓我大感吃驚。

　　讓我感到更為吃驚的是，還有關於她的「拯救」運動。

　　杜斯昌代在《東京玫瑰》＊一書中寫到，「東京玫瑰」只不過是傳說中的女性，是駐留在太平洋的美國士兵謠傳中的女性而已。而且，把

＊　ドウス昌代，《東京ローズ反逆者の汚名に泣いた30年》，サイマル出版會，1977年1月。

這個謠傳中的女性特定化為愛娃・戶栗・達基諾的，是被功利心所驅使而煽情的新聞界戰地記者們。

後來，在戰後「異常」的排日感情之下，美國政府動用政府的威信與法律的名義，將東京玫瑰圈定為愛娃・戶栗・達基諾，捏造了東京玫瑰叛逆罪事件。達基諾被判監禁十年（僅服刑六年二個月後假釋）、一萬美元的罰金（到1972年才最終全部付清），並被取消美國的國籍（1949年10月6日），書中還追溯了上述有關這件事的經緯。

杜斯昌代的書，對洗刷悲劇女主角達基諾的怨罪而言，相應地就顯得比較有分量了。

但是，這再怎麼說也都是屬於達基諾個人的立場上問題而已。

具有更為普遍、重要意義的應該還是在於，同書在追蹤「東京玫瑰」審判過程中，對政府、法院、新聞報導等不一定是值得信用的東西，用具體、翔實的資料為依據，作出了證明。

在中學生時代，可以說是接受了「被給予的」印象，因而給「東京玫瑰」判處了死刑的本人，現在感受到的已經不只是震驚，而是渾身冒冷汗，心裡充滿著為自己的無知而感到歉意。

然而，達基諾努力證明自己清白的最大的目標，「對美國的忠誠」與「恢復美國市民權」，到底又是怎麼一回事呢？

不，不僅對達基諾而言，對生活在現代的我們這些個人而言，國家、國籍、市民權，以及所謂的對國家的忠誠，究竟意味著什麼呢？

假如我們對緣起於越南戰爭的美國反戰運動、逃避兵役行為給予肯定。如果那樣的話，那達基諾想盡忠誠的美國，應該是止於做為抽象存在的美國吧！日裔第二代部隊過去在歐洲戰場，以血證明了自己的忠誠，這裡忠誠的對象當然也是美國。

然而，是否有人對這個美國具體到底是什麼進行過反問呢？「特

赦」發表以後，放眼望去，日本媒體間洋溢著一片終於得到特赦，可以放心的氣氛，所看到的盡是一些諸如「在叛逆者的污名下哭泣的30年」啊、「戰爭的惡夢終於結束了」式，僅僅是情緒性、明顯表示出日本式同情對應之類的報導。

愛娃‧戶栗‧達基諾在得到「特赦」之際，以在下的淺見，是完全沒有向日本人尋求同情的任何跡象。

然而，「東京玫瑰」的特赦，對我們而言卻是一個既古老，又常常是一個最新的問題。它強烈地要求我們對「國家與個人」，應該擁有的關係進行重新探討，擁有這種感覺的應該不止筆者一人吧？

對於信仰鉛字，對政府表現出了無限信賴的人們而言，對於她的鬥爭又能感受到一些什麼呢？

自明治維新以來，日本人為什麼會共有這種毫無選擇地將「對國家的忠誠」，當作最高命題的這種痛苦經驗呢，對此我想做一質詢。

「東京玫瑰叛逆罪事件」，是由於人種歧視主義的偏見而遭到陷害的。儘管如此，勇敢地站起來與其做鬥爭的愛娃‧戶栗‧達基諾，自始至終堅信單靠血統關係並不能決定一切，並通過自己的行動最終證明了這一點。特別是在第二次世界大戰中，沒有向日本官憲的威力屈服，一直堅持保持著美國公民權的勇氣是相當寶貴的。

現今仍對血統主義信奉不移的日本人來說，對於在自己的同類之中，出現了愛娃‧戶栗‧達基諾這樣「堅強的女性」，到底意味著什麼？我認為有必要借此機會進行詢問。

常常只因為擁有韓國人、中國人的「血」，便要受到疏遠、歧視。我們絕不應該忘記，即使是在日本，也有很多在日本出生的，僅會說日語，即類似於戶栗一樣存在的人們。

愛娃‧戶栗‧達基諾長達30年的抗爭，就某種意義上說，也是對

「血」的長期鬥爭，對於這一點，我希望也能引起大家的注意。

本文原刊於《中央公論》第92卷第3號，東京：中央公論新社，1977
年3月。原題「東京ローズ三十年の戦い」

「華僑」之未來

一、從有關亞洲的報導中解讀「華僑」問題

報紙是 —— 偉大的存在

　　我在一橋大學社會學部主講「東南亞社會」這門課，已經進入了第三個年頭（1978年）。在立教大學的法學部講課時也是一樣，在新學期的頭兩堂課中，我都要分別就「你聽到亞洲這個詞會聯想起什麼？」，以及「你對東南亞有什麼樣的印象？」這兩個問題，對聽講者的諸位發問。

　　「落後、貧窮、混亂、軍事政權、政變」等等，所得到的回答大體上都是負面的印象。雖然不多，但偶爾也能碰見諸如「正因為其處於混亂、迷混之中，才有可能擁有出現新生事物的希望」之類充滿「熱情」、令我感到高興的回答。

　　然而，能夠想到儘管是人口眾多，而且無論是自然資源、日照量、降雨量等均很豐富，但經濟上卻很落後的現狀，將之綜合地放在一定的關聯中來探究其問題之所在的學生，至今為止我尚無緣遇到。他們所擁有對亞洲的認識，一般地來說大多是片斷

的、缺乏歷史脈絡的。

　　對於這一點，我還不認為是那麼讓人搖頭歎息的。讓我感到吃驚的是，大約一個班級之中，肯定可以發現會有四、五個人，善意的、並且是非常認真地確信，東南亞如果沒有日本的經濟援助，就會連明天都過不去，就不會擁有希望。這種確信會使人陷入於自我陶醉之中，我深切地祈願這種自我陶醉不會蔓延。

　　緊接著，我繼續詢問他們有關東南亞資訊的獲得途徑，以及所利用的主要媒體。

　　通過乘坐「青年之船」＊¹或訪問親友，而到東南亞旅行過的有兩三個人（不用吃驚，與此相比，擁有歐美旅行經驗者的人數實際上有時數倍於此），其餘大多數都是通過報紙及電視的報導節目，而形成自己對東南亞的想像。

　　偶爾也會遇見讀過單行本之後，再來教室聽課的可嘉之士，但問到其所讀過之書名時，所舉的全都是一些趕時髦的讀物。得知這一點，不得不使我一而再、再而三地感到時代潮流的分量，這也就是我之所以說「報紙是偉大的存在」的緣由。

　　對於聽講者而言，在大多數的場合，亞洲都只是一個遙遠的存在。與歐美之間的心理上距離相比，與亞洲的心理距離可說是顯得十分遙遠。如果他們不能稍許填平這條鴻溝，培養起臨場感的話，就不能與身為講師的我，產生共有的「東南亞社會」。如果不能共有，或者明顯欠缺「參與」的話，這門特別講義最終不

＊1　係由日本政府主辦，為促進東協與日本青年之間的國際交流為目的之海上研習活動。活動內容係雇用大型郵輪，邀請東南亞國協與日本青年參與，並規劃有文化議題的討論會。

過是變成停滯生長的沙漠罷了。因此，我試著在每一堂課時，採用前一週成為「偉大的存在」的報紙——特別是有關亞洲的報導，一邊評論，一邊與大家一起去思考的方法。

「華僑」在東南亞社會中所占的分量是眾所周知的，就這個意義上來說，1978年度或許可以說是幸運的。因為各大報每天都提供了大量「活生生」的教材與資料。然而與此同時，也使人感覺到由於沒有經過充分整理的新聞、報導，如洪水般使得人們陷入了混亂的境地，也使得人們變得焦躁不安。

於是，我們在認識到公平且正確地蒐集新聞、進行報導的複雜性與困難度的同時，也陷入了不得不對與我關係密切的新聞記者諸君的「不用功」，進行指摘的這種不怎麼愉快的工作困境之中。

華商的用法消失了

因為戰後的「當用漢字」裡沒有僑這個字，華僑的表現被華商所代替。在新聞媒體中，特別是大報、電視均固執這點。如果我沒有看漏的話，在《讀賣新聞》的有關「充滿火藥味的越南的華商歸國」（1978年5月13日）的報導、《日本經濟新聞》的有關「加強與廣東、香港的交流，計畫設立航線，中國的新華商政策使人興奮」的報導（1978年5月22日夕刊）為最後，至今，華商的用法終於消失。像NHK的新聞節目，也剛剛恢復了用「華僑」這個詞進行報導，由於曾經過二十餘年的空白，不得不特別在華僑一詞的漢字上，附上假名注音〔譯註：日本字母〕再進行

報導。

語言是思想的反映，特別是在做為表意文字而擁有悠久歷史的漢字裡。因為同時兼具形象化與抽象化兩方面的功能，僅從其擁有可以使讀者在讀的同時即植入概念的可能性，儘管有此便利的一面，但同時也有因使用方法的不當，而容易導致誤解的一面，對於這一點也是我們所必須了解的。

如果用華商這種用法的話，就會被替換成中國商人。隨著東南亞的混亂及事件的發生而不斷地被提及、誤用，由聯想再不斷地引起新的聯想。這樣，不論你是否願意，有錢的中國缺德商人的形象，一旦印入讀者、視聽者的腦子裡後，就很難再消除了。

然而，把華僑與華商等同起來，做為同義詞來使用的日本各大報及電視台，為什麼突然停止使用華商這個詞，而回到華僑這個戰前的用語法來呢？也許是我孤陋寡聞，從未聽到相關單位對此有所說明。

現在想起來，是不是伴隨著這次越南華僑問題的發生，使得用華商這個詞已經不足以對問題進行正確的表述，這一點恰好成為一個契機吧！

順便說一下，即使是讀中國方面的報導也可以知道，歸國者不僅只有商人；而實際上在越南方面的聲明當中，也絕沒有華商之類的用法，甚至是適合本來意義上的華僑用語，基本上也沒使用（理由參照我後面的說明）。由於華商這一表現的誤用，華僑印象如何被扭曲這點，我在這裡暫且不去深究。

一般讀者的被害程度，這裡暫且就不去管，通常習慣於使用華商用法的國外通信（報）部員們，就得為此付出代價了。他們

現在在追趕眼前的新聞時，讓自己陷入無限的困惑之中。

在定義「不夠明確」及「困惑」的雙重苦惱，再加上採訪的困難，整理出能夠滿足讀者需要的新聞，當然不是很容易的啊！

華僑與越南國籍華人

越南在聲明中，例如在1978年5月27日所發表的越南外交部發言人聲明中（因為我不懂越南語，在這裡只談及英語版），河內當局在使用與華僑相當的英語時，使用的是Chinese Residents、Overseas Chinese兩個複合詞。

此外，越南當局把被認為已經取得同國國籍的原來華僑用「Hoa（＝華）People」，或者Vietnamese of Chinese Origin來表現。中國外交部聲明（1978年6月9日發表）在引用越南方面的聲明時，針對越南當局前述的表現，分別將其翻譯成「華人」、「華裔越南人」。

其次，讓我們再來看看日本方面，又是如何對待這個問題的呢？

曼谷在1978年5月28日發出的共同社電（登載於次日《東京新聞》朝刊）中，似乎並沒有讀懂越南方面的措詞方法，把越南方面使用Hoa People一詞的地方，翻譯成「住在越南的華僑」等等。

《朝日新聞》刊出的同日，曼谷外電（參照翌日《朝日新聞》）在相關地方則把該詞譯作「住在越南的中國系居民」。而同日發出的北京外電，則以相關報導寫道：「中國共產黨機關報

《人民日報》等各報，繼前日繼續刊登了來自邊境地區的報導，責難『越南官方』對中國系住民的迫害，並決定派出輪船以收容中國系住民等等。」（登載於翌日《朝日新聞》）

在同一報紙版面裡登載所謂的中國系住民這一日語，一般的讀者當然會認為其所指的是屬於同一範疇的人們。然而，再閱讀一下中國、越南雙方的聲明並加以比較的話，就可以一目了然地發現，在用法上，中國方面使用的是華僑一詞，而越南方面正如我在前面所提過的，原文用的是Hua People一詞。

我這不是在做文字遊戲，更不是以抓別人的語病來進行議論、挑剔別人為樂。

因為這種用語的混淆，會給報紙雜誌帶來混亂，使其變成令人再怎麼讀也弄不明白的新聞報導。我想從根本上來說，諸位記者在對有關中、越雙方圍繞著華僑問題所發生爭執的歷史背景，特別是吳廷琰政權下華僑強制歸化政策的全貌不清楚，因此，在沒有把具體爭論點明確化的情況下，就向我們提供了書面上的報導。如果對吳廷琰政權時期的華僑政策不清楚的話，首先就不能對中國方面目前所展開的理論，進行明確的整理。其結果是除了對中國方面的聲明進行咬文嚼字式的敷衍作為以外，別無他策，因而現在很難看到切中中國方面論點與主張的真意，並對此有所說明的新聞報導。

上述可以看到對「中國系居民」的混亂使用責任，到底是在特派員？或者編輯部主任一邊呢？或者應該被看成是國外通信部全體的混亂表現呢？

最近讀到《朝日新聞》的外報部長柴田俊治（具西貢特派員

的經驗）有關「雖然越南作了反覆的聲明，在越南的中國系越南人（華僑），僅有少數的外國籍的中國系人……等等」（《朝日ジャーナル》，1978年6月30日號）的發言之後，深感這種混亂似乎還是根深柢固。

因為越南方面，正如剛才所提到的越南外交部發言人聲明中所看到，河內當局認為北越的Chinese Residents（華僑），已經在1955年的越、中兩國的黨中央委員會的協定基礎上，在越南勞動黨的指導下，至今一直走往取得越南市（公）民權的方向。此外，南越也於1956年以來，所有的Chinese Residents都被認為是加入了越南籍。因此，主張他們已經不是Chinese Residents，而是Vietnamese Chinese Origin（華裔越南人，或越南國籍華人）。然後，再將這些原來的華僑，籠統地全部稱為Hua People，由此提出中國所主張的大量華僑，在越南早已經不存在。

對此，中國方面首先提出中國在越南擁有一百數十萬的僑民，他們中的大多數人都是屬於勞動大眾，其中有90％以上居住在越南南方。

然後指出河內當局所謂的自1956年以來，所有南越的華僑均已入越南籍的這種說法，是不能同意的；並批判越南現在的政策，只能說是沿襲了1956至1957年之間，吳廷琰政權的華僑強制歸化政策而已。

此外，有關前面所提到的吳廷琰政權的政策，中國的華僑事務委員會過去曾在1957年5月20日，發出嚴重的反對與抗議聲明，當時的越南政府也曾表明贊同與支援這個聲明的要旨；而且再加上《人民報》（越南勞動黨機關報）也曾同時發表文章，批

判吳廷琰政權不當措施的論文，這更明確地說明了這一點。

　　與此同時，南越的民族解放戰線也分別在1960、1964、1965與1968年時，在發表的政策與相關文書中，堅決主張「廢除美國的傀儡政權發布有關華僑的一切法令措施」，承認「華僑擁有自由選擇國籍的權利」。

　　並指出兩黨的中央委員會在1955年間，互換有關華僑待遇協定的事項，其中的南越部分，應該是於解放後再通過別的途徑來進行協商，譴責河內當局正在進行有關華僑強制性歸化的諸多政策，是違反了雙方的協定。

歷史與生活意識的共有才更為必要

　　正如前面所看到的，對於南越一百多萬名的華僑，應該被看成是已經加入越南國籍的Hoa People呢？還是應該被看成尚未經過自由選擇國籍的華僑？成為雙方爭執的前提。

　　如果不能夠識別這個前提的話，對於當下雙方正在河內進行，有關由中國領回問題協定時的分歧與爭論，也就不能夠理解。

　　正如已經被報導過，對於中國方面要求派出接回僑民的輪船要求，越南方面始終站在允許要求立刻回國的Hoa People的歸還立場上，於1978年6月5日發表了包括：1.停泊期間為三天；2.中國船隻的接納時間為自本月20日起的三個月；3 .歸還者的名冊在入港前，（由越南當局）直接交到中國大使館等六項條件。

　　針對越南方面的這種觀點與條件，中國方面提示了以下內

容，據VNA（越南通訊社，Vietnam News Agency）的報導：

> 中國大使館的代表與越南外交部領事局長會面，提出了包括強
> 調中國船是為了「接納受到越南當局驅逐、迫害、排除的在住
> 中國人，而到越南去的，並不是去領回中國系越南人，或者是
> 擁有越南籍，想離開越南而去中國的華僑」等六點提案。

　　儘管中國方面，遲早總會對此發表正式文書，但前述的中國
大使館代表發言被翻譯成為「在住中國人」的原文，恐怕是華僑
吧！被翻譯成為「華僑」部分的原來用語，應該是指越南籍華
人。如果不是這樣的話，就不能成為中國方面的見解。我是這樣
推測的。
　　越南通訊社還進一步提到：

> 中國大使館的代表還談到，對於希望歸國的「受到迫害的在住
> 中國人」，首先要必須經由中國大使館來檢討與承認，由同大
> 使館發行回國證明書後，再由越南方面在證明書上蓋章。（中
> 略）中國大使館代表還作出結論，即入港時間不應該限定於三
> 天之內，而應該根據實際需要來決定。

　　如上敘述，問題應該已經變得很清楚了吧！至於本稿對象外
的大環境，如中蘇對立，越南、柬埔寨紛爭，越南勞動黨內部對
親中派的排除等所謂的「弦外之音」，我們暫且放在一邊。圍繞
在這次的越南華僑的大量歸國，眼前中越雙方爭執的一個核心

問題，不是別的，正是對Hoa People與「華僑」應該如何進行認定，如何看待他們的存在這一點上。

有關領回船手續的爭執，可以說僅僅是這種延長線上的爭執而已。至於有關護照、出國簽證的發行方法，以及輪船的停泊期間等問題的爭執，都可以說是屬於細節性的問題，而不是爭執的根本原因。

對於相關國家歷史的共有認識不夠充分，並且輕視他們的日常生活感覺與語言的關係，這種漫不經心的態度，在將相關國家的用語翻譯成自己本國語言之時，就會變得困難並出現障礙。這一點是我在每日閱讀報紙的過程中，重新得到確認，並且學習到的。

順便附記一下，直到現在我還希望華僑大量歸國事件本身，只不過是中越紛爭的「弦外之音」，使我深信的衝動與誘惑猶驅使著我。

本文原刊於《世界》，1978年8月

二、越南華僑問題的本質

中越關係的軌跡

俗話裡有句比喻叫作「見樹不見林」。把當下媒體在外電方面，每天吵得不可開交的越南華僑問題，參照上述這句俗語來看的話，是不是就變成下面這樣的呢？

　　雖然說森林的影像還是朦朦朧朧，但好像慢慢地就要被看見了似的。然而，最為重要的部分的樹，還一直看不清楚。

　　但是，因為森林的影像太過於錯綜難解，不是筆者所能夠描繪的。如果是樹的話，或許還能夠描繪出近乎於實像的東西也未可知。因而，我便試著在下面對此作一點嘗試。

　　1978年7月17日的早報所刊載的RP（日本無線通訊社）報導，根據15日的北京電台報導，中越第16次談判已於14日舉行，主要是有關於派遣華僑接回船的問題，但談判結果以破裂而告終（《朝日新聞》）。

　　中國兩艘撤回僑民的船——明華號、長力號，6月15日下午從廣州黃埔港出發，很快就要滿一個月了。追本溯源，拔河（指指談判）本身或許就是象徵著森林的一部分。中越雙方彼此拔河這件事，似乎還會一直持續下去。

　　暫且不談這事，茲將自1978年4月以來，以華僑問題為中心至中越關係的拔河之軌跡整理出來吧。

4月30日

　　五一勞動節前夜的下午，在人民大會堂召開與在北京華僑關係者的座談會上，國務院華僑事務辦公室（以下簡稱僑務辦公室）主任廖承志在發言中提到：「最近住在越南的華僑大舉歸國，我們對此表示關心，並密切注意事態的發展」。

5月4日

　　繼廖承志發言之後，越南共產黨中央委員會書記春水（Xuan Thuy），在接受越南通信的採訪時談到：「最近在越南各個相關崗位上進行正常生活的Hoa People，突然相互慫恿，將自己所有

的財產變賣掉，換成值錢的東西，在沒有行政機關的許可情況之下，繞過正規的檢查站，穿越國境到中國去。」他在這裡對歸國事件的存在給予承認。書記還接著說，發生這一事件的原因是因為「住在越南一部分擁有不良企圖的Hua People認為，『中國在支援與越南敵對的柬埔寨』，『很快就會發生大規模的戰爭』，如果這樣的話『住在越南的Chinese Residents，就會受到迫害，因此無論如何都必須想辦法盡快離開越南』。此外，他們還散布著『中國政府在號召Overseas Chinese，火速趕回國參加國家建設，如不回國者，將被當作叛國者來對待。』之類的謠言，呼籲大家回國。」在這之後他還說到，要回到中國去的人，如果履行正規手續的話，會受到所需要的援助，並能離開越南（抄譯自越南在外公館所頒布的On the Unauthorised and Illegal Return to China of Hoa People in Viet Nam）。

5月24日

　　中國方面抓住春水書記等越南方面領導人的談話，開始公開對越南方面進行譴責。5月24日，僑務辦公室發言人對新華社記者發表談話，指出「自1977年年初開始，越南方面以『整頓邊境地區』為理由，開始著手對很久以前就移居到越南邊境地區的中國住民，進行有計畫的驅逐。在此之後，漸漸地對住在越南各地的多數華僑開始了驅逐行動。中國方面從維繫中越之間友好關係的誠實願望出發，希望此一問題能夠得到圓滿解決，多次勸告越南當局要重視中越之間的友情，停止這種迫使廣大華僑流浪、傷害兩國人民感情的極端不友好行為。但是令人感到遺憾的是，越南方面不僅沒有理解我們的善意願望，相反地，越南方面驅逐華

僑的手段變得愈來愈毒辣，被驅逐的人數也在不斷地增加，事態日益走向深刻化」。「僅在今年四月到五月中旬的一個半月之間，就已達到五萬人……到目前為止，總數已經超過七萬人」。但是，「這個人數並不包括被越南當局驅趕而流入其他地區的人數」。在這個談話中，觸及了迫害、驅逐的具體作法，對越南方面進行了譴責。

5月27日

針對前述中國方面的譴責性談話，越南方面發表了以「有關越南在住的Hua People的問題」為題的外交部發言人聲明。

同日早上，北京電台報導了僑務辦公室發言人發表的「由於越南當局依然繼續對住在越南的華僑進行迫害，中國政府決定了派船到越南迎接華僑的方針」的談話。

5月29日

越南的《人民報》發表了以「維持越、中友好」為題的評論員署名文章。

6月1日

中國開始在全國各地的電影院同時上映紀錄片《越南當局驅逐華僑的紀錄》（第一部）。

蘇聯共產黨機關報《真理報》，首次針對圍繞著華僑問題而發生中越關係惡化一事，進行了正式的評論。文中指出，「中國的目的是為了削弱越南的國際威信與影響力」，對中國的「大國霸權主義」進行了強烈的譴責。此外，同報還表示了以下的看法，即指出越南現在正在面臨的課題之一，就是對資本主義的生產、商業等進行改革，在越南南部掌握著經濟實權的中國人資產

階級，對此持反對態度，即表示問題的起因是在華僑那方（莫斯科共同社1日電）。

6月2日

廖承志主任2日在會見新自由俱樂部的山口敏夫議員等一行人的同時，指出越南的排華「是受到蘇聯方面的唆使」，第一次在關於華僑問題上，對蘇聯進行正式的譴責，並發表歸國華僑的人數已經達到102,000人。

6月3日

香港《大公報》由署名「林遠」的作者，發表了題為「蘇修是越南反華運動元兇」的文章，針對前述《真理報》的文章進行反駁。

6月5日

越南外交部發表了名為「有關住在越南的Hoa People的問題」的聲明，同日夜裡，越南的河內電台播放了越南外交部發表有關接回華僑的中國船隻的入港許可聲明。

鄧小平副總理表明，與華僑大量歸國事件有所關聯，今後將階段性地削減對越南的援助。

6月6日

《人民軍隊報》（越南軍方的機關報）刊載了無署名的評論文章〈正義必定會勝利〉。

6月9日

中國外交部發表《有關越南驅逐華僑的聲明》，《人民日報》發表由評論員署名文章〈謊言掩蓋不了事實〉。

6月15日

中國接回華僑的船隻——明華號、長力號，自廣州的黃埔港出港。人民代表大會常務委員會副委員長、僑務辦公室主任廖承志，受黨中央的委託參加了群眾歡送大會，並進行了重大的演說。在演說中，廖主任表明自今年4月到6月14日之間，從越南歸國的華僑已經達到十三萬三千餘人；同時指出在越南的中國僑民達一百數十萬人，其中約有百分之九十居住在越南南方。

6月16日

中國外交部向越南方面通告，宣布關閉在廣州、南寧、昆明的越南總領事館，並取消駐在胡志明市的中國總領事（未赴任）的任命。

越南外交部發表允許中國於7月初在胡志明市設置總領事館的通告（延遲三天於19日由河內電台發表）。

6月17日

《人民日報》發表了評論員署名的文章〈誰是教唆犯？〉

越南外交部公開表示已就9日中國外交部聲明中相關聯的內容，向中國政府送出了備忘錄，並將其內容公開發表。

6月21日

越南外交部領事局就有關Hua People撤回的問題，發表了新聞公報，暗示領回交涉談判的破裂與今後仍繼續進行。

6月29日

越南加盟經互會（COMECON，東歐經濟互助委員會）。

7月3日

中國通告全面中止對越南的經濟援助，撤回中國的工程師。

7月9日

　　越南的春水書記在會見共同社的記者時說，「中國在今年年初推出了新的華僑政策，河內的中國大使館也召集當地華僑，對此政策作了說明。此後，與中國大使館有關係的華僑們，開始在華僑社會散布各式各樣的謠言。」暗示所謂華僑大量歸國事件的起因，是中國（大使館）的煽動（河內10日共同社電，《每日新聞》，7月11日）。

　　以上對中越關係近期圍繞在華僑問題上的互動，做了一些整理，為了避免與後面的陳述重複，對於雙方的聲明或者備忘錄的一部分內容就先暫時不寫入。希望能在某種程度上，先抓住樹與森林之間的相互關聯。

對南北越應該分開來看

　　以1978年4月30日廖承志發言為開端而被公開的越南華僑大量歸國問題，使得對其表示關心的人們感到震驚與疑惑，我認為大概主要是在下述問題上。

　　為什麼在這麼短的時間內，會有這麼多的人歸國，或者說能夠歸國呢？如果說是沿著國境線逃出來（中國方面的見解）的話，或者說是非法出國（越南方面的見解）的話，那歸國者是否是以北部居住者為中心呢？如果是以北部居住者為中心的話，那1954年的日內瓦會議以來的20年間，華僑在北越接納社會主義，到底又是怎麼一回事呢？在這個基礎之上，中越兩國間從根本上而言，到底是發生了什麼事等等，這些都是可以設想的。

　　要解開這個謎底，我們得從解讀春水書記（根據河內1978年

7月10日共同社電，該書記原是巴黎和平會談的首席代表，兼任黨的對外關係部長。在這次的中越關係惡化過程中，做為黨的對外關係部長，據說也是越南方面的最高領導者之一）在1978年5月4日，以及1978年7月9日發表的兩次發言開始著手。

　　令人感到玩味的是，春水書記的兩次發言，都沒有談到越南南部的華僑。大多數越南擁護論者均過於簡單地將這次大量歸國事件，看成是在南部，特別是胡志明市，伴隨著社會主義改造而產生的問題。從這個意義上，要說這種看法沒有切中核心也不為過。

　　順便說一下，春水書記在5月4日的發言中，提到進入中國的Hua people（英文文本稱為Hua People，香港的北京系報紙將其翻譯成為華人）的職業時，並沒有提到商業關係者，這一點是值得留意的。

　　然而在越南北部（暫時限定於統一以前的北緯17度以北地區）居住的「華僑」（在這裡將華僑當作包括保留中國國籍的華僑，以及已經根據自己意志選擇歸化越南籍的原華僑在內的專有名詞），到底又有多少人呢？

　　《每日新聞》的連載報導〈中國、越南——龜裂的結構（三）〉（1978年6月21日）中提到：

　　越南中央民族委員會副局長邱其洪（音譯）於去年（1977）3月，曾對日本記者團提到，華僑是被做為「少數民族之一『漢族』」來對待的，約有二十五萬人左右定居北部，在這其中有四萬人取得了越南國籍，也有一小部分人仍保留著中國國籍。」

　　與越南方面上述的見解相比，中國方面對全體人數的把握，

雖然稍稍顯得有點曖昧（這也是有不得已的原因，從整個中南半島上的長期戰亂，以及沒有在越南設置領事館等情況來看，要能把握實際情況，並非一件容易的事）。但僅在歸化加入越南籍的人，所占比例並不高這點上，看法都是一致的。

在廣東黃埔港所舉辦的前往接回僑民輪船的出航歡送集會上，廖承志主任在演說中指出，「在越南有一百數十萬的中國僑民，其中約有90％左右居住在越南的南方」。此外，他還指出「至於居住越南北方的華僑，雖然在雙方已在協定的基礎上，可以根據他們的自己意志加入越南籍，但實際上的大部分人還沒有加入越南籍」（香港《大公報》，6月16日）。

儘管對前面提到有關越南中央民族委員會副局長邱其洪的發言，到底是在什麼樣的狀況下進行的並不清楚，但是從邱的官銜及其發言，是在去年3月分舉行的這點來考慮的話，基本上可以推想這個數字的可信度是比較高的。

然而，從定居者有25萬人中，減去歸化加入越南籍的4萬人的話，還剩下21萬人，本來這一部分，理所當然的應該是屬於未歸化而擁有中國籍的華僑人數，但邱在發言中卻說「也有少數擁有中國籍者」。對此我感到有些蹊蹺，因為21萬人絕非是小數目，在他的發言之中，是否還有別的含意呢？他是否說存在著雙重國籍者，或者是越南方面已經承認歸化越南籍，但還沒有得到中國方面承認，其身分仍懸在空中的人，也有相當一部分呢？對於這個問題，等以後碰到時再繼續談。

其次是想探究一下，這回的大量歸國者中，北部居住者到底占多少的問題。如果看越南方面所發表的聲明、備忘錄等，可以

看到他們雖然承認大量出國的事實，但令人感到遺憾的，是當下對出國者人數的具體數字並未公布。因此，在目前的情況下，只有依靠中國方面所發布的資料。根據北京7月17日發的新華社外電，據說「受到越南當局驅趕而回到中國的華僑難民，至16日為止，現在已經達到十五萬九千餘人，其中95％是來自越南北部的難民」（《讀賣新聞》，1978年7月19日）。

以此為根據來進行推算的話，可以發現其中僅有8,000人左右，是屬於南部的居住者，剩下的約15萬人全部屬於北部居住者。如果是這樣的話，邱副局長所提到的21萬名未歸化者中，實際上應該已經有七成以上的人已經回到了中國，這只能說是一個非常驚人的數字。

從上述的回顧中，大家應該已經知道，這次的大量歸國事件，並不是以越南南部胡志明市為中心的社會主義改造有直接關係的華僑為中心。筆者曾在前面希望引起大家注意的春水書記的發言（5月4日）中，並沒有談到商業關係者，也就是華商的歸國。而是明言「在工廠、合作社、學校等部門工作的Hua People相互慫恿到中國去」，對於這點，大家不要忘記。讀者諸賢將其當作一般概念，在東南亞作以華商身分存在的華僑，在越南北部的情況似乎是非常稀少的，甚至於如果說完全不存在也絕不為過。

從歷史上來看，以前北緯17度以北的越南（舊法屬中南半島時代的東京與安南的北半部），華僑的分布非常少。根據1936年的統計顯示，東京的華僑占中南半島內的華僑總數（32萬6千人）的11％，安南（南北合計）占3％，南越（以舊胡志明市、

堤岸區為中心）占52％，柬埔寨與寮國分別占33％與1％。

　　從一般感覺上來說，東京因為與華南（廣東、廣西、雲南）相接壤，氣候風土均與中國南部相似，同時由於安南面臨南中國海，住民（尤其是漁民）間的往來由古至今便甚為頻繁，常常會被認為華僑分布數量也應該是最多的。

　　然而事實並非如此，因為被稱為舊安南人的越南民族，居住在東京、安南的平原地區，受到漢文化的影響較深，因此華僑不能長期維持自己的存在地位，很容易被同化。這是法領時代以前的歷史事實，也可以認為是華僑較少的理由之一。

　　另一個理由，或許可說是因為同屬於漢文化圈，人民間的生活、文化水平的差距並不大。而本來是在「近代」這段世界史中，以中間人角色在其他地區有可能活躍的華僑，為何在東京、安南卻沒有伸展的餘地呢？

　　北緯17度以北的華僑，為數本來就不多，據說又以1954年的日內瓦會議為契機，其中一部分中上階層的華僑，為了逃避社會主義化，與越南人的天主教徒一起移居南部者也有。當然，也有離開越南之土地，移居到寮國、泰國、柬埔寨等地者，也是不難想像的。

　　從以上所見，我首先想建議大家在接觸越南華僑問題的前提，應該把南北越南分開來進行考察，才會比較容易理解，誤解也會比較少。

華人與華僑（在遣詞用字）的爭執

春水書記在1978年5月4日的發言（因為河內1978年7月10日共同社電的部分是日語，用語的細微差別無法表現出來，在這裡將其除外）之中，另一個值得注目的是用Hua People這個用語，將越南「華僑」全部囊括進去的作法。

自從春水書記在5月4日的發言後，這種遣詞用字的方法，在越南方面所發表的各式聲明中，好像是一貫被使用似的。至少在筆者能夠入手的越南駐外公館所頒布的四種英文版本，即：

On the Unauthorised and Illegal Return to China of Hoa People in Viet Nam（5月4日春水的發言成了本版本的主要內容。）

Statement Issued by the Spokesman of the Foreign Ministry of the Socialist Republic of Viet Nam on the Question of Hoa People in Viet Nam （May 27，1978）

Nhan Dan；Let Us Preserve Viet Nam-China Friendship （May 29，1978）

Foreign Ministry Statement on Question of Hoa People in Viet Nam（June 5，1978）

在這裡，華僑的表現自始自終都被避開不談，而被用Hoa People一詞來貫徹到底。雖然我對用越南語是如何表現並不清楚，但因為中國方面將Hoa People一詞譯作「華人」，以後為了簡潔起見，讓我們援用該詞來進行議論吧！

華人這一用語，原本是在新加坡、馬來西亞、美國等地慢慢變得固定化的用詞，一般地來說是脫離了中國籍，原來的華僑關

係者為了將自己的法律層面、政治層面的自我認同，從血緣、文化背景的認同中分離開來，使自己的法律、政治層面的歸屬意識更為明確化的時候所使用的。北京系的新聞媒體，近年來對這個詞用得也不少。

　　例如日本的新聞媒體對經常登場的趙浩生，便用「美籍華人」一詞來介紹（《大公報》，1973年7月12日）。

　　還有曾獲得過諾貝爾物理獎的楊振寧博士，在1977年於美國華盛頓特區成立的「National Association of Chinese-Americans」中被選為會長（請注意，這裡不是American Chinese），該協會的中文譯名便是「全美華人協會」，即為其中一例。

　　與前面所提到的趙浩生「美籍華人」的稱呼不同的是，對於美國在自然科學領域已經歸化加入美國籍的著名學者、研究者，一般以「美籍中國○○（大多數冠之以專攻的領域，例如物理學、數學、醫學等等）某某教授相稱。

　　曾經報導了毛澤東會見楊振寧博士的《大公報》頭條新聞（1973年7月17日），將楊先生稱為「美籍中國物理學家楊振寧博士」。在這裡我再舉一個例子吧！有關相隔50年之後，以青梅竹馬朋友身分受到毛澤東邀請，得以和毛澤東座談的李振翩夫婦的報導，也是以「毛主席的老朋友、美籍中國醫生李振翩教授和夫人湯漢志」來進行介紹（參見《大公報》，1973年8月15日）。

　　如果筆者沒有讀漏的話，這次越南華僑大量歸國事件發生以來，到目前為止，一直是附著在「美籍」與個人名稱之間的華人或中國，好像開始在使用中被省略了。

　　例如《大公報》、《文匯報》上所刊登的報導文章中，將今
年夏天回到中國大陸省親的數學家陳省身博士，以「美籍數學教
授陳某」；微生物學者徐璋以「美籍微生物學教授徐某」；先前
曾提到過毛澤東的青梅竹馬朋友李振翩稱為「美籍醫學教授李
某」來進行介紹。另一方面，李振翩曾對與此次大量華僑歸國事
件相關聯的有關華僑在世界史上的貢獻，進行了如下的評論　：
「從很久以前開始，居住在美國的華僑當中，許多人已經加入了
美國籍。他們將中國幾千年的古老文化、中國人民的忍耐、勤
勉、智慧的美德等帶到了美國，為美國的文明、進步與發展做出
巨大的貢獻。同樣地在世界上的其他國家與地域，華僑與華人也
為其進步與發展作出了巨大的貢獻，這是誰也不能否定的事實
（《文匯報》，1978年6月26日）。在這裡把華僑與華人並列起
來，這部分的意味深長。

　　我想，與「美籍華人」相區別，用自然科學領域在名字前冠
以「美籍中國○○學教授」頭銜，來進行介紹的這種遣詞用句
法，是否也可以認為是對中國讀者，或者在廣義上來說，是為了
使廣大群眾克服對自然科學的自卑感，也就是說即所謂的包含著
激勵民眾意義的用詞法呢！因此用「美籍中國○○學教授」這種
說法，即是用中國來進行加強語氣的報導吧！

　　中國方面的媒體關係者，大概對於上述的用詞法，會在國際
關係上引起「誤解」這一點，可能是壓根都沒有想到的吧！對於
在參照「國際法」基礎上再探討用詞法等麻煩作法，恐怕是在這
之前，連想都沒有想過吧！

　　然而，自從出現這回的越南華僑問題以來，越南方面完全是

在Hoa People，或者說是華人這個詞上大作文章。表面上是用華人這個詞，實際上是主張越南已經沒有華僑了；與此相反的是，中國方面卻強硬地堅持他們是華僑，認為派遣接回船的目的，就是為了接回被越南方面驅逐出去的華僑難民。

　　圍繞著接回船的交涉之所以難航的原因，當然是由於彼此政治上、外交上的企圖，交織一起的討價還價而已。然而，如果除掉這些策略性的東西，將相互間的交鋒，進行理論層次推演的話，從根本上來說，這場爭執的原點，是把這一部分人看成是華人或華僑這兩種主張之間的分歧。

　　中國方面始終堅持是為了接回「受到迫害的華僑難民」，而向河內方面申請入港許可。對此，越南方面主張，華僑都已經不存在了，更談不上有迫害、歧視的事實。僅僅是有一些想離開越南到中國去的華人們，那就讓這些人出國吧！

　　為了避免干涉內政，中國方面理所當然地表明，無意領回越南方面所主張、所允許的所謂「想離開越南到中國去的華人」。並且反駁說，既然越南方面主張華人已經不是華僑，而是越南籍華人的話，中國為什麼要領回越南籍的公民等，藉以指出越南方面邏輯上的矛盾，並且表示不接受越南方面所交付的名單。因為，只要接回的是華僑的話，主權就在中國一邊，應該由中國駐河內大使館接受華僑難民的歸國申請，在進行審查之後，由大使館方面發給「歸國證明書」。在此「歸國證明書」的基礎上，再由越南方面發給出國簽證，難民們帶此證明辦理搭乘手續，這才是正常的模式，中國方面至今仍堅持此一主張。

　　針對中國方面上述的主張，越南方面是理所當然地在原則

上，也強硬地堅持華人的主張，在意識到以華人主張為擋箭牌，而確保自己主權體現的同時，堅持要以越南主導的基礎上做成名單，並以此當作乘船的根據而不肯讓步。華僑與華人在用語上的不同，其內部實質上還是夾雜著國家主權的行使問題，如果看不到這一點的話，那就什麼也談不上了。

從國籍問題談起

其次，再讓我們來看看，有關華僑在法律上的待遇，即有關雙方在國籍問題方面的主張。

中國國務院僑務辦公室發言人在1978年5月24日的聲明中提到　：「有關居住在國外華僑的國籍問題，做為我們國家的一貫政策，對於他們在自由意志基礎上選擇居住國的國籍，給予承認、鼓勵。與此同時，對於違反本人意志，強制性的國籍取得行為也不能同意。」在確認中國至今有關國籍問題上一般原則的同時，對1955年日內瓦會議之後，圍繞著住在北越華僑的待遇問題，與河內方面的協商中則說到：　「1955年，中國與越南兩黨曾就華僑的國籍問題進行協商，雙方都同意遵守根據自由意志，進行國籍選擇的原則。」

接著，在有關居住於越南南部的華僑國籍問題上，聲明中提到：1956年，南越的吳廷琰反動政權，強制華僑取得國籍，對此，中華人民共和國華僑事務委員會於1957年5月20日發表聲明，對強制華僑變更國籍的吳廷琰政權卑劣行徑，表示了嚴正的抗議，並發表了如下的嚴厲聲明：「南越政府有關住在南越華

僑國籍變更的規定是不講道理的，是屬於單方面的決定。」、
「對於這種不法措施所造成的所有後果，南越政府必須負完全的
責任」。越南民主共和國的《人民報》報紙，也在1957年5月23
日的版面上，全文登載出來。該報在1957年5月24日發表了名為
「吳廷琰集團是越南人與華僑的共同之敵」的署名文章，表明支
援中國的正確立場。1965年5月24日，在越南南部民族解放戰線
發表的〈致南部華僑兄弟姐妹書〉之中，也提到了「華僑擁有自
由選擇國籍的權利」。

最後，在有關越南當局近來對華僑的措施，進行了以下的指
摘與譴責：

> 然而最近幾年來，越南當局再三違反根據華僑自由意志，進行
> 國籍選擇的原則，採取一系列的手段，對華僑進行歧視、排
> 斥、迫害，強制華僑取得越南國籍，對於拒絕取得越南國籍
> 者，則採取收回身分證件、減少糧食及副食品的供應、徵收高
> 額稅金，迫使他們處於不得不出國的狀況之下。對越南方面的
> 這種違反協定、違反國際法，對華僑國籍的取得採取強制行為
> 的作法，我們感到非常的訝異，並表示遺憾。（《北京周報》，
> 1978年6月6日號）

針對上述的聲明，越南方面於1978年5月27日，發表題為
「有關越南的華人問題」的外交部發言人聲明中，進行了以下的
回應：

有關住在越南的華人，早自1955年開始，越南的黨中央委員會
與中國的黨中央委員會，已就住在越南的華僑在越南勞動黨的
指導下，逐漸地成爲越南公民一事達成協定。1961年1月，越南
民主共和國外交部已經就駐越南中國大使館方面提出不發給華
人護照的提案，表示了同意。如果他們爲了探親訪友而申請出
國到中國去的話，由越南的相關部門根據他們的申請書進行檢
討，再將申請者的名單交付給中國大使館。接到名單之後，再
由中國大使館發行「旅行者證明書」及中國的入國簽證。這二
十餘年來，越南方面自始自終都尊重、正確地履行上述協定。
住在越南的華人享受與越南公民同樣的權利，履行同等的義
務。

　　以上這些可以說是越南方面就有關對中國方面圍繞著住在北
越華僑的待遇問題，所進行的協定與其經過所作的具體說明。
　　雙方之間存在著經過協商而形成的原則，這一點從雙方的聲
明文字中都可以看出來，然而在圍繞著原則運用的解釋問題上，
雙方則存在著對立。
　　與中國方面首先提起根據自由意志進行國籍選擇的原則這點
相比，越南方面顯得有點理虧詞窮，提出「兩黨中央委員會曾就
住在越南（本來應該僅限於北部地區的──引用者）的華僑在越
南勞動黨的指導下，逐漸成為越南公民一事達成了協定」。似乎
在著重部分的句子（文字底下的黑圓點，係引用者所加）裡，加
上了重點再進行強調，以企圖達到偷天換日的目的。因為沒有機
會讀到協定的全文，因而不能仔細進行斟酌，非常遺憾。

　　現在回想起來，北京與河內兩當局在蜜月時代（順便提一下，河內當局再三把胡志明與毛澤東、周恩來的越中協調時期的黃金時代搬出來），在反美帝立場上一致，在社會主義大義的基礎上，民族問題最終被認為是階級問題，隨著階級關係被清算之後，民族問題也應當會被解決。基於這種認識，北京與河內在1955年階段達成有關華僑待遇問題的原則合意。然而這可能只不過是在兩黨、兩造政府關係尚處於親密階段，無論是在內外路線方面均沒有意見分歧的情況下，進行大原則性、並且是含糊缺乏細則的合意而已。

　　從上述的聲明交戰，以及雙方間圍繞著在削減與中止援助備忘錄的交鋒文句中，可以窺見一斑。筆者是這樣推測的。

　　在雙方開始爭吵的現在，筆者認為中國方面祭出了原則，嘴上雖然沒有說出來，但實際上已經決定華僑問題，已經不能像從前一樣，交由越南的黨去解決，因此，最近出現了主張對此採取冷靜、正式對應的跡象。　　　·

　　有關這點，我們暫且擱置一邊。在越南發言人的聲明中，介紹住在北部華僑的實際情況時提到：「住在北部越南的華人，大多數是在合作社、企業（包括工廠）、國家機關及各團體工作的勞動者。他們的子弟均是在越南的學校中學習，其中的許多人成為了教師、工程師、醫生、高級技術者等」。此後，在有關過去居住於北緯17度以南的舊越南華僑在法律上地位問題時，提到「南部越南自1956年以來，所有的華僑都擁有了越南國籍。因此，他們已經不是華僑，而是Vietnamese Chinese Origin（轉換成漢語用法就變成了華裔越南人，或者是越籍華人）。自南部越

南完全解放以來，具有中國血統的越南人（原文為Vietnamese of Chinese Stock）享有與越南公民同樣的權利與義務」。

公正地說，河內當局對吳廷琰政權採強制歸化的華僑政策，尤其是自己也曾表明過反對立場，至此卻未作任何說明，而是原封不動地沿襲這一政策，並似乎是給予肯定似的而作出上述的聲明，這是缺乏說服力的。對於這點，即使是被指摘也難以回答吧！

為了在下面談及吳廷琰的華僑政策，我們再次對越南方面所使用與華僑相關聯的用語作一番斟酌。從上述聲明的用語中，可以看出越南方面是非常慎重地將Chinese Residents（華僑）、Hoa People（華人）、Vietnamese Chinese Origin（華裔越南人）、Vietnamese of Chinese stock（這裡恐怕實際上指的是明鄉，關於明鄉的情況，後面還會專門談到）等詞語分別進行使用。

令人感到非常遺憾的是，一般的日語譯文將這些詞用得較為混亂，讀起來很難讓人感到不同字詞間的微妙差異。如果諸位對這個問題抱持關心的話，我勸大家盡可能去讀一下原文，或者是英文的版本。

在慎重的遣詞用句的背後，實際上是埋有伏筆的。

第一條伏筆不用說，是有關越南北部華僑的問題。正如先前所估計過的，北部越南有21萬人的未歸化者，越南方面好像是把這些人稱為華人。在將這樣的稱呼擴大開來之後，華僑的存在就已經不成為問題，這就是越南方面的主張。而中國方面對此則作出反彈，這一點在前面已曾提到過。

不僅如此，中國方面的負責人廖承志，在6月15日的廣東黃

埔港歡送會上演講中甚至說到：「至於居住在越南北部的華僑，根據雙方合意而成的原則，雖然他們能夠根據自己的意志加入越南的國籍，但實際上現在大部分的人尚未加入。越南當局現在用『華人』這種在法律上相當曖昧的語詞來稱呼，試圖否定他們是華僑。這種作法，很明顯的是別有用心的行為。」而對越南方面的說法，提出強烈異議。

　　第二條伏筆，可從主張所有居住在越南南部的華僑，自1956年以來已經擁有越南國籍的基礎上，認為南部越南已經沒有華僑。再將此與越南北部的華人相聯繫在一起，試圖用華人此稱呼，來模糊越南全域內華僑存在的這點發現。

吳廷琰的華僑政策

　　前面曾經提到，根據1936年的統計，在舊時法國占領時代，住在越南南部的華僑占全中南半島華僑總數約52%。此外，再根據中國方面的統計數據，現在約有90%越南華僑，居住於南部地區。

　　不僅是分布人口的比例較高，在這個區域內還有一部分，是在越南其他地區幾乎看不到的中越混血兒──「明鄉」的存在，以及由此所帶來的特殊問題，希望大家首先須留意這點。

　　正如中南半島、越南的相關史書中所記載，在11世紀李朝成立以來，越南民族（舊稱安南人）從其本來的歷史搖籃之地──北圻，即東京平原及安南海岸平原的北半部，慢慢地開始南下，開始是與屬於印度文化圈的占婆相對抗，取得了安南（今中圻）。到了黎朝（1428～1789年）中期以降，為了取得原為真臘

（柬埔寨）領土的交趾支那，即南圻（越南南部），便與同屬於
印度文化圈的高棉民族，展開了激烈的侵略戰爭。

　　在1680年左右，從中國的明朝來了約3,000人左右的亡命軍
團，進入了蜆港，依附在順化的阮氏門下。阮氏巧妙地將與柬埔
寨間爭執之地──邊和與定祥，讓他們遷入墾殖，使他們成為自
己擴大領土的最好的協助者。後來這部分人在當地紮根，除了勤
勉地致力於交趾支那（越南南部）的開發之外，他們還與自北
圻、中圻南下而來的安南人女性結婚，養育了子孫後代。這些子
孫後代後來被稱為「明鄉」。「明鄉」推想是指來自於明朝的遺
臣們，或者是來自於明朝的同鄉們的稱呼，援用到所謂的僑生，
特別是指中、越混血兒們而形成的稱呼吧！明鄉的父親與越南人
母親所生下的孩子也被稱為「明鄉」。

　　眾所周知，在中華人民共和國成立以前的中國國籍法，是根
據血統主義的原則來制定。如果以此為依據的話，這些人很明顯
的就應該是屬於中國人。

　　理所當然，在法領中南半島時代的殖民地統治者，認為對於
居住在自己所統治殖民地內的混血兒，而且幾乎可以說是完全沒
有移居到自己的母國可能性的「明鄉」，將其與自己所統治的
「原住民」進行同等看待，才是對自己有利的策略。同時，也對
此採取了立法措施。然而，由於在法領中南半島內部劃分為錯綜
複雜的保護領、特別區、直轄殖民地等統治機構，以及由法國本
國國籍法與各保護領的國籍法，這種雙重構造下產生適用上的不
同調等關係，事實上自1862至1946年之間，明鄉在中南半島國籍
法上的地位，並沒有被法定明確化。他們根據地方的習慣被免除

兵役，僅繳納部分較「原住民」高一點，但與華僑相比又顯得相當低的稅金而已。

然而，自吳廷琰政權上台以來，情況發生了劇變。

親美的天主教徒吳廷琰，在對抗河內政權的同時，他努力地依他本人主觀的反封建、反殖民地主義、反華僑的口號下，鞏固自己作為總統的權力。為了試圖更有效地對抗北越的河內政權，他還整頓了軍隊動員體制與經濟動員體制。

首先是在國籍法中，導入了出生地主義，以作為軍隊人力資源擴大策略的一環，於1955年12月7日，公布將「明鄉」強制歸化的總統令。此後又於1957年8月21日，公布讓在越南出生的華僑及其子弟，強制性地歸化加入越南籍的總統令。為了進一步提高強制歸化的實際效果，同時也為了強化經濟動員體制，更於1957年9月6日，公布了11項關於華僑營業禁止令的專案，與經濟動員體制相輔相成。

對於以上的華僑政策，與社會主義理念相關聯的河內當局，以及南越解放民族戰線，是如何對此進行反對，我們並不清楚。然而，出於現實的利害關係，兩者對吳廷琰的政策均持反對態度，以試圖將因為反對同樣政策而崛起進行抗議運動的華僑學生、青年，拉入自己的統一戰線。1968年的春節攻勢過程中，堤岸區的華僑對解放戰線的支援活動，就被看作是這個成果中的一例。

此事就此打住。為什麼越南當局要這樣急於沿襲吳廷琰政權的華僑政策，尤其是強制歸化的政策呢？了解這一點，或許能讓我們獲得解開這次越南華僑問題之謎的鑰匙。

　　線索或許可以從1976年12月所召開的越南共產黨第四次大會
（順便提一下，中共並沒有派代表出席）上，少數民族出身的
朱文晉、黎憲梅、黎廣波三將軍，以及五位看起來是與中國有
關係者，這八名中央委員無法再次當選（*Far Eastern Economic
Review*，1978年6月9日）的經過中，或許可以看出些許端倪。其
中，少數民族出身的三將軍之一——朱文晉將軍，是儂族出身的
少數民族問題的主事者。他被解除中央委員一職，值得引起注
目。令人感到奇怪的事，最近又再一次發生了，這就是作為新一
波人事異動中，就任於少數民族委員會委員長僅16個月的武立，
最近（1978年6月27日）又被解職了。

　　僅從華僑問題與少數民族問題，更進一步說是與少數民族委
員會有著密切關係這點來看，以上的動向應該是成為解開謎底的
線索之一吧！

　　雖然找到了線索，但由於資訊的不足，而不能解開謎底，這
確實是一件令人感到非常遺憾的事。

大量歸國之謎

　　在這裡還有一個令人感到難解之謎，就是為什麼華僑在短期
間內會如此大量地回國呢？為什麼這一切會成為可能呢？對於這
個問題又該怎麼看待呢？

　　人們常常把華僑比擬作擁有巨大忍耐力、像雜草一樣能紮根
於大地而活下去的存在。

　　越南的華僑自經歷了1782年，多達上萬人遭受西山一派的殘

殺以來，又經歷了無數的排華、反華的痛苦體驗。儘管如此，但他們都還是繼續頑強地生存著，而且即使是在激烈的北爆〔譯註：美空軍對北越的轟炸〕之下，也沒有想到要歸國的他們，在越南完全解放，變得和平，正想喘一口氣之際，卻赤手空拳便越過國境回國了。

就是因為他們像雜草一樣的存在，大概不會只因為「受到一部分壞分子的謠言蠱惑」就大舉歸國吧！

如果不是在居住地出現了無論如何都不能再待下去的情況，或者是具有相當真實性，有一定根據的中越戰爭爆發的危機感，以及不是預感到隨時可能出現民族規模般迫害的緊張與可能性的話，華僑們應該不會放棄自己的生活基礎，離開即使在那激烈的北爆之下，尚且不願離開的越南北部之地。我的這種思考，應該不能算是過於武斷吧！

中越雙方曾經激烈抗爭、批判過的美國眾議院，據說在7月10日的全體大會上，以壓倒性的多數通過，將每年的5月1日到10日為止的期間，定為「亞洲、太平洋裔美國人傳統文化週」（Asian／Pacific American Heritage Week）的法案，以紀念來自中國、日本等國的移民為美國發展史上所作出的貢獻（《讀賣新聞》夕刊，1978年7月11日）。讀著這條消息，使我忍不住想起正在受難的越南華僑，感到無限的困惑與痛苦的，難道僅只有筆者一人嗎？我想絕不會如此的吧！

本文原刊於《中央公論》，1978年9月。原題「ベトナム華僑問題のナゾを解く」

三、華僑的歸化與同化

中南半島問題復發

　　最近，在泰國的柬埔寨難民營裡，夾雜了為數不少的「華僑」系難民，中南半島的「華僑」問題在此事得到證實後，再次成為話題。

　　中南半島「華僑」的行動，主要動機大致上可劃分為以下三點來思考。其一是為了逃避戰火；其二是為了迴避民族的壓迫（集團性有組織且巧妙的排斥）；其三是為了迴避社會主義體制。

　　一般來說，第一條與第三條的動機比較容易理解，但是有關第二條，為了迴避民族壓迫而出現大量歸國，或者集團越境的大移動等看法，在當下的日本卻好像還很難被接受。

　　中越雙方圍繞在「華僑」大量歸國問題的交鋒中，河內當局出現了認為越南南部自1956年以來，華僑實質上已經不存在，這種實質上是對吳廷琰政權推行的華僑強制歸化政策採取承認，並且是沿襲態度的發言。此事實應該引起重視，是善是惡、是當是否則另當別論，在這裡筆者想就與強制歸化政策相關聯的歸化及同化問題，來作一思考。

具有先見之明的湯恩比＊2

　　一般的日本人，現在還對日本是由單一語言、單一民族所成立的國家這點，深信不疑，並理所當然地把歸化作為是進行同化的前提條件來思考與期待。並且認為這種同化應該是被沒入或者是被埋沒才好。歸化的現代英語是naturalization一詞，中文的話，早在《三國志》裡就已出現，並被用來表示臣服之義了。為現今法律上的專門術語，表示根據自己的願望取得他國國籍之意。

　　所謂的根據本人自己的願望，在這裡僅僅是從上下文來看，強制歸化從一開始就是不講理的，有一位「自由主義」陣營的有識之士，在當時最早指出此一破綻，就是湯恩比。

　　1956年9月中旬，湯恩比正在東南亞的旅行途中。他曾經有如下的預言：

　　　就在前陣子，他們（指吳廷琰政權）令人想起了西歌德王朝時代，或者中世紀西班牙的反猶太人法律似的，通過了反中國人的法律。……禁止留在（南）越南的中國人從事11種特定職業，已經在（南）越南出生的中國人，全部正式地被編入（南）越南的國籍。然而，這種越南極端的立法措置，其結局是否也會落得與西班牙同樣的結果呢？（《歷史紀行》）

＊2　湯恩比（A. J. Toynbee, 1889～1975）。英國歷史學家，著有《歷史研究》（*A Study of history*）

　　所謂西班牙人的失敗，不用說，當然是指強制性地為猶太人舉行洗禮，其結果卻是除了導致更多的隱性猶太人出現以外，並沒有取得其他效果的歷史事實。

　　將強制歸化比喻為強制洗禮，的確是為高見。在責難華僑的許多理由之中，就有所謂的「華僑頑迷不化，自尊自大，並且因為沒有適應性，因此無論到什麼社會都不能適應。」這種說法。如果把這一段文字中的華僑一詞換成猶太人的話，就這樣原封不動地變成了反猶太人的人們所用的言詞。

　　將國籍法、國籍的概念，放到世界歷史的角度來看，充其量也只不過是法國大革命以後的產物而已。猶太人只能定義為公開或者私下堅定信仰猶太教的人。與此相同，中國人是什麼人？也只能是指接受中國禮教（在這裡宗教所占的比重很低，指的是包括中國人的生活原則、風俗習慣、料理、漢字等諸多價值觀在內的東西）的人們這個意義上來說，這些都是中國人自身傳承下來的東西。從歷史上來看，原先中國人從與政治、法律概念相關聯的角度，把自己做為中國人來進行自我意識的這種情況確實很少。更多看起來是依存於文化、社會的概念之中。改變這種狀況的外因是由於西方的衝擊，以及日本軍國主義對中國的侵略攻擊。從這個意義上來說，中國人對於國籍問題所產生意識的歷史，還是相當的短，對國籍問題的了解，也可說是非常膚淺。

對指責拒絕同化行為的疑問

　　我們可以將同化一詞的語源，追溯到生物學上所謂同化過程

一詞。生物體的同化過程，並不是創造出完全相同的細胞，事實上這也是不可能的。歸根究柢，這只不過是創造出適應於這個有機體的各式各樣型態的細胞過程而已。如果把這一原理適用到人類社會中的話，同化就是追求由埋沒而產生完全一體化，從理論上而言，這一點應該是不會成立的。也就是說，是否應該把其看作是將舊文化與異文化，進行取捨選擇的同時，漸漸地創造出新文化的過程，或者說是形成具有更高層次的新文化單位，使其可能圓滑地發生機能的狀態過程呢？

　人們至今一直將猶太人與華人，當作拒絕同化體質之最的保持者，並藉此進行責難。從現象面來看，甚至是僅限於從政治、法律的側面來看，這種定罪論似乎表面上，看起來具有一定的說服力。然而，如果嘗試著從「靈魂」、文化、文明的層次來接近的話，對於這種定罪論，到底是該接受好？還是不該接受好？不能不抱有疑問。

本文原刊於《日本經濟新聞》，1979年6月5日

東南亞「華僑」資本與國界

睽違十年的新加坡

從1979年8月18日開始的整整一週時間裡，我在睽違十年後重訪了新加坡。一方面是為了回應參加新加坡南洋客屬總會創立50周年紀念儀式的邀請，同時我本人也對已經迎向建國14周年的新加坡，在國家建設上到底進行到什麼程度感到興趣，很想到現場去親眼看一看。此外，對有關「華僑」問題、「難民」問題等，當下的新加坡又是如何議論的呢？對此很想聽聽新加坡學界、新聞界等有識之士的意見。如果有可能的話，還想去訪問馬來半島與泰國的難民營。抱著以上的計畫，我踏上了旅途。

雖然到難民營訪問的計畫未能實現，但前面所提到的其他訪問目的，大體上都得以實現。

所謂的客屬總會，就是由客家人所組織起來的「同鄉會」般的聯合組織。我想讀者們可能還不太熟悉的客家，其實也是屬於漢民族中的一支，原先是居住在中國的中原地區一帶。然而，到東晉（317～419年）以降，由於受到國內戰亂的波及，分數次持續南遷，現在主要居住在以廣東省梅縣為中心的華南地區，特別是福建、江西、廣西諸省與海南島，以及四川省的部分地區，還

有部分隔著台灣海峽分布在台灣。

　　直到鴉片戰爭前後，居住在廣東、福建、廣西三省的客家先祖們，與那些後來被稱為華僑的人們一樣，開始離鄉背井到海外謀生。特別是隨著以客家為中心而展開的太平天國運動受挫後，與此相關的客家鄉親們都相繼亡命到東南亞尋求新生活。遠涉重洋，遠至日本、夏威夷、美洲大陸等地的亡命者，據說也不少。

　　華僑之中的大多數人，身為亡命之徒，同時也是清朝棄民，在歐洲諸列強統治下的東南亞殖民地統治體制下，以苦力身分進行勞動。

　　到東南亞各地去打工的所有苦力們，當初都是除了自己的母語以外，沒有可以交流的共同語言。因為他們是亡命之徒、棄民之輩，故沒有本國政府為後盾；同時因為他們是殖民地體制下的苦力，儘管他們被殖民地政府所利用，但殖民地政府對他們的福祉、教育等方面，並沒有給過任何關心；更不用說在殖民地體制下，華僑通常是以肉身被直接榨取、遭受壓迫的。釀成更大悲劇的根源，還在於華僑被迫分擔殖民主義者的幫手、附屬品的角色，即由於其曾是中間人的角色，因而遭受了原住民的敵視，最終成為他們憎惡的對象，誤解的種子也被種下、培育出來了。

　　他們在遭受因殖民地體制而帶來的「人害」同時，在熱帶地方「自然的猛威」（苛刻的自然條件、以瘧疾為中心的傳染病、猛獸之害等等）的威脅下，流血流汗，辛勤勞作。

　　雖然還稱不上是敵人，但與他們不同出身的其他中國人集團，即來自於其他省、縣、鄉及他姓的人們，對他們而言，都是競爭者。

　　因此，他們為了與競爭者進行競爭，保護自己的生命財產，或者是為了相互扶助的目的，以同省、同縣、同鄉的地緣關係，或者是同姓、同族的血緣關係，以及像客家一樣使用同樣語言的語緣關係等，為結合原理結成了「同鄉會」組織。

　　所謂的「南洋客屬總會」，就是在新加坡定居的客家們，由於認識到迄今為止、在狹隘範圍內組織起來的客家相關的「同鄉會」，已經追趕不上時代的步伐，寄希望於能進行更廣大範圍內的集結與大同團結，而於1928年8月23日，在會館大樓落成儀式的同時，成立客家同鄉組織的鬆散聯合組織。雖然被冠以「南洋」之名，實際上目前其組織的實體範圍，僅限於新加坡境內。

華僑已經不存在

　　18日夜裡的晚會、19日的紀念儀式與大午餐會，同夜包了「海皇」（The Neptune，新加坡最大的飯店）而舉行的大宴會，及20日上午的參觀旅遊，和在阿波羅飯店最上層的飯館所舉行的告別晚宴，可說是接連不斷的聚會。通過這些聚會，讓我留下一個強烈的印象，用一句話概括來說，就是新加坡已經沒有華僑了。

　　在日本，華僑這個稱呼，似乎是隨隨便便地被用得太多似的，正如眾所周知的，新加坡自建國以來，同國的政治領導階層，特別是建國以來一直就任總理一職的李光耀總理，對自己的國家被稱為或者被形容為「華僑之國」、「第三個中國」等，均感到非常忌諱與討厭。

　　有關李總理還呼籲自己國內有中國血統的住民，消除自己的華僑意識，極力鼓吹新加坡人意識＝國民意識，以及我所下的華僑定義，這些在本書中均已做過論述。

　　此外，東南亞各國原來的華僑們，分別將眼前已經歸化於居住國，並取得了國籍或公民權的自己，與過去華僑的「身分」相區別，而將自己稱為華人，將做為種族集團的自己稱為華族。據說已經成為居住國國民一員的人們中，幾乎沒有人公然將自己稱為華僑或者中國人。

　　現在，他們將自己用漢字發表的報紙，不說是中國語報紙，而是稱為華文報，將華人的共同語稱為華語，而不是北京話或者中國話。

　　人的意識絕非簡單地就能發生改變，而且我認為也是很難使其改變的。在這個意義上而言，當然並不能看成由於「上層」十幾年來的竭力號召或者鼓吹，而使得華僑意識被消除了。然而，由於明顯的世代交替，再加上社會經濟結構急速的變化，換言之，雖說只是一個彈丸小國（僅有相當於淡路島那麼大的面積，擁有約240萬人口），但在取得東協國家中國民所得第一位（每人平均3,400美元）的同時，國家的體制正在日益走向健全。從這一切中，確實可以看到他們的意識，雖然只能說是漸漸地，但也確確實實地發生著變化。

　　在華人系的菁英階層中，可以看到他們正在將自己的認同分成政治與社會、文化兩個方面，來確定自己的座標軸，試圖進行自我確認與自我實現。即與社會認同相並列的文化認同，則是通過對自己母語的標準語——華語，與傳統、風俗習慣等，進行積

極並且是批判性的來摸索其繼承與發展。對於既是現實主義的集團，也奉行進步主義的這些菁英集團而言，理所當然的，如果僅僅是固執於過去、自己所出身的社會、歷史背景的座標軸的話，就不會有今天的成就，也不能描繪明天的藍圖。可以看出來，他們對此非常明白。（李總理8月19日夜在國家劇院舉行的國慶紀念集會上的演說，參照《南洋商報》，1979年8月20日）

正如前面所提，歸化於居住國的原來華僑們，已經不稱自己為華僑。而是前進了一步，從華僑的境地開始逃脫出來，嘗試著尋找自己作為華人在政治上、法律上所應該擁有的位置。他們所尋求政治上認同的大方向，我們似乎可以從這裡看出來。

然而似乎因為在新加坡華人是占有主流地位，因而他們這種志向與行為，能夠被容許並得以紮根，但在其他東南亞諸國，情況就有所不同。如果在原住民出身的領導階層與廣大民眾，都被民族國家至上主義與超級民族主義束縛得很緊的話，他們就不會有先前所提到對華人的行動，採取全面容許的從容態度。不僅如此，一般情況下甚至連疑惑的目光都不願意改變。一旦有事，不管是否已經歸化，即不管是華人還是華僑，全部被當作應該被憎惡的「中國人」，成為被排斥的對象。這就是為什麼我將「華僑」一詞加上引號的理由。

「華僑」資本的流向與神話

在亞洲美元政策施行（1968年8月）以前，一般都認為東南亞系的「華僑」資本，以香港為中轉地，部分停留在香港，其餘

　　則分別流向中國大陸、台灣等諸發達國家。我認為流動的「華僑」資本中的一部分，隨著包括居住國政情在內的投資環境好轉，還可以看到資本還流的現象，但這種實際情況並不清楚。

　　這一點我們暫且擱置一邊。我認為圍繞在「華僑」資本的神話，至少有三個。

　　神話之一，就是把「華僑」資本看作是擁有世界性規模的網絡而進行有組織性的移動。神話之二，則與第一個神話相關聯，一部分人將「華僑」資本的總額或者規模，誇大成天文數字，創造出了第二個神話。神話之三，不，或許應該說這是偏見，即有些人認為「華僑」資本不能轉化成為產業資本，也就是說將「華僑」資本看成是擁有先天性缺陷的資本。換言之，即是認為「華僑」資本先天就是僅能停留在商人資本，或者是商業資本層次的屬性。

　　與第一個神話和第二個神話，完全無整合可能性的第三個神話，其存在確實是有點令人感到不可思議，也許正因為不可思議之故，才能成為神話。

　　首先讓我們來看看第一個神話吧！在前面所提到的慶祝典禮中，大概有四百餘名來自於新加坡以外的客家鄉親前來參加。除了東南亞國家以外，遠方的參加者有來自台灣的70名、與來自日本的24名。據我所知，來自台灣與日本的參加者中，並無與東南亞「華僑」資本擁有聯繫的資本家，至少在目前的情況下是如此。並不僅限於客家，包括其他「華僑」在內的「華僑」，開始舉辦世界性規模的座談會、交流會，還是自1970年代以後才有之事。據對這方面情況比較了解的人士說，到目前為止，類似這種

集會，大部分都是僅有形式而沒有實質性內容的，一般情況來說，其最終都像是大拜拜般，或者是像政治秀一樣地結束而已。第三者從外面所看到的那種國際性程度的經濟活動聯繫，現在並不存在，這就是知道內情者所下的診斷。

如果對東南亞的情況比較了解的人，都應該是知道的，九成以上的「華僑」系企業是家族經營的小企業，其中大多數是屬於小商店之類。即使是在因繁榮而受到極力讚揚的新加坡，做為中心而活動著的企業，也是多國籍企業，華人與「華僑」資本所占的資本比重很低，占有主流地位的終究還是外資。事實上，「華僑」所能動員的資金量，或者更進一步地說，所能營運的資本額度，若以世界水準來看，其實是相當微不足道的。

現在讓我們再把話題轉移到第三個神話上去吧！如果我們追溯「華僑」資本的創始歷史的話，就會很清楚的知道這只不過是神話而已。資本創始主體的「華僑」，除了新加坡是個獨立的例外之外，無論是在現在還是過去，在政治上還是經濟上，或者是在社會上、文化上，「華僑」在居住地域或者是居住國，均未曾獲得過主導權，他們只不過是殖民地體制的幫手、附庸而已。因此資本的創始，是通過充當殖民地體制下中間人角色而得以完成的，但由於資本的源泉是僅限於瓜分殖民地利潤的殘羹剩飯而已，因此不能抱有過多的期待，這也是理所當然之事。

僅有極少數的華僑幸運兒，即使他們在資本的數量上得到了擴大，這些「華僑」的資本，也應當是得不到祝福的資本。不給他們祝福的不僅是殖民地當局，「華僑」所處的相關地域、相關國家，已經確立產業支配權的歐美資本，即使對「華僑」資本採

取敵視、壓制的態度，也絕不會對其採取祝福的態度，並扶植其
成長。因此可以說「華僑」的資本，只能選擇從屬於歐美資本之
路，很難獲得更大規模的發展，與實現產業資本化的條件與契
機。而且，必須指出的一點是，「華僑」資本僅停留在商人、商
業資本的階段，繼續保持著前近代小企業的低效率、低工資，或
者說是家族經營的階段，繼續擁有管理、經營、技術等方面的非
近代屬性，不易把握向近代化、產業資本化轉化的契機，也是理
所當然的事。

　　殖民地當局與殖民者資本，對殖民地時代的「華僑」資本，
是完全能夠控制、並且能夠加以利用的。如果「華僑」資本能夠
保持這種從屬性的「本分」，不超過殖民地體制規則的話，「華
僑」資本不會被加上殖民地宗主國的國籍，理所當然的，「華
僑」資本也不會被劃定國界。

　　近代化的大產業資本，並沒有將只是靠一點「每天的進帳」
來賺錢的小型「華僑」企業，當成問題來看，恐怕是因為要忙於
獲取更多更大規模的殖民地利潤，因而沒有時間關心這種問題
吧！特別是馬來半島的殖民者，不知是因為擁有了征服七大洲的
胸懷使然，還是因為忙於應付各個殖民地「造反」之故，故對該
區域內「華僑」資本的監視，相對而言是放得比較寬鬆。

有關亞洲美元的風波

　　第二次世界大戰的結束，與此後相繼發生的東南亞諸國獨
立，再加上華僑母國成立了社會主義政權，給「華僑」們帶來了

政治、經濟、社會地位的大變動。

隨著土著民族主義的高漲，使得繼政治上獨立之後，經濟上的土著民族化，被視為建國的一個重大課題而提出。可以說「華僑」資本，很快就要被劃定國界了，雖然人們對這一點似乎還沒有留意到……。

僅限於從最初「華僑」資本的創始與累積的過程來看，如果說該資本是在各居住國的國境內，並且是在相關國家公布的相關法律規範下進行活動的話，那也是理所當然之事。然而，實際情況並非如此簡單。

由於除了新加坡以外，所有東南亞國家在獨立以後，無論在政治上、社會上，都處於持續動盪不安的狀態之下，並不能成為資本紮根之地，這一點非常重要。而且許多國家還出現，將比殖民地時代形成對「中國人」的憎惡再升一等，在政治上利用他們為代罪羔羊的氛圍很濃，由排華運動所引起的不安，與其說是留住「華僑」資本，還不如說是客觀上變成將「華僑」資本趕出去的力量。

也有像馬來西亞政府一樣，一方面允許歸化，試圖以「華僑」資本為自己國家的「次民族資本」的一部分，納入本國的軌道；同時，另一方面為了對應土著民族主義的高揚，而採取強化土著資本優惠政策的國家。

正如同我在前面已經講到過的，馬來西亞政府在嘗試著推行布米普特拉政策，強力地推行馬來土著民族資本的培育。因為居住在該國的所有華僑，均已經取得了市民權，從理論上而言，他們的資本已經不是華僑資本，可以說是應該被看成是道地的馬來

西亞人資本，或者說是華人系馬來西亞人資本，在法律上應該享
受與馬來人資本同樣的待遇，這是馬來西亞華人異口同聲的主
張。然而，這只不過是華人一邊的主觀願望而已，實際上的情形
要嚴峻得多了。布米普特拉政策把在當地出生的華人，現在正在
以馬來西亞華人的身分生活、從未與母國見面過的這部分人，拒
絕包括在內。雖然他們從馬來人的馬來西亞中，去追求自己的政
治認同。但原則上的東西我們姑且不論，實際上，由於布米普特
拉政策的推行，使得對馬來人的優遇政策被日益強化，更加向
「馬來人的馬來西亞」方向傾斜，從全體的建國方向上，可以看
到這一點變得日益深刻化。

　　該政策藉1971年實施的憲法修正條款，即通過禁止對所謂關
於人種間微妙的問題sensitive issues，即諸如馬來人的特權、蘇丹
（土侯）的地位、市民權問題、馬來語即是國語，以及有關伊斯
蘭教的國教地位等問題的議論，也就是說是在言論鎮壓下被強制
推行的。

　　華人系市民們似乎是深深地感到對自己被當成二等公民來看
待的不滿，以及自己權益被日益剝奪、侵害的危機感。然而，他
們在嚴厲的言論鎮壓之下，只有默默地承受，將不滿鬱積於心
中，或者通過其他更為婉轉的表現方式，表達出自己的不滿。

　　他們通過舉行全國規模的全國華人經濟大會（1978年4月9日
於吉隆坡召開），以經濟問題為中心，對前面所提到的布米普特
拉政策表明了異議。不，或許更應該看成是，他們不得不利用包
括經濟問題在內的「冠冕堂皇的理由」當藉口。

　　大會由馬來西亞中華工商聯合會（請對本會的名稱給予留

意。到目前為止大多是中華總商會，這裡新加入了工業的工字，這裡反應出一個變化）經過長達數個月的準備，完成了在大會中將被提出的原案——長達近80頁的「華人經濟籌備委員會報告書」，並做了周全的事先準備工作而後召開。

根據當地華文報紙的報導，大會上來自全國各地千人以上的代表齊聚一堂，在充滿了前所未有的熱烈氣氛中進行充實的討論。

副總理、貿易工業部長馬哈迪（Mahathir Mohamad）醫師（《馬來人的困境》作者，布米普特拉政策實際的中心理論家、推動者）雖然以大會的貴賓身分受到邀請，但沒有出席（理由不明），僅由副部長劉集漢（華人）代表宣讀書面致詞。雖然內容缺乏新意，但是在言論上將憲法、法律的緊箍，重新套在華人們的身上，認為即使是在現有的相關法令之下，華人們不是也一直享受繁榮嗎？在政策（當然是指布米普特拉政策）推行的過程中，我們應該提高警惕，不能讓激進分子混入我們的行列之中，進行妨礙與破壞；並且討論時注意要加上自我規範的框架，「不管是什麼人，大家都應該慎重地進行思考，以事實為根據而作出妥善評價，不能感情用事，把事情搞糟」。這份聲明中也有暗地裡警告的一面。

閉幕之際，大會發表包括：（甲）對華人經濟問題的基本認識；（乙）政府應該積極採取的政策；（丙）華人市民應走之路等三大專案在內的見解與具體的提案，也就是「全國華人經濟大會聲明」。

聲明的內在是先確認華人經濟，是馬來西亞國民經濟不可分

割的一部分。因此，對於擴大國民總生產這個「大餅」的作法，持全面贊成的態度。但強烈要求當局，在為了達到這個目的政策的推行過程中，不要根據種族來決定優劣順序，以及不要進行相關照顧上的歧視。特別應該引起注目的是，打破了在此之前，「華僑」對政治、法律採取迴避態度的傳統陋習，取而代之的是，向廣大華人系市民強烈地呼籲，要求大家應該採取對政府立法、政策立案與推行，寄予更大的關心與進行對應這點。

通過華語報紙的特輯，我們可以了解到受到了國境劃定的馬來西亞華人資本家、企業家們，以自己實際的存在為賭注，正在為尋找新的活路而進行熱心討論的情形。此外，他們在對自己存亡懷有很深危機感的同時，在確立自己做為馬來西亞人（不是馬來人）的民族認同（這裡是以政治上的認同為中心）之後，對自己應該如何做為馬來西亞新的主人翁並生存下去而感到苦惱這點，也從「報告書」、議論、「聲明」的字裡行間表達出來。也許是我解讀得過頭了也未可知，我看到他們從華僑走向華人之路的認同危機，終於開始被昇華到思想的層次來進行議論。這也是一種拯救，是標誌著邁出新步伐的一次盛會。

人們認為在馬來西亞，正由於華人無論在人口比例（約占全國人口的四成弱），或者是經濟實力上都占有相當的比例，才有可能將上述的大會，提到日程上來，雖然只是溫和的，但對政府提出異議並兼具示威意義，之前未曾有過的大集會，能夠得以實現，或許可以被看作是在逆境中的一線微光。

與此相比，印尼華人就顯得比較淒慘了。自「八一五」以來，接連不斷的排華運動，「九三〇事件」（1965年與蘇卡諾體

制崩潰相關聯的政變事件）時「華僑」迫害事件等。不論怎麼說，因為僅占總人口的3％，因此在軍事獨裁政權之下，實際上除了悶不吭聲地隱蔽起來以外，好像也別無他法。

　　再也沒有比指責所謂「新加坡通過與印尼的走私，獲得了巨大的利益」這種常常被用來指責華人的藉口更奇怪的東西了。從新加坡方面來說的話，自己這方是自由港，並不存在所謂的走私。走私再怎麼說起來，也只是站在印尼國家的立場上的問題，這也是與那邊的國境管理，以及軍隊、官僚機構的紀律相關的問題。也就是說這是印尼方面的內政問題，與我們這邊毫無關係。新加坡方面的這種反駁，我們也是很容易設想到的。

　　然而民眾的感情，卻不是經常都能保持在理性的框架之內。新加坡所取得經濟成長耀眼的「成果」，在給予周邊諸國的土著民族主義者刺激的同時；另一方面，也遭受了來自周邊國家的羨慕、嫉妒、憎惡、疑惑等諸多複雜的視線。特別是可以看到在亞洲美元政策，走向軌道之後的影響，正在發達國家關係者們所不能察覺的局面下，隱蔽地展開。

　　本來亞洲美元是被當作歐洲美元亞洲版的構思而得以實現的。眾所周知，歐洲美元是在以成熟的議會民主主義的歐洲諸國為中心所形成的，歐洲諸國的資本已經跨越國境，處於不太需要執著於國境而可以活動的階段。然而，以新加坡為基地的亞洲版的國際金融市場，實際上是處於與歐洲情形大不相同的環境之下。

　　好不容易走出了殖民地統治的時代，剛剛給華僑資本套上了國界之箍，可是這些資本卻鑽過了自己所設的「笊籬之隙縫」，

搖身一變成了亞洲美元。新加坡以外抱有華僑問題的諸國，對此感到不快是理所當然之事。

　　一般來說，普通人與當權者同樣，都擁有將自己的責任放到一邊，將所有不好的原因轉嫁到別人身上的習性。

　　政局不穩定、投資環境未整頓、擁有強烈排華傾向的社會不安、實質上把華人當成二等公民對待等等，是使得「華僑」資本變成亞洲美元的潛在主要因素。

　　土著的民族主義者們，批評「華僑」資本跨越國境的行為，是所謂的缺乏忠誠心。認為華人不管到什麼時候也只能是華僑而已，因此認為「中國人」是沒有信用的，用不信任與憎惡所交織的白眼去看它們。

　　本來就因為資本不足而感到煩惱的各個國家。「華僑」是為數不多但擁有資本的集團，同時也是相關諸國之中，極為少數的中產階級的主要構成分子。因此，如何對待他們，是目前決定他們是否成為惡性循環「關鍵」的要素。這是因為，「華僑」資本沒有紮根，華人系居民不能安居樂業的狀況，會使得原來就已經狹小的國內市場，變得更加狹隘。未成熟的金融市場與資本的不足，伴隨著華僑資本的流出，會導致投資的安全性與資本預想收益的確實性，明顯地受到損害，導致資本不足的惡性循環，會不停地持續下去。

　　由土著民族主義者中的菁英階層，與華人系的領導階層，共同來找出揭開籠罩在「華僑」資本上的人種主義面紗的日子，好像還在遠方。

　　如果這一天無法到來的話，圍繞在「華僑」資本的國境問

題，還是只能以微妙的形式存在，使得相關各方感到頭疼吧！

本文原刊於《経済セミナー》第299號，1979年12月，東京：日本評論社，頁14～20

【附錄】
親日派與知日派

十年後重訪新加坡所看到的

　　1979年夏天，我相隔十年之後重訪了新加坡，對常夏之國新加坡的訪問，這已是第二次。

　　一邊咀嚼著李光耀總理在過去演說中所講過的名言：「新加坡所有的東西只有新加坡海峽的海水，與國民的頭腦，以及我們每一個新加坡人所擁有的雙手而已」，一邊與在新加坡的日本人知己，新加坡人記者，來自台灣的大學老師，參加南洋客屬總會（是由屬於漢民族的一支，客家人所組織起來「同鄉會」性質的聯合組織，李光耀總理是其最高顧問）創立50周年慶祝典禮的東南亞各地客家「鄉親」們聯歡，度過了一週的快樂時光。

　　首先令我感到吃驚的是，經過重新裝修過的機場，走出海關前機場內的免費電話服務，飯店、購物中心等林立的現代化建築、以及充滿尚處變貌之中的果園路周邊的熱鬧。

年輕人是親日派？

　　為了不改變早起的「習慣」，我早上七點鐘就起身與朋友C先生一起走出飯店，離開了果園路，一邊散步，一邊尋找著吃早點的攤子。

　　第一次訪問新加坡的C先生，對新加坡街道的排列，與公共道路的清潔感到大為吃驚。C先生已經取得了日本國籍，即是所謂的日籍客家。我們客家的集會是不問你是美國籍、日本籍、新加坡籍，即是所謂

超國籍。

　　由台灣來日本，四年前歸化加入了日本籍的他，面對由成群的小攤所形成的「早點處」的喧嘩、豐富多采的菜單、一邊讀著代表性的華文報紙《星洲日報》、《南洋商報》，一邊其樂融融地飲茶（廣東式的早點，一邊吃點心類的食品，一邊喝著茶清談的飲食方式）的男女老少所散發出風情時，感受到了「中華」文化的巨大魅力。

　　飄進我們耳中的「清談」方言中，包括了客家話、廣東話、閩南語、北京話等，正可謂是一個方言的大雜燴。

　　當我們兩個聽到從鄰桌飄進耳中的母語─客家語時，都情不自禁地微笑了起來。這真不可思議，僅僅是因為聽到母語，就使我們產生一種懷舊與安心的感覺。同日中午的宴會席上，在用客家語與鄉親們進行交談時，不知不覺間便流露出感情，自己的人性與真心話便按捺不住，我所感受到的那種衝動，重新令我深深感受到觸及母語時的微妙感覺。

　　果園路很快到了上班高峰期，辦公室小姐（O. L）們在匆匆趕路。剛開始的瞬間，我甚至是在懷疑自己的眼睛，這到底是怎麼一回事？為什麼會出現這麼多像日本女性一樣的辦公室小姐呢？書店、購物中心的售貨員也是，看起來與新宿、池袋的辦公室小姐，並沒有多大的差別。

　　向飯店裡邊的看起來像是領班角色的新加坡大學出身的小姐，問起這其中緣由。

　　她用隻字片語的日文與並不流暢的華語（北京話）回答道：「噢，新加坡的辦公室小姐們，一般好像都是到日系的百貨公司去購買時裝的啊！」得知日本商品在東南亞稱霸的情況，現在甚至波及到了時裝行業，這真是令我大為吃驚。

　　家電製品、汽車、船舶等日本商品，只要是物美價廉的話就能賣出去。然而時裝就完全不一樣了。應該說如果不是對時裝的「母國」，

擁有親近感或者是憧憬的話，是完全不能夠被接受的。當然，雖說是日系的百貨公司所提供的時裝，這些都是西式服裝，但將購買這些東西的新加坡少女之心，放大成是親日的心態，就很危險了。儘管如此，在我看來，與十年前相比較，新加坡年輕一代，似乎是變得比以前更親日了。

　　計程車司機、航空公司的櫃檯女性、商店裡的售貨員，都變得更加和藹可親了。因為我已經在日本住了二十多年，因而在外國常常被錯看成是日本人，東南亞人們十年前的那種帶刺的眼神，到底跑到哪裡去了呢？

　　僅僅以觀光、商業都市國家的年輕女性們，為了使錢包鼓鼓的日本遊客成為冤大頭而別有用心與之應酬這點，來解釋她們為什麼接受日系百貨公司的時裝，對日本人表現出和藹可親的態度，這是很難想像的。

中年以上的知識分子是知日派（？）

　　如果是對新加坡表示關心的人，就應該知道現在駐日本的新加坡共和國大使——黃望青，是一個直言不諱的知日派外交官。

　　讀過黃大使的著作《與櫻花國的經濟外交》〔.《桜の国との経済外交》〕（日經事業出版社，1979年）的日本知己Ｗ先生，曾向我提出過這樣的問題。

　　他說：　「黃望青既然是大使，犯得著進行像這樣口無遮攔的發言嗎？這到底是怎麼一回事呢？與傳統的中國大人物相比，作風確實是有相當大的不同啊！」

　　「Ｗ先生，在下也是直言不諱地談論日本、日本人的啊……」我如此回答著。

　　他說：　「因為你是學者，故不在此範疇內」。

　　有關這點在這我們暫且不提。黃望青不是親日派，而是知日派，不用說這在很大程度上，有賴於他個人的資質與處世態度。但我們不能忘記的是，這在相當程度上也有受到新加坡的政治、經濟、社會結構，甚至是與日本的歷史關係的一面。

　　這次在新加坡所遇到的華人系新加坡人記者們，他們對日的情感恰好說明了這一點。

　　他們一直擁有與年輕人的「親日」處於相當不同位置的冷靜態度，對日本的過去與未來給予關注。在某種意義上來說，黃望青的知日派議論，絕非僅僅是他一個人的看法，這是我在新加坡的新舊知己們所告訴我的。

　　李總理現在所率領的新加坡政府，迎向建國14周年，當下確實是在激勵國民們，在經濟上向日本、西德學習。

　　有過日本留學體驗的一位友人曾發出這樣的警告，「以我膚淺的日本體驗來說，日本人有一種登高一呼學習就往一邊倒的傾向。因此，如果輕易地把我們新加坡人喊出向日本學習的口號，就看成是我們已經開始變得向日本人、日本一邊傾倒的話，那是不行的。」

　　如果說意外，也可以說是意外，他們對繼日本之後，在經濟成長上獲得成功的東南亞優等生——新加坡的評價，也並沒有無條件地、樂觀地接受的樣子。

　　有一位知己冷靜地一再向我強調，「新加坡的經濟只是淺盤子一樣的東西，對於先天不擁有『深度』這一點，確實是令人感到遺憾之事。我們的生存是靠和平的國際環境，其次是靠提高全體國民的層次。僅僅提高教育水準還是不夠的，要將新加坡獨特的『生存方式』，當作一種哲學確立下來，使每一位國民都能一直持續地保持著幹勁，即有必要擁有支撐這一切主體性及對事物的洞察能力。」他一再地向我強調。

「如果說沒有天然資源的話，日本不也是同樣的嗎？」我試探地問。

「有關資源的問題，是否該分成兩個層面來進行思考。在天然資源方面，確實是與日本一樣的，但這裡僅有一點是必須有所保留的。日本還有保留著農業，然而我們卻處於幾乎是接近零的狀態之下，有關人力資源方面的問題，我認為我們也應該稍微再作斟酌、討論研究的必要。」

「你這是說⋯⋯」

「好像這已經是變成了一種普遍的看法，我們中國系人，即中華民族的成員，做為個人絕不會比日本人差，我個人也確信這一點。但我們與日本人相比，決定性的不同點在於我們的『個性』太強，不團結。對這一點不進行改變是不行的，我正在為此大傷腦筋呢。」

「李總理在昨天的慶祝典禮上，向華人系的新加坡人發出了停止使用方言，應該養成使用華語（即標準語的北京話）做為共通語言習慣的呼籲，這是否可以被看作是在這點上的一種表現呢？」我問道。

「這樣的解釋應該是可以的吧！我們在保持作為彼此出身文化母體的『民族語、民族的傳統與文化』同時，也培養起新加坡意識。華人社會在這裡的障礙不是別的，就是華人社會的多元方言的使用，這不僅是使得辦事效率低下，還可以看到其有損於華人系居民內部凝聚感的形成。」

在旁邊聽到我們的議論的日本華僑C先生插話進來了：

「『華僑』不團結這一陋習是共通的。然而，日本人的容易團結的長處，如果還像過去一樣被軍國主義利用，或者是成為醞釀成軍國主義的土壤的話⋯⋯」

W先生馬上接過話題來說：「這一點依然還是我們所擔心的根

源……。雖然對於身為農學專家的戴先生，似乎是有點失禮了……如果狠下心徹底根除日本農業的話，也許也與我們一樣，日本也不得不追求真正和平的國際環境了吧！」

「W先生，您不相信日本的和平憲法嗎？」

「是啊，那只不過是廢紙一張而已。我這樣說雖然是有點失禮，但我們不能信奉這一張廢紙。然而我們還是開始看到了一點似乎可以挽救的徵兆，即對中國的反霸權主義的外交政策，日本人開始認真地進行合作這點。」

「然而W先生，雖然對中國明示自我否定的反霸權外交政策，大體上應該給予肯定，然而在如何防止其變質、並如何使其保持持續性的方面，難道就沒有問題了嗎？」C先生提出疑問。

「C先生，你這個問題提得好。正因為如此，我認為我們這些在外的中華民族的一員，即脫離了中國國籍的華人們，即使是為了我們自身的安全與生活，也應該在懷著善意關注中國動向的同時，直言不諱地公開呈上我們的忠言。我想通過這種方式對世界的和平，貢獻上自己一點棉薄之力，這只是我個人的生存方式……」

做為中華民族的一員，在確認自己的文化、血緣的歸屬感同時，在政治上從中國政府的框架中，走向自由的華人系新加坡人的知性，由此可以窺見一斑。

他們確實是知日派，而非親日派。

本文原刊於《月刊NIRA》，東京：総和開発研究機構，1980年5月，頁10～12

輯三

華僑問題對談錄

有關亞洲的華人與華僑問題
——中山一三vs.戴國煇

時間：1979年3月12日

對談：中山一三（前日商岩井東南亞總經理）

　　　戴國煇（立教大學教授）

戴國煇（以下簡稱戴）：中山先生，聽說您很快就要退休了，以後就要開始擁有自由的時間，我真為您感到高興。這麼多年來您真是辛苦了，非常感謝。

今天想把我所看到中山先生的職業生涯，濃縮成幾點，希望大家也能分享到中山先生豐富的經驗與廣博的知識。

第一是中山先生曾駐在東南亞長達16年半這一點。我想，這對在商社裡面工作的人來說，是否應該算是相當特殊的情形呢？

戴國煇

我還聽說您學生時代是在中國度過的，不但精通中文，英語能力

也超群。

　　再者，我想在日本人中，既有百分之百喜歡中國人的人，也有對中國人的評價近乎於零、討厭中國人的人。坦率地說，我感到中山先生與普通的日本人有點不太一樣，用非常冷靜、但溫暖的眼光來看待中國，或者說與中國人接觸。同時，一邊駐在東南亞，一邊對包括台灣居住者在內的全體中國人，或者是中國的動向，表示出關心；而且還對所謂東南亞的華僑（其中的大部分目前正處於走向華人的蛻變過程中）在居住國的苦惱，與他們在現實中正面臨著的困難，進一步的說，是他們社會中所包含的問題點，以及實際情況了解得很詳細。在與他們長期的交往過程中所累積起來、獨特且珍貴的體驗基礎上形成的看法，我想這是另一點。

　　中山先生在合資經營方面也具有豐富的經驗。一般合資經營的情形我們暫且不去提它，依據東南亞合資經營的經驗，特別是與「華僑」之間合資經營的經驗，我們也希望能夠聽到您對今後將展開的中日間經濟合作的相關意見或建議。當然，中國大陸的新中國人，與東南亞的華僑、華人之間，在行為、思考方式上並不一定是一樣的，但因為在文化背景方面，現在還有相當多共同之處，因此，或許會在什麼地方擁有共同之處也未可知。在這個意義上來說，如果能對此給予一些建議的話，將非常感謝。

　　好，首先我想請您根據外派在東南亞16年半的經驗，就有關中國大陸與包括台灣在內的整個中國動向，以及東南亞華僑與華人的實際情況，發表您的高見。

個人、民族、國家

中山一三（以下簡稱中山）：是中國還是台灣──日本人到東南亞去的時候，常常會有著這裡的「華僑」是屬於國民政府系還是屬於北京系的疑問。這確實是很麻煩的問題，因為要使對方能夠接受，需要花費不少唇舌。

中山一三（中山一三家屬提供）

在日本人社會，可能太在乎國籍、國家或者是政府，對擁有國籍者與沒有國籍者能彼此共存的社會情形感到不習慣也很難理解，而且對這中間的差異，好像怎麼也搞不清楚似的。就這個意義而言，可說是中國人的傳統思考方式，亦即所謂國家、政府、軍隊、警察等，對各式各樣中國人的共同社會而言，賦有負面價值的意義。同時這也是「中國人」的傳統看法。

在這個意義上來說，所謂的公司、政府機關等，都只不過是虛構的，很少被當作實際上存在被理解。因此，所謂的美國國籍、加拿大國籍、英國國籍，也都屬於虛構世界，對他們而言，並非真正「實際存在」。

以同心圓來做比喻，處於最中心位置的是骨肉之親，接著是與骨肉親有關係的家屬親戚，最外層是同鄉人。說是同鄉人，並非只要是同鄉便誰都可以納入，而是其中比較意氣相投之人，或

者說是知己，也就是知道彼此性情的好友、同鄉者，同鄉者也是朋友。以上所組成的同心圓，即為共同社會。只有這才是「實際存在」，此外所謂組織之類，在他們理解上，只不過是虛構。在這個意義上而言，我認為日本人在世界上看起來是有點特殊的，不論是歐洲人也好，美國人也好，我想他們的看法，都是與剛才我所描繪中國人的思考方式比較相近。也就是在美國，有繼承了義大利文化的義大利裔美國人，甚至還有繼承了各自民族特質的少數民族團體的美國人等，他們彼此相互共存。「國家」一詞，再怎麼說也只不過是所謂的利益社會、契約關係而已。雖然契約的義務必須付出生命的代價來保護，但僅僅是契約而已，這與靈魂的問題還稍微有點不同。就這個意義上來說，所謂的國家、權力，如果能小，就是愈小愈好，這一點是與「夜警」國家，即用最小財源來維持國政的構思相關聯。而日本人的情況則大為不同，因此，所謂是不是中國系，或是屬於大陸系，還是台灣國民政府系的想法，只存在於日本人的思想中。

　　在南洋的華人們，或者說是華僑們的情感，雖然也有用母國這種表現方式，按我的說法是：如果能夠獲得成功的話，能夠衣錦還鄉的鄉土的村落共同體或共同社會才是「國家」〔譯註：即故鄉，因故鄉的日語發音Ku ni與國家相同〕。對中華人民共和國，或者是國民政府等國家組織盡忠誠的想法，是非常缺乏說服力的。

　　因此，中國人的情形是，其所擁有關於社會性的文化信念，或者說是信仰的強烈程度，是日本人無法與之相比的。在舊金山每年都要選出唐人街小姐，這些被選出來的小姐，都要出訪東南

亞中有大量中國人的國家；而且他們的紅白喜喪都依然按照傳統的方式舉行，便是其中的一個例子。假設來說，太平洋戰爭時日本人的第二代、三代會出來與屬於母國的日本對戰。但如果換作是中國人，就不會這樣做，絕不會拿起武器對著自己的母國。為什麼這樣說呢，看看日本的移民，現在日本人到海外居住的，全都是公司派遣的員工，過了三、四年就得回去，因而與農協〔譯註：農業協同組合，即農業合作社〕的旅遊團，也就是五十步與一百步之差而已，如果將他們也稱為居住的話，那也真是大笑話了。

　　然而，在南美、夏威夷等地，不管怎麼說總能算作「紮根」。這些人的第三代、四代，已經失去了就文化意義而言，對日本文化的認同。有關文化上的認同問題，日本人與中國人是完全不同的。正如對國家盡忠誠，日本人在這方面的意識非常濃厚，而中國人則非常稀薄一樣。就像我在剛才所講到的，中國人對國家的認知，只是一種虛構的存在，就像琦玉縣與靜岡縣的不同，是相當平淡的不同般。然而，如果相較起對文化的認同，日本人可是丟得一乾二淨，而中國人可是不肯丟的（笑）。

　　戴： 我最近在思考有關華僑、華人的雙重認同問題。目前為止，對雙重認同的看法，將其說成是「雙重身分」並理解為「分裂」的人有很多。所謂分裂，要言之，就是指「雙重國籍」，並伴隨著「忠誠心的淡薄」之意，或者是對母國的潛在忠誠要永遠保持著似的，主要是在法律層面來進行理解的傾向比較多。遺憾的是，其中似出現了「雙重認同」這件事情，而給第三者帶來某種恐懼感，以及類似害怕的情況，特別是在一些不發達的國家更

是如此。我卻不是這樣認為，而是把雙重認同之一當作所謂政治上的認同，也就是說契約關係上的，例如伴隨著國際法產生的近代概念來思考；另一個是有關於文化上的認同，即將其放在「血緣」或者是文化、傳統的風俗習慣，這些可以說是屬於共同社會的「框架」之內來思考。我認為這兩者絕不矛盾與對立，而是能夠相互共存。我假設文化方面的認同，是與中山先生剛才提到的，靈魂問題相關聯的部分。

如果這樣的話，實際上就不會產生不合理的事。這並非不正常的型態，而應被當作人類本來該有的、自然的姿態而加以理解吧！如果這樣的話，實際上我們的看法、思考方式，或者對外國人或「外來者」的接納方式等，也會在這種連續性之中，展開與之共創明天、一起思考的形式，這不就真的變得可能了？對此，我擁有以上的試論。不過，日本人好像對此就很難理解。

中山：是啊，我所說的與戴先生講的完全是同樣之意。現在居住在美國的人，有來自於義大利，或來自德國等從外國移居，繼承彼此固有文化上認同，而且是與美利堅合眾國訂立了契約，並且忠實地履行了國民與國家的契約，但這不是雙重認同。所謂的國家，本來也只不過是以這種程度的存在而已，是虛構的。

如果到這種社會去的話，中國人比日本人更容易於融入美國社會中。我雖然沒有去過歐洲，但可以想見，他們也是存在著與其說是國與國間的對立，還不如說是彼此所擁有的民族固有文化與文化間的差異的存在與對立問題。然而所謂的國與國之間的對立，只不過是俗世的情理，儘管確實有利益社會上、法律體系上的對立存在，但並沒有限制到個人的生活。

　　我是把剛才戴先生所提到的法律秩序、依據國籍而進行法律上的認同，看成是契約的履行。契約關係與國家或者是權力機構，皆不能控制人民對文化的忠誠，或者說文化上的認同深度是不同的。姑且不說是幸還是不幸，到目前為止，日本人的情況是對此完全沒有感到矛盾過。

　　因此，如果問日本人：「你知道日本人與日本國民的不同嗎？」能夠立刻回答的人，我尚未遇到。我對他們說，第二次世界大戰中，台灣人、朝鮮人都曾經是「日本國民」吧！而那時你們是否又都稱他們為台灣人、朝鮮人呢，並沒有想把他們列入日本人的行列之中。我再加上一句說，我想，他們〔譯註：台灣人與朝鮮人〕真正的心裡話也是不認為自己是日本人，我希望大家能回憶起這一點來。我們並不是沒有過這種體驗，也經歷過這樣的時期很長一段時間。雖然經歷過這種時期，但不知對你們而言是幸還是不幸，或許並沒有注意到這一點，就這樣糊裡糊塗地過來了；如果明白這一點，就應該明白以上的議論吧！我這樣說的時候，反應是「啊，原來是這麼回事啊！」的回答。

民族的文化與國家

　　戴：然而，現在可說是非常不幸，或者是令人感到遺憾的是，東南亞目前出現了要超越歷史現狀，但非常困難的情形。這到底是怎麼一回事呢？因為當下東南亞國家政權的領導者，大多數是受過歐美教育的人們。這些人儘管全盤地接受了所謂「一民族一國家」以近代歐洲民族國家為核心的法律、秩序方面的虛

構，甚至可以看到有把這一切當作模範來看的傾向；但在相反方面，對歐美內部的多樣性、「個人」或者是市民權利的存在，卻不予關心，甚至採取輕視態度。也就是說將歐洲近代發生所謂的「一民族一國家」對事物的思考方式，進行了絕對化；彷彿單一民族、單一國家具普遍性的這種想法，根深柢固地正在底層中形成，持同樣思考模式的日本人也很多。在日本，確實是大和民族擁有絕對的優勢，一直在構築著日本的近代，且以西歐的近代為榜樣，所以接受了這種思考方式。然而，如果仔細地看，世界上無論何處，都不存在所謂「一個民族，一個國家」。所存在的只是優勢民族，借助於一個民族的虛構，將自己的優勢看作理所當然之事，如同用壓路機壓平劣勢民族，捏造出近代的「民族」國家，僅僅只是這麼一回事而已。

令人感到遺憾的是，中山先生所說擁有更深意義的文化，以及在國籍法的框架內生活的人們，在做為一個市民進行生活的情況下，所受到的限制、影響力，是否也應該分開來進行理解呢？

因此，我最近是這樣思考的。中國人的國家觀，例如所謂的在中華這種場合的具體形象，並非是國家或者政府，這是否應該是指一種文化概念？……其亦擁有悠久的歷史價值，而非靠不住的暫時性政權所能夠體現的。而且我想對中國人而言，所謂的中華民族的概念，是否也是文化層面所占的比重，大於其他方面呢？

中山：是的！

戴：這種對文化概念的執著，實際上是其他人們、第三者所難以理解的。而且我覺察到華僑、華人或者說是中國人自己，到

目前為止，也沒有為明瞭這一點而去做很多努力。因此，這種執
著本來是從主觀的願望上而言，沒有政治上的意圖，也就是說儘
管它是屬於靈魂層次的問題，其結果似乎具有政治上的意義，並
被如此解釋。

中山：這絕非帶火藥味，但卻被認為是具有火藥味的。

戴：是的，是的。實際上，正是這樣，因而帶來了許多誤解
與悲劇。我的理解是，現在東南亞的華僑、華人面臨的困境，有
必要從這個側面來著手探討。

中山：在這之前，我曾有與在巴黎的華人在新加坡一起吃飯
的機會，同席的還有曾在越南待過很長時間的新加坡華人朋友，
而那位在法國的華人，於越南被放棄的前夜，逃出越南來到了巴
黎。

戴：是奠邊府的陷落嗎？

中山：比奠邊府陷落還要早，在太平洋戰爭結束之後，胡志
明與法國殖民政府開始了猛烈的爭吵，在那個時候他已經跑到了
法國。越南不是有越南魚露這種用魚做成的醬油嗎？就是他一手
將這種醬油運到巴黎去販賣的。據說在巴黎很暢銷，賣得並不比
日本醬油差。在日本也有用生魚泡製的鹽汁，法國人都說好吃、
好吃，成為一種非常流行的東西。因此他說，「我用越南魚露把
法國殖民地化了。」（笑）這麼說來，使我想起從前曾有過將上
海稱為「長崎縣上海」的玩笑。現在的夏威夷則可說是「美利堅
合眾國日本縣」了（笑）。至少是檀香山海水浴場海岸Waikiki那
一帶可以這麼說吧……。在這個意義上，與所謂的以武力、法律
秩序、權力之類的東西為後盾，可說是完全不同的。如果用文化

性的東西統治那裡的話，這也是「殖民地化」了，前面所說的例子，使我產生了這種想法（笑）。我想這的確可說是名言了。正如戴先生所說的，所謂文化認同，絕不是伴隨著武力與權力的東西，而是以非常和平、相當容易讓人接受、友好的東西。

　　然而，為東南亞建國而拚命作出努力的人們說：「我們是這裡土生土長的人，中國人是後來者。」所謂的華僑、華人問題就這樣帶著火藥味發生了。然而，實際上中國人自身卻完全沒有這種想法。也就是說，對於自己出身地的福建省、海南島、廣東省等，因為在那裡還有親戚、親屬，因而不肯放棄文化上的交流、親戚間的聯繫、與共同社會間的對話。雖然不放棄聯繫，但這並不是「第五縱隊」。對這些細微的差別若不理解的話，就看不到所謂華人問題。與此同時，是否也可以說，也就看不到所謂美國文化這種東西了。

　　戴：是這麼回事。文化、「血緣」關係等，是與人、與人性的根源相關聯的東西，這是不能被放棄的，是一種自然而然的表現而已。對於這一點，超級民族主義者不能明白，真是令人感到遺憾。

　　中山：在新加坡的情況，李光耀先生也是被西化了的人。前一段時間鄧小平先生前去訪問的時候，雖然他曾說「我們國家沒有一個Overseas Chinese故作姿態，但他自己確實拚命地為新加坡的建國而努力。他們舉起新加坡的國旗，高唱新加坡的歌……但這其中有75％的Chinese存在。而這當中，追隨李光耀的思想的人只占一小部分，況且馬來西亞人、印尼人等，更不會認同這種思想。Chinese中的大部分人應該都是持著「國家算是什麼」這種口

吻的吧！如果是這樣的話，即使說李光耀先生同樣也是Chinese，但文化上還是有所差異的。即使在有75％的Chinese的新加坡，也有這種矛盾。更何況像馬來西亞、印尼這些Chinese成為少數民族的地方，出現諸如「我們是先住民，中國人是後來者」這種感覺，並實行布米普特拉政策。這樣的話，就在教育機會、就職機會方面都對Chinese實行限制，這樣悲慘的歧視，在現實生活中被推行時，其結果之一便是出現了人口外流，甚至是帶來麻藥的流行。因此我想這種社會性的民族文化問題，與國家、國籍的問題，或者國家這類法律秩序的問題，首先應該嚴格區別開來，然後在此基礎上進行理解。而這種作法是日本人所不擅長的。

異質的存在與國際化

　　戴：然而，實際上這裡有著令人感到非常困惑的事。第一，是所謂第三者的日本人的存在。例如在談論華人、華僑問題的時候，我們這些還保留著中國籍的人，或者是有著中國血統的人，在說話、寫作的時候，從一開始就被戴上有色眼鏡來看。這一點可以說是沒有辦法。同時，東南亞的華人、華僑在講述自己的事，即使是在美國，具有中國血統的學者寫的東西，都有被戴上有色眼鏡來看待之嫌。

　　在這個意義上來說，日本的學者或是研究者所說的話，都會被引用、被利用。然而，令人感到非常遺憾的是，擁有像中山先生這般理解與見識者，坦率地說幾乎沒有。儘管這樣說有自吹自擂之嫌，我們的研究小組也統計出現了幾位研究者，但我還是感

到很悲哀。可是，像那種原封不動地接受舊滿鐵一般看問題方法者，卻被看成大師、權威等，他們的觀點被引用、被利用，甚至有的當政治上的爪牙專寫評論者，這完全是悲劇。

　　然而，東南亞方面對這些先生所論則非常高興，認為這是日本人所說，因而具有客觀性而加以利用，誤解就這樣被進一步加深……。

　　中山：這是惡性循環。

　　戴：的確是惡性循環，這是其一。還有一點是，有關對歸化接納方式的問題。至目前為止，一直很少允許中國人歸化的日本當局，以中日建交為契機而緩和了這項規定。特別是對以台灣為故鄉的華僑放鬆政策。好像是自民黨的首腦群中，對過去50年間的台灣統治感到疼痛之處者，在是否應該接受台灣出身的華僑歸化問題上，達成了一致的共識。與此同時，由於存在文革等負面形像之故，使得歸化者也增加了許多。據說中日建交前後，約有八千人歸化加入了日本籍。

　　在此過程中，令人感到非常有意思的是，在歸化的同時，將包括姓在內的名字改成了日本式名字。如果搞不清楚我們目前為止所一直談論著的事的話，就不能理解美國這一點相關聯的問題。（日本）所謂的歸化即是同化，將名字改為日本名，就是完全埋沒，不「完全」地變成日本人是不行的，不能完全地變成日本人也是不行的。這是因為存在著不完全變成日本人的話，就會被看成是背叛者的社會氣氛。據說實際上在履行歸化手續之際，有類似行政指導之類的東西存在。

　　雖然有關這點，有各式各樣的說法，但據我所聽到的是諸如

（不改名）會遭人白眼，小孩子們會很可憐啊，或者說是當用漢字裡邊沒有這樣的字等等各種說法。聽說最近有關這一方面，也放鬆了不少。

如果像中山先生所說，將國家與市民之間的關係，與市民與文化間的關係，彼此分開來進行思考的話，包含姓在內的個人名字，此種本來是個人人格的標誌。因此，如果是主權在民的話，當然應該被認為是不能被侵害的，且是不應該被侵害的。

在即將進入21世紀的這個時期，國際化得以被強調的現在，還有不想讓異質的東西存在、寧可將其抹殺的社會風潮，確實是令人感到困惑。日本的近代化或者是說明治以來的近代結構，徹底把異質的東西全部壓平，使其同質化、統一化，總算一直走到了今天。也許是日本的適當規模也起了正面的作用吧！因而可以肯定地說，這一切進行得相當順利。然而，開始認識到這樣做是會碰壁的，沉痛地認知到只有靠貿易立國才能生存下去，並且沒有可以參考的「範例」與樣板，因而只有靠自己去「創造」。在這一過程中，漸漸地認識到例如：不進行國際化是不行的啊！不加強與外國文化交流是不行的，如何使歸國子弟們將他們在國外的體驗能持續的保持下來，給日本社會帶來刺激；或者是說，在國立大學裡不正式接受外國籍學者當教授是不行的，甚至到了準備立法的階段。這是進步，也可以被看作是一個好徵兆。在美國，因為是移民國家。如果看到艾森豪威爾這個姓，馬上就會明白那個人是德國系的；季辛吉、布里辛斯基……等姓一看，就會明白不是盎格魯・撒克遜系的……。

即使他們繼續保持著從自身祖先繼承而來的歷史、文化背

景，或者說是作為共同社會部分而繼續保持下來的文化與宗教，但他們並沒有丟棄對「美國」這一國家的忠誠，或者套用中山先生的話就是，他們並沒有放棄對「虛構」國家的忠誠。

　　因此就「名字」而言，本來是值得更加珍惜的東西，如果從真正市民權的角度去思考的話，保留下名字也可以保留下來異質。而且留下「異質」這件事情，其本身實際上是能夠成為嶄新開展的機會，或者是能夠成為創造文化的新契機，但在日本，擁有這種想法的人則很少。我現在將這個問題提出來，希望大家能重新進行思考。美國之所以能夠在這個問題上開展到這種程度，仔細想起來有許多原因。如果僅限定在知識領域的話，我想1930年代，大量接受從歐洲流入以猶太人為中心的亡命知識分子，從這種異質的交叉中所產生的功績、飛躍發展的歷史事實，我們是絕不能不看到的。儘管由於越戰、水門事件等傷痕還深深地存在，但美國所擁有在多樣性的相互撞擊之中相互刺激這點，是否隱藏著超越意識形態相當大的潛在能源，這是我1977、1978年間，兩次訪問美國時所感覺到的東西。對於這一點，您怎麼看？

　　中山：日本人儘管也都在喊著要國際化，其內容即是從日本到外國去，為了達到這個目的而掌握必要的技術，這就是日本人所謂的國際化……外國人來到日本，在日本成為普通的市民，不僅僅是有錢人，也把中等以下的人當作市民來接受，還是很難加以想像的。若不對大和民族盡忠誠者，會被指摘為異端分子而遭受排斥，我想這種社會的體質如果不去除的話，日本人就不能進行真正意義上的國際化。

　　戴：我完全有同感，並不是會講英語就會變成國際人的。

日本之中的亞洲

中山：前幾天讀到報紙上的文章，也令我感到很震驚，越南南部自1978年4月以來，流通經濟被徹底根除，難民現在正連續不斷地往外流。有的人來到了日本，日本的志工們非常親切地接待他們，但由於不能居留下來的原因，最後去了美國。根據報紙的報導，其中有人寄來了情真意切的信件，信中寫到：「儘管來到了美國，但這裡存在著職業上的歧視，存在人種上的偏見，物價也很高，因此很難生存。與此相比，希望能去到僅待過十天左右、每人都很親切、和藹的日本生活。」是啊，因為僅僅只是待十天半月，所以才會有這種感受吧！（笑）

這可不是說至死為止，或者說是到子孫一代還要待在日本而有的待遇，事實是這樣的。然而他們在面對眼前的苦難，在美國辛苦的工作，而且是從事非常低下的職業，當正付出這種廉價勞動力的時候而懷念起日本，這一點讓我感到震驚。

戴：因為我在這20年間，也以東京為中心，在日本受到了各位的關照，因而對這段期間的實情是有所了解的。

現在中山先生所提到的，在十天期間拚命地做好志工身分的這些日本人，在某種意義上來說，都是對現在的法務省、外務省的態度感到反感的人們，因此他們拚命地去做。這些人當中，當然也包括過去參加過反越戰運動，或者提倡過與亞洲的連帶關係等的相關者。然而據我所知，據說在日本大體上被許可接受為定居者的人數，只有三人。這到底是為什麼？連船民〔譯註：boat people，1975年越戰結束後，搭船逃到海外的中南半島難民〕們

自己也不明白。因此，他們認為如果日本方面接受了他們的話，就可享受到像志工們對待他們那樣的待遇，因此只感到了「鄉愁」。但對日本社會存在著「嚴峻」的另一面的事實，則並不知道⋯⋯

中山：就是這麼一回事。

戴：然而，美國這個地方乍看之下，給人的感覺是非常的冷漠。因為基本上即使是總統的兒子，也不會勉強進到有名大學的附屬學校去讀書，或者說不會坐著父親的賓士或者林肯來擺派頭的國家，而是在以自我努力為原則的基礎上生活的。只是在最後遇到困難的時候，家長才會伸出援手，這就是我所理解的美國社會中一般的遊戲規則。遊戲規則中，當然並不是沒有歧視的，但至少是只有拚命地去做的人才會被接受。此外，它是比較具備大體上包容、接受其他的宗教、文化、風俗習慣的土壤。越南的在日留學生，現在感到非常的困窘。前些時候，好像是《朝日新聞》的「天聲人語」中也曾寫到，因為不能被接受，儘管個人都非常的親切，但以社會的全體來看，則是不親切的，從法律上來看，則更不親切。美國的情況從這個意義上來說，就有點不一樣。

中山：這就是說，例如終於在中國找到了戰爭孤兒，或者說是那些在敗戰時留在中國的人們，現在正陸陸續續地回到日本。但因為這些人一直都是被中國人所養大的，因而不會說日語。儘管他們是100％的日本人，但日本的社會並沒有接納他們，這樣的例子我看得很多，這是同樣性質的問題。

儘管在這個意義上來說，這樣做會變成批判日本，我從國民

生活白皮書中看到，日本人中的85％以上，是靠工資維持生活的。其中包括經營者、政府官員、企業的薪水階層人員等，這些人中有所謂「內外關係」的存在，最好的例子是比如演歌（人情義理）的世界。

戴：同時還有和服的世界吧！

中山：這就是所謂的義理與人情，中元與年末都要送禮物，此外下班後要鑽進掛滿紅燈籠或布簾的小酒鋪裡，一邊說著上司、部下、同僚的閒話，一邊交換著非正式的情報。而且，如果沒有這些情報的話，公司就不能進行經營；因而所謂日本的企業經營，光靠指南是不行的。銀行在某種程度上，或許靠指南能夠經營下去也未可知；至於商社的話，光靠商社方面分發的指南，是不能進行經營活動的——比如誰這回要到你的手下去工作，即使有那傢伙的經歷所寫的，他是出身於什麼學校，到現在的工作崗位後，曾調到什麼地方去工作，哪年哪月才回來等諸如此類情報，但還是有不知道的地方：諸如酒德、喜歡什麼樣的女孩、高爾夫球藝如何、搓麻將的手藝又如何等，因為在公司的指南裡面完全沒有寫上這些。

如何去取得這方面的情報呢？只有通過先前所提到過的掛著紅燈籠或布簾的小酒鋪去得到，如果不了解這些情況的話，就不能對這個人來當自己的部下是否合適，作出判斷了。（笑）

這樣在組織中就出現了歐美所不存在的，例如剛才所說到的演歌世界、所謂義理與人情之類的東西了。即使是給予也不能期待能還禮。這就是所謂的瀟灑吧！就是指這樣的精神吧！這樣的東西在日本的組織中還是存在的。

　　然而，這種作法到外面（外國）去是絕對行不通的，我認為日本社會結構，和現在與異民族成不了朋友，是有非常大的關係的。

　　在日本這樣生活著的人，到了像東南亞這樣的國外去後，儘管大家都在拚命地努力，但是在當地還交不了朋友。在日本沒有做過的人，到外國去當然也不可能會做的呀。

　　舉一個極端的例子，例如這次的星期日是眾議院議員的投票日，但這一天公司裡有一個來自美國非常重要的客人，必須在哪一個飯店裡見面。這位上班族必須在公私之間作一選擇的時候，他所選擇的「公」又會是什麼呢？他會選擇與客戶見面，投票的缺席已經變成了「私」的東西了。其價值觀就是如此這般的倒置著。無論怎麼思考，做為市民或者是做為國民而言，總選舉的投票都是公的行為，而與自己所屬私有企業的客戶約會則是「私事」。然而，在日本則會是毫無疑問地被認為，公司的事是「公」事，而投票則是「私事」。

　　戴：而且是在星期天，真有意思。

　　中山：星期天，這種生活觀點在日本，只不過是很平常的事。

　　我想儘管過去的「教育敕語」，或者說是「戰陣訓」中都曾寫到過，到外國去要與國外的人們打好關係。最近在外企業協會所發行的《有關駐在（外國）日本人的行為》中，也寫著要理解當地社會、尊重當地的文化等等。這當然不錯，然而與當地的文化、當地的人打好關係，這到底是怎麼一回事呢？並不知道其本質，光會喊口號，在日本就做不到的事，到外國去當然也是做不

到的。

　　我認為對在日本國內的國際化，也就是說將所謂的容納國際化這種東西，還完全懶於實行，而僅僅是將日本人出去時的國際化做為問題看待。對這種自我矛盾並沒有注意到，這就是現在日本的問題，這個問題的解決還需要相當長的時間。

　　戴：雖然在向著好的方向發展……。

　　中山：年輕人是這樣的，然而到年輕人熬到負責任的地位時，又會變成怎麼樣呢？我的孩子或許會跟我說：「我已經與爸爸不一樣，與歐洲人的交往中，什麼問題也沒有發生。」然而，等上了年紀、為人父母之後，變成公司的課長後，或者是達到了一定地位後，又會變得怎麼樣呢？所謂年輕時代的思考方法，這種東西我認為是靠不住的，這樣的話，似乎要花相當的時間去考慮才妥當。

　　戴：有關這一點，或許這樣說有自吹自擂之嫌，田中角榮先生作為首相到印尼去的時候，不是曾遇到過反對遊行與騷動嗎？在那之前，我們在《中日新聞》寫了一年的連載，由平凡社為我們出版的單行本，取名為「討論日本之中的亞洲」，其思想與現在中山先生所講到的思考方法是有關聯的。一般地來說，用「世界之中的日本」、亞洲之中的日本等情形，來進行思考的人比較多。

　　但我認為這些都只是一些原則與常識，日本社會的「深層」才是真正的問題所在。日本與亞洲的關係，首先是將其看作是日本社會內部的亞洲問題，在這個基礎上嘗試著與外邊的問題相連結。首先從內部整理出問題的思考點做出發，取了上述這樣的書

名。然而有關那本書的書名，受到了各式各樣的議論，基本上也就是所謂的通過由日本人自己，來正確地抓出日本內部的亞洲問題時，日本人是否就能夠真正地理解亞洲，或者說是與世界順利地建立關係呢？這就是我們的想法。

我正在思考這樣的問題，現在假如有未變更國籍的定居外國人參加國政，那當然不好；但是，因為他們也和日本人一樣納稅，因此，也就是說即使給予他們居住地的區域社會參政權，例如讓他們參加區長選舉，或者是區議員的選舉等，是否應該就不會帶來太大的問題呢？在支付同樣的稅金同時，即使是居住了二十、三十年，卻還是被完全排斥，日本方面對居住歷並不予承認，只要是不改變國籍就不予承認。

如果改變了國籍，也就得改變名字，就要被埋沒覆蓋，就會被強烈要求近乎於完全的同化。在某種意義上來說，如果拒絕同化的話，甚至要面臨遭受到社會的壓力。我認為這同樣是對於20世紀後半，或者說是21世紀新的國際社會共同生存、共同思考的場合而言非常落後的思考方法。對於這一點，應該稍作重新思考，地方自治機構應該把這裡作為納稅者的居民，進行對等的交往，即使是外國人，也給他們各式各樣的發言機會，是否由此便可使得從異文化的接觸，與文化交叉中產生出新的有趣東西來。當然，日本的外交、軍事以及霞關〔譯註：日本中央政府機關所在地〕層次的問題，則可另當別論。這樣做的話，是不是就會使日本的市民生活，變得更加充滿活力呢？

中山：這很有意思，雖然在現在日本的行政、立法制度之下，是不可能實現的，但發出這樣聲音的本身，做為對日本實現

真正國際化的開端而言，我認為是非常有意義的提案。

　　簡單地說，即這回中國不是要派留學生來了嗎？如何去接納他們，這也是與現在的問題有所關聯。到目前為止，已有來自東南亞及其他國家的留學生，出現了各式各樣的麻煩、也有不滿的。這次因為是更為「閉鎖」的國家的人要來，對此應該如何去接納呢？我認為這不只是簡單的留學生問題，而是與日本文化同樣具有很深的相互關聯問題。

　　之所以這麼說，是因為曾有相當多的中國留學生在大正時代來到日本。這個時期還存在的「營業寄宿」之事，由老太太們來經營，不只是出租房子，而是帶包飯的寄宿，還包括洗衣、清掃等，其報酬則是收取寄宿費。因此，老太太們會對他們進行諸如「像你們這麼年輕的時候啊……」之類的教誨，被教誨的留學生們最終都會非常感謝，但我想像這種意義上的接觸，在現在的日本是否已經是行不通了。

　　戴：是沒有這種可能性，大概都被商業性擺布了……。

　　中山：第一、現在營業寄宿已經行不通了，實際上，某學校的校友會曾向畢業生們發出呼籲，說在你們家裡，孩子們都已經長大成人，能不能幫忙接受寄宿的學生呀！其結果是說OK的人，一個也沒有。就這件事直接問了兩、三個人，得到的回答是「雖然我認為寄宿在我家也可以，但我老婆不會聽我的……」。連從鄉下來的侄兒、甥女都被拒絕了，這還能談嗎。（笑）

　　所謂的「核心家庭」〔譯註：即小家庭〕化，其結果就是變成現在這樣的情況了。

　　我在這裡要說的是，接納來自中國以及其他的留學生，租房

子給他們時，只要收他們寄宿費就可以了。在物質上盡量不給人添麻煩的同時，給予接納者一定的利益這也是應該的，沒有必要把他們當成客人來看待。請他們幫忙打掃清潔或收拾一下院子等，也是可以的，到美國去的留學生也是這樣做。我女兒到美國去後，也是被叫去廚房幫忙，或者是做擦地板等家務。這樣的交往方式，實際上是最為重要的。

現在日本的核心家庭化，使得從此自己的生活只有靠自己，而不能指望親戚的幫忙……。如果生病的話，所可以依賴的是自己的公司；或者說如果身為政府官員的話，所可依賴的是自己所屬的政府機構。我認為，變成了這樣一種社會體系的日本，其接受留學生的土壤、條件，遠遠比不上明治、大正的時代，這真的可以說是一種倒退。

因此，展望21世紀，必須從這一點開始進行重新思考，如果想到要做的話，即使是一個人也是可以做的。在這之前，曾有親戚的外甥女計三年的時間寄宿在我家，我也曾經拜託過我的老婆：她現在已經結婚搬離我們家，房間不是空下來了嗎？那兒怎麼樣，要不要再換一個人進去？我這麼說的時候，得到的回答是：你趕緊饒了我吧……（笑）。

戴：然而，在日本人中，也有如「母親會」等照顧留學生的自願者組織。這些人中的大多數，是擁有外國留學體驗，或者是曾與丈夫一起去留學的體驗，在這個基礎上，再加上部分的基督教徒所共同組成的。即使不把留學生留在自己的家裡住，偶爾也會叫他們去參加聚會、招待他們吃飯等。

在這個意義上而言，特別是現在的小家庭，僅僅從現在的資

本主義圓熟之後，工業化社會更進展，那麼正如中山先生所說的一樣，這似乎可以說已不再是個人善意與惡意的問題了，而是生活節奏已經與從前不同，變成很難接受。美國之所以可行，是否因為其還保留著農業，因而能夠做吧！

中山：還有所謂的社團組織。

戴：我所說的農業，不是指產業性質的農業，而是指例如私人擁有較大院子啊，而且退休後，可以過晴耕雨讀的生活，無論從空間上而言，還是從時間上或是從精神面而言，美國的市民都有這種餘地。而在日本，所謂的晴耕雨讀，雖然一直都是夢想，但這個夢想現在已漸漸地變得失落。如此一來，身為人的從容也會慢慢地消失，例如請客人到自己的家裡玩，或者是照顧留學生這樣的事，或者是照顧親戚在東京留學的子女（這同樣也是留學）等，像這類繁瑣之事是不會去做了……。現在已完全都變了，變成了所謂的惻隱之心已經被看成是呆子氣的想法的世間，只有像唸經似的掛在嘴邊講著好聽……。

中山：儘管日本的國民經濟或許已經變得富裕，但對每個市民而言，並非已經變得很富有，我認為這才是問題的根本所在。但是現在的志工是善意的團體，是充滿熱情的，這當然是好事。

去年在關西有一位來自馬來西亞華人系留學生，因為得到腎臟炎之類而病死。志工的學生們組織起來，要將其父親請到日本來，為她舉行葬禮。在這裡他們向日本政府提出了要政府負責任的要求，但被政府拒絕，這前後的來龍去脈在《朝日新聞》上被放在顯眼的版面登載。新加坡的中國系報紙也原封不動地予以轉載。

　　針對這件事，我問過新加坡朋友的孩子。當我問到「新加坡也有很多到澳大利亞、美國、英國等國留學的華人留學生吧。如果在留學的所在地病死的情況下，若所在國的政府不予照顧的話，會這樣數落其不是嗎？」所得到的回答是「當然不會」。在這個意義上，也就是說志工活動中所擁有的熱情與善意，與剛才我所提到日常生活中庶民的生活感覺上的差距，先前我所提到越南難民的例子，也是這樣的，這種差距非常的大。

　　戴：現在中山先生所談到的這點非常的重要，與這件事情相關的人我認識。在這事發生的時候，因為未能親自在場，所以我推理了一下。因為留學生課長遭到了責難，我曾經是這樣說的。各位，為什麼不能做一個徹頭徹尾的志工呢？事情到了最後，立刻逃避躲進所謂的政府責任之中。本來是因為對政府的反彈而去做志工，因為說政府信不過，所以才去從事民間的志工活動的，應該回歸初衷。這種想法是否自一開始就是很可笑的呢？因為從一開始就是保留著這種想法來從事志工活動，所以是否這種志工活動，本身過於溺愛留學生們呢？因為，所謂的志工活動，通常是又「背」又「抱」的。照我看來，這種又背又抱的志工活動，還是不要去做。

　　我認為所謂的志工活動，再怎麼說也是在留學生自我努力的前提下，給他們提供一定的條件與環境，在他們真正遇到困難時，才提供協助。在這之前，只有讓他們沿著自己的軌道前進，或者說是不要伸出援手，才是最為重要的。此外，我對他們「母親會」這種名稱，也感到有點問題，實際上我在被叫去談話的時候，也跟他們說「為什麼是母親啊？為什麼不叫作姊妹會呢？」

〔笑〕這樣做有點不夠同等啊。

是否認為要照顧他們就要一定比他們長一輩，不然就感到不安心，就沒有滿足感呢？「母親們」很苦惱似的，不知如何回答。

中山：你這樣直說，不太受歡迎吧〔笑〕。

戴：是啊。或許是希望別人能夠媽媽、媽媽叫自己，這就有點可笑了。沒有從同等的友誼角度出發，去從事志工活動的想法。正因為有這種「姑息」的心態，所以最後要逃避、躲進政府的責任裡去了。

北越與南越的「華僑」

戴：思考最近的東南亞華僑、華人問題時，第一個最大的問題確實還是越南發生的問題。據說約有16萬屬於華人系、並且已經取得了越南的公民權，或者說是已經接受了越南的社會主義。他們在北部已待了二十餘年，如今卻逃回中國，這就是第一個問題。還有個問題，就是來自南越的，現在變成了船民，並以東南亞為目標，在南中國海上用可說是「悲慘」的方式在逃生著。發生這兩種現象，想藉此對今後東南亞的華僑、華人問題思考一番……。關於中南半島的難民問題，中山先生是怎麼看的呢？

中山：您對狀況分析得不錯。雖然用「越南難民」一句話就可總括，但我認為從越南北部逃出的16萬名華僑，與去年〔1978〕4月徹底的緊收流通經濟後，越南南部的小資產階級，一直藏匿物資一事被揭發，因此而對社會主義體制反感並逃出來

的船民，兩者係完全不同性質的問題，卻被混在一起討論，頗令人感到困惑。

1973年，美國自越南撤退；兩年後，即1975年南北越統一。翌年1976年，受到此衝擊的東協於峇里島舉行首腦會談後，東協可說是復活了，又重新開始活動。在這種情況下，1975年南北越統一，河內政府開始統治越南南部，於1978年4月，徹底清洗了流通經濟。至此，就有了整整三年的緩衝期。然後於1978年4月開始，對無論如何都不尊重不順應社會主義體制的人們，採取徹底打倒的措施。所說被從越南南部趕出來的人，即指這種人。這些人到底是根據自己的意思逃出去的，還是被強制驅逐出去的呢……恐怕從越南政府的角度來說，這都是一些即使賠了錢也要請出去的人。我想這點是很容易理解的。

然而，在自去年5到7月，僅僅兩個月的時間裡，約有16萬人從越南北部逃到中國本土。這些人在太平洋戰爭結束之後，與越南人一起參加了反對法國殖民統治者的鬥爭，在奠邊府時也進行了鬥爭。此後，與美國人也進行了對抗。在長達30餘年的時間裡，他們一直生活在胡志明體制下。在這種地方當然應該不會存在著充分的流通經濟。就此意義上來說，這些已被納入社會主義體制之內的華人們，應該算是華人系越南公民了。

去年5月的一夜之間，他們怎麼會突然變成華僑了呢？實際上我也不清楚。關於此，有各式各樣的情報，一些從香港那邊傳過來的情報，如「越南與柬埔寨的關係愈來愈緊張的話，在與柬埔寨的戰線上，將被驅趕上最前線的，就是你們這些華人系的人」之類的謠言傳出來，因此引起了華人系居民的大恐慌，所以

才逃出來。但這種說法是真是假卻不得而知，或者說是河內政府認為柬埔寨後面有中國政府的支援，因而真的準備在與柬埔寨的戰爭中，投入華人系的越南人，或是北京方面為了達到對柬埔寨牽制作戰的目的，在其指導下，對於越南加入經互會感到失望而放棄，因而動員這些人回國。有關這方面的真相，完全不知道；雖然如此，但後來的事實是長達30年以上，被納入胡志明體制中的中國系越南公民，在一夜之間變成華僑，並且多達16萬餘人逃了出來，這又意味著什麼呢？這並不僅是越南的問題，對於其他的東南亞各國的當權者（包括緬甸在內）而言，也是一個非常大的衝擊。

緊跟著莫斯科電台在這個時間點開始大肆宣傳。諸如在你們國家的華僑、中國人，不知在什麼時候會變成中共的「第五縱隊」等等。從這一點上來說，我想先把這個問題定位為對今後思考東南亞華人問題（已經不是華僑了）而言，是一件非常大且具衝擊性的事件，但我自己對這個問題也沒有充分的解答……。

戴：我也贊成將南方與北方的問題分開來思考，關於這點，我在《中央公論》1978年9月號上，寫了一篇比較長的文章（參見本書輯二第四篇第二節）。

首先是中國當局究竟是否實質上擁有將這16萬人叫回來的力量這問題。對於中國內部，被總括為「人民」這個概念裡的人，與政府的具體關係到底是怎麼樣呢？對於這點也是不清楚。而且已經到國外待了很久，與其說是華僑，還不如說是正走向華人化的人們，只是靠著簡單的發號施令，是否就能歸國呢？我認為與前面所提到的問題，關於國家這個概念，他們是如何意識到這個

問題，彼此相重疊起來思考的話，就會發現越南與莫斯科的這種
講法，是相當具有政治性的發言，是誇張的東西。如果依常識來
看，能夠簡單地放棄自己生活基礎的人，理論上並不會有這麼多
的。

　　雖然有中國是自己母國的觀念，對於是否曾經回鄉掃墓，尚
且不是很清楚的人們，短期間內採取共同的行動，應該可看作是
非比尋常的事！而且越南北部的「華僑」歷史悠久，並受到了近
30年的社會主義洗禮。對這樣的情況，我進行了各種假設。確
實，最大的可能性，是否因為河內政權內的中國派受到了徹底的
打擊，被排除與肅清，使民族被壓迫公開化而引起的混亂狀態
吧！在與美國人鬥爭的時候，當然相反地通過「華僑」系這種關
係，與中國結成親密的關係、共渡蜜月。香港是這樣報導的，據
說「華僑」系的部隊也參加了奠邊府之役，及人民解放軍中的某
大幹部曾經從軍。因為有這樣的關係，是否也可以看作是激烈的
近親交惡呢？此外，是不是河內政權內部，在為了建設新國家
時，很明確地存在著路線之爭，或者為了鞏固自己權力基礎的權
力鬥爭相互重疊，從而出現了中國派被排除的結果呢？可能因為
這些事是不能公開的，因而開始做出不能適應越南南部的社會主
義改造的「華僑」的宣傳；或者說是由於中國的煽動，而引起華
僑大量歸國的問題。

　　另一個問題是有關與柬埔寨關係的惡化，說不定會導致自己
被送到最前線去。這樣的話就回到剛才所說的，要是華僑變成華
人之後，一旦與中國發生戰爭的情況下，是否會拿起武器的問
題。可以說是為了逃避兵役與戰火，從而演出的一場混亂出逃劇

碼，這是我的推測。如果不逃出來的話就有可能被殺害或受到迫害，這種情況是相當明顯的。越南對柬埔寨的侵攻、中國的軍事行動，現在都證明了這一點。局外的我們無法很清楚，但局內者老早就嗅出其中的火藥味，依此看法，不是更自然嗎？該把這一切解釋為「在對越南的現行體制充滿不信任感的過程中，他們完全是為了保全自身而逃回去的……。」

　　中山：也就是說，是主動而為，這麼說起來，16萬人的大量出逃，在這之前已經有南北越的統一，到此時間點為止，中國對越南的援助與莫斯科對越南的援助相比，中國方面顯然是比莫斯科要多得多。但在統一之後，來自中國方面的援助遽減。所透露的意義，就越南而言，當然對中國提出過「雖然南北已經統一，美國軍隊也已經不存在，但經濟援助請不要減少」這樣的要求。而中國方面會認為，在與美國作戰的時候是要給予援助的，但中國從現在開始，自己國內經濟建設的任務，也是相當艱鉅，於是便會說「今後你們自立更生吧！」我推測或許正因為這樣，出現了剛才言及援助減少結果；與此相反的是，來自莫斯科的經濟援助，卻出現了激增的現象。依此來看，這次逃亡的背後，還有一個蘇聯的影子存在。

　　戴：政治上的「影子」是常常被指摘的一點，根據雜誌的最新報導，在「華僑觀」上也有他們的影子存在。據說蘇聯的高層對越南的訪蘇團提出建議，指出在蘇聯發生的猶太人反體制，以及以以色列為志向的動向，認為華僑也同樣是不可信用的，還是早日把他們清除出去才是上策。如果這個報導正確的話，只能說這是一件非常遺憾的事情，也可以說此為克服人種主義並非易事

的具體案例，確實令我感到非常震驚。

　　中山：從蘇聯的世界戰略上來說，欲在中南半島三國之中建立一個立足點，並非出人意料的事。阿富汗的政變、伊朗以及在這之前已經開始的以色列與埃及的和平工作，這些好像都在朝著美國最後能享受成果的方向發展，在這之後則是中南半島。蘇聯盼望將中南半島當作其世界戰略的基地，是理所當然的。蘇聯因而也進行了相當多的動作，這就是1978年11月3日的《蘇越友好合作條約》。雖然其中軍事方面的條款，是蘇聯要締結友好條約時都必須加入的條款，但我推論，此時越南已經做出選擇。在這一系列權力政治為基礎的前提下，發生了16萬華人的出逃，對於這事，只有放在這樣的前後關係上來進行思考了。

悲慘的船民

　　戴：其次再讓我們來看看越南南部的問題，中山先生前面提到的因為忍耐不了在南越進行的社會主義改造而逃出去的說法，我認為其中有一部分的人確實是這樣。然而，日本新聞界比較不容易看到的一點是，應該逃跑的人老早就跑掉了，留下來的盡是一些「雜魚」。原本「雜魚」應該都是屬於一些逃也可以，不逃也可以的階級。正如大家所知道的，這些「雜魚」中的一些人，甚至包括曾在過去的中越蜜月時期協助越共，在堤岸區為越共提供地下的隱蔽場所，或者是曾參加過春節攻擊的人。他們是一些認為如果中國與越南的關係和睦的話，那還是可以生活下去的階級，或者說是擁有對社會主義的「希望」而大膽沒有逃跑的。除

此之外，還有一些人是因為逃跑的資金不夠，而被迫留下的吧！

　　最後我想強調的是，那些在春節攻擊與堤岸等地協助越共的年輕人，在胡志明、毛澤東時代中越蜜月期的影響下，把社會主義作為自己的「出路」而寄予希望。那些曾協助過越共的年輕激進派們又怎麼樣了呢？這一點是否也是我們應該思考的另一個問題呢？然而，過去南越解放戰線幹部們的大名，為什麼在今天河內的中樞裡完全沒有看到呢？這到底是怎麼一回事呢？當時流傳出各式各樣的說法。這也是我想向有識之士們請教的一點。

　　南越的社會主義化，或者說是南北統一化被認為應該是相當寬鬆的，事實上卻恰恰與此完全相反。在整個過程中，柬埔寨與越南的紛爭加劇──這一點相當富於暗示性。然而，在南越的華僑與北越的華僑是不一樣的！首先是人口多，據說有100至150萬左右；另外一點，從地政學上以及華僑社會形成的歷史上有所不同。例如包括堤岸與西貢（即現在的胡志明市）在內過去的交趾支那（越南南部）一帶，這裡本來不是越南的土地，而是高棉的土地。是當時越南王朝在明末清初之際，藉接受明朝亡命部隊的契機，利用明朝軍隊巧妙地將其占領、開發的。

　　殖民地統治通常是利用分割統治的方式，相反地，有時被統治者所擁有的條件，也使得這種統治方式變得可能。正因為有過這樣的歷史，法國僅僅是把交趾支那做為自己的直轄殖民地，而把其他地區當作保護領來進行統治。因此，堤岸在舊安南人的南下，以及首先有安南王朝為達到安定王朝的目的，將湄公河三角洲的肥沃地帶納入自己的手中，以作為穀倉之用，亡命至此的明軍協助安南王朝實現這心願；同時在湄公河三角洲找到自己安住

之地，結果就是在堤岸形成了一大唐人街。而且在這過程中，亡命士兵們的結婚對象，全都是安南人的女性，所生下的小孩，就是被稱為「明鄉」的混血兒。而且這部分被稱為「明鄉」的人，儘管現在是遭到白眼，但在法國人統治時，他們的地位是比土生土長的安南人還要高的，或是也是因為中國人是受到尊敬的，而安南人也有小中華思想吧！

中山：就像江戶時代，日本與荷蘭之間的買辦一樣的存在。

戴：有這方面共同點的同時，混血兒的存在方面更為明顯。馬來半島的峇峇華人，本來也是沒有蔑視之意，更不用說所謂的「主人（頭家）的孩子」是其語源了。然而歷史卻發生逆轉，不論是峇峇也好，明鄉也好，現在都成了曖昧、遭人白眼的存在。因此我認為，在交趾支那的華僑問題中，實際上是先存在著包含明鄉問題在內的歷史部分，是由朦朧模糊這部分堆積起來的存在，也就是所謂的淤塞；或者是說，這一部分的東西，再與社會主義改造以及民族主義的排外性格顯現相連結的形式，進而問題化。

因此，是否可以認為，與其是中山先生所說的自己逃出來，還不如說是也有越南當局體面地將其驅逐出去呢？同時我想再提出以下看法。所謂的船民，從一開始就是讓人覺得是不可思議的，如果這僅僅是幾十人，或者很少數人的話，當然是可以理解的。然而因為是在那種社會主義權力之下，如果僅僅說是海岸的防衛線、管理體制太弱，這是難以想像的。如果是這樣的話，二、三千人規模的船民，一而再、再而三的出現，很明顯的是有問題的。如果把這一切看成是由政府有意圖地將他們趕出來，這

也是很自然的啊！根據外電的報導，他們是被迫拿出美元與金錢，然後被當作是累贅而被趕出去的，同時還可以節約糧食，這可謂是「一石三鳥」之計。（笑）

或許這是所謂漢文化所帶來的「奸詐」也未可知。舊安南人，即是現在的越南人，他們的作法可說是相當的猙獰——請原諒我用這種不好的說法——就是在這件事上，到處都可以看到他們的狡猾對應。有關這一點您怎麼看？

中山：在這一點上我既沒有情報，也沒有證據，因此不能下任何斷言。但是，他們不是漂流到馬來西亞的岸邊嗎？我不知道他們之中有多少機率的人可以漂流到岸，但這種情況下，上岸的方法確實是非常淒慘。如果船就這樣到岸的話，馬來西亞方面會全部拒絕上岸，再度將他們驅逐出去。馬來西亞有百分之三十餘的華人，其中包括那個馬來亞共產黨的游擊隊。到這種地方來，說不定其中還混有間諜在內，不管怎麼說，有這種懷疑也是理所當然吧！馬來西亞方面打從心眼裡，就是不想讓他們上岸。看到他們阻止上岸的動作，船民們就會自己將船鑿開洞，如此船就會下沉掉，船上的人就會溺水而出現犧牲者。就這樣咕嚕咕嚕地，一邊嗆著水、一邊漂流到岸。這樣就由他們自身將政治外交問題，轉化成了人道問題，真的是用非常淒慘的方式登陸。

戴：是很嚴峻啊！

中山：即使是到了這種程度卻還要逃生，這到底是為了什麼？對於這一點，確實是讓我們百思不得其解的。

戴：是這麼一回事啊！就這個意義上而言，這不僅僅是狹隘的華僑問題，而是以20世紀人類「實際存在」的問題而存在的。

中山：船民落得這樣的結果真是悲慘啊！馬來西亞當然是不肯接受這些船民，像新加坡那樣小而人口密度又高的國家，相對也是接受不起。因此，其結果還是由美國、加拿大、澳大利亞等國所接納，所有關係者終於也能放下一顆半懸著的心。

戴：然而，所有的這些人，既沒有要求去台灣，也沒有要求去中國大陸。為什麼會這樣呢？對於這一點如果不了解的話可是不行的。

何處是故鄉

中山：說起來可能是顯得有點久遠，這是「九三〇事件」（1965年）時發生在印尼的事。據說那時有三百多萬的中國人在那裡，當時提到要回本國去的時候，舉起手來的只有二十多萬人，後來實際上真的回去的也只有五、六千人而已。那時有位來自棉蘭附近的老太太，在從羅湖跨越國境前往深圳時，接受了香港新聞記者的採訪，曾有如下的回答：「我本來是想把這把老骨頭埋在棉蘭的，就這樣總算熬過了許多年，生活上也算是安定下來了。但是不許我們住，我們被趕了出來。現在我雖然就要越過國境回到中國去了，但對於中國這個體制，我什麼也不知道，是不是真的能夠適應，也是不清楚。我沒做過什麼傷天害理的事，可是我想埋下這把骨頭的地方，又不讓我埋。從現在開始，我就要進入的故國，是相當陌生的，也沒有什麼熟人，我們真的會受到溫馨的歡迎嗎……」

這是充滿歎息的台詞，也許是新聞記者所編出，但這篇報導

至今讓我感到難忘。

　　戴：是不是編的是另外一回事，但這種心情卻是具有普遍性的。總而言之，對於「喪失故鄉者」而言（在這裡我們對所謂「喪失」一詞的含意，不進行深入探討），所謂祖國或者故鄉，是「在遙遠的地方所思念，而非定住之地」。這種心情是必然的狀態，並非僅限於發生在華僑身上；相反的，那位回到祖國的波蘭人，沉溺於親吻大地的感慨之中的有名故事，則是反映出人們所擁有的另外一面，對於這點我們是不能忘記的。

　　不論是日本人也好，在美國的黑人也好，白人也好，大家都是這樣的。我認為這正是使《根》能夠成為暢銷書的原因所在。然而普遍地把其看成是華僑的特殊化問題這點上，是不是可以認為日本的新聞媒體（視野）太狹隘了呢？作為更普遍的人類問題來看，「祖國」（雖然這是加上引號的祖國）到底是什麼呢？祖國是遙遠思念中的東西，而不是現居地的這種說法，是說是否應該對伴隨著歐洲「近代」的世界化，離開自己的「村落」而流浪到「他鄉」，並在這個過程中定住下來的人們所擁有的共同心情，給予理解與認識呢？本來中國就是一個多民族的國家，做為庶民的中國人，對國家──特別是近代的國家，並不擁有如同歐美諸國人民般，有所意識的歷史體驗。如果將這個用歐洲「近代」的尺度來進行測量的話，是無法測量出來，同時也是無法抓住實情的。

　　中山：在華人的場合更有這樣的可能。不過，馬來西亞不是在東協國家中，率先與中國恢復外交關係的嗎？然後在吉隆坡成立了中國大使館。有這麼一說，據說此時實際上是老先生、老太

太們紛紛湧向大使館，其中盡是一些患了不治之症的病人，他們
說：「我被馬來西亞的醫生放棄了。」

　　他們並說，中國有中醫的針灸，也有好的中藥，我想去中國
接受治療。然而，據傳這只不過是藉口而已，其真正含意是想在
死後能進入祖墳，與祖先葬在一起。這使吉隆坡的中國大使館非
常困惑，而對這些人說：「即使現在去了中國，也沒有這樣的名
醫與靈丹妙藥。」以此理由拒絕了要求。

　　戴：這是非常悲哀的事。中國在建立外交關係的階段，尚處
於四人幫的體制下，華僑政策未確定。就實際問題而言，中國還
是相當貧窮，光是接受老人們歸國，便是一件非常困難的事。另
一點就是，變成了外交政策一部分的華僑政策，所包含的複雜性
與深刻性的問題。我們可以看出這對中國當局來說是件非常困惑
的事。東南亞各國的政情及當地的領導人，都還對共產主義、中
國人懷有警戒心。建交以來時日尚短，自訂立禁止雙重國籍條款
的共同聲明與誓約以來，到具體實施與紮根，仍然需要時間。如
果這種實質上的紮根，與居住國社會的「接受」與「承認」的氣
氛尚未形成的話，不知什麼時候還會發生排華運動？雖然中國當
局倡導所謂的華僑，本來應該在居住國實行居住國民化，鼓勵他
們協助居住地的人民，建立新國家的原則論，但這並非立刻就能
發生實效。事實上，儘管中國當局會要求華僑們，「與當地的人
民搞好關係吧！」但一旦發生事情時，大家都會說「中國政府是
不是要將華僑接回去呀！」之類的話。受到這樣的誤解，對中國
當局而言，確實是令其感到非常頭疼之處吧！

　　更令中國當局感到困惑的是，即使是當地人民的一方，也不

知道國籍是怎麼一回事，便將華僑、華人都一樣地看作是中國人。對於在法律層面可以領回的「華僑」，以及對中國人而言，已經是外國人的「華人」，充其量也只不過是嫁到外國去的媳婦，或者被招贅到國外的女婿之類的親戚而已，如何對華人與華僑進行區分開來看，實際上是不可能的，這點著實讓中國政府困惑不已。

中山：正是如此。那時的吉隆坡大使館，也僅能採取那樣的措施而已。存在著一千數百萬名的華僑、華人這件事，對中國在東南亞外交政策上，可是一個負面的存在啊！

戴：沒錯，通常被當作負面來看。不，也許應該把它看成是傳統中國所遺留下來的負面「遺產」。但是，如果與所在國能夠長期和平地維持友好關係的話，也有稍微好轉的可能性吧。

中山：的確經常是以負面形象存在。如果真的張牙舞爪地進行戰爭的話，局勢就大不相同。這個時候，他們還能夠成為情報網呢！但是社會體制的不同，國內又有共產主義分子的問題，即使是在和平的外交階段，還是負面的影響較大，其實質上的確具備給人藉口的餘地。

戴：可以說這件事存在著被當作潛在的藉口。

我想補充一點，中國人是多民族、複合民族的社會。無論從歷史及生活面來看，他們習慣處於多元文化主義，因而具有適應能力的。蘇東坡有「此心安處是吾鄉」這句名言。目前「華僑」們的身上，雖然擁有這樣的生活哲學，但由於政治上的因素，他們的這種生活哲學正被打得粉碎，處於不能安居的狀況下。

與中國的合資合辦事業

戴：讓我們把話題轉移到合資事業上來吧！首先是能否在對中日間的合資事業方面，提供一些啟示；其次，新的合資事業呈現出三角關係的存在方式，即中國內部所具有的條件，與華人、華僑的資金資本，和日本設備支援的可能性與應有的方式等。現在能否就上述兩點，發表一下你的看法呢？

中山：因為現在還沒有實際進行這種合資事業的報告，因此我只能就各種可能性來思考。

在日本，資本通常是包括利息這項要素。在這種情況之下，在中國國內的利息體系與自由主義諸國的利息體系是根本不同的。因此，僅將資本的利息部分分離開來的計算利息的細緻思考方式，對中國而言，是很困難的吧。

這樣的話，可以想到的應該是成品分成（依出資比例等分配成品）的形式吧！即使是合資的話，在現階段的中國，所指的合資形式與日本所指的合資，大概是不相同的。

那麼，日本先將原料出口到中國，然後再提供設計，這樣在中國加上附加價值。依照設計並根據規格，加工後成為成品，這些成品再出口到日本。這種加工貿易方式，如今已經在進行了，據說華歌爾公司要做，或者說染出立體效果的白色圓圈花紋染法，目前已經在進行了。

其次是，在製成品出口的情況下，我認為這是非常容易處理的。也就是說，用成品分成的方式比較容易處理。因為中國方面就利息是多少這點，與日本方面以計算方法來進行協商，包括這

個在內，加入到折扣之後再決定商品的價格就可以了。

　　也就是說，以給予出口商品折扣的形式，進行設備投資的償還，即用多少年時間，同時利息用生產出來的商品，這由日本接受是最單純、做起來比較容易的形式。無論是對美國的出口也好，對歐洲的出口也好，或者說是對東南亞的出口，都是可以的。這在僅限於出口商品所擁有的國際性價值的情況下，分利息與償還兩部分，來進行折扣的形式，應該是能夠行得通的。

　　這恐怕就是所謂的「成品分成」，石油開發用這種方式也是可以行得通的。決定好將製成品的百分之幾歸這邊，投資設備的部分先由這一部分中取來，這種計算方式是只要用電腦便可以計算出來的。

　　然而，日本人的正統合資經營所想到的是，彼此拿出百分之幾的資本，在這裡所謂的資本，通常都是必要資金的一部分。如果必要資金需要100萬美元的話，資本金是20萬或是30萬美元即可，剩下的部分靠借入的資本來補充。而借入的資本又是如何籌措的呢？對日本人而言，如果從正統的方式來思考的話，就必須要保證金，這種保證金也必須根據出資比例的不同而進行保證。

　　再來是經營者，雖然按字面是指包括從最高經營者，到現場的技術管理為止的全部過程，但大體上只包含到中間階層左右，根據出資比例選出董事，進行經營管理與分擔，在這種情況下，日本人到中國去能進行管理嗎？

　　戴：兼顧現行的體制，如何進行處理的問題吧！

　　中山：如果日本人在這樣的層面下，進行全面管理的話，長期來看，就不得不形成「租界」〔譯註：比喻形成「日本社

區」〕了。因為不得不帶太太、孩子一起來啊！即使把孩子們寄
託在日本，或辦起日人學校等。總之，太太不與丈夫一起去的話
還是不行的。如果這樣的話，就希望有吸塵器、有洗衣機、有冰
箱。那麼，就像日本在剛剛結束二次世界大戰之後時一樣，形成
了像代代木集體住宅區一般。如果寶山鋼鐵廠等真的動工的話，
派出去的人口規模就會達到幾千人，就會變成如此。

　　這只是所波及到的問題，但是經營管理的負責人，果真會按
照這樣的出資比例來分配嗎？在這點我持相當的懷疑。今後必須
解決這個課題。

　　但是，在進入香港對面的深圳、前往廣州途中的地區內，在
那裡的香港商人正在做的合資經營，已經形成了幾種類型。

　　土地、建築物與工人由中國提供，然後是設備的投資、原料
及副原料的供給由香港方面提供，產品百分之百出口到香港，這
便是現在正在進行的模式。也不能不說是合資經營，就此意義來
說，現在香港人所做的合資經營，與前面我所提到的日本人的正
統合資經營，還是有點不同的。

　　我認為中國方面對有關從自由主義諸國進來的外資，或者是
有關合資經營的完整規則、接受外資的法律體制等方面還沒有成
熟。今後會根據各個不同的具體例子、不同的業種來採取不同的
形式，在經過對類似若干事例重複研究的過程後，會發現每種行
業的作法，慢慢地訂出遊戲規則。

　　即使是從以前中國與日本之間的貿易狀態來說，經由前面所
提到的決算方式，從將對開信用證的決算方式，產生出湯姆生方
式的決算方式，得到了各式各樣的發展吧！往後應會進行與此相

同的個例研究累積的⋯⋯

又，以可口可樂公司為例，這是百分之百拿到對方的國內市場消費的，又該如何為外匯配額部分提供保證呢？製成的可口可樂不是出口，而是提供國內消費所需，對此又該如何制定規則呢？這在今後將是很棘手的研究課題。

而與剛才戴先生所提出的第二個問題相關聯的，就是與新加坡的華人間進行有關設立啤酒加工廠的提案。青島啤酒雖然已出口到倫敦，也出口到紐約以及世界各地⋯⋯。

戴：就是過去德國人所創辦的工廠吧！

中山：是啊，用玻璃瓶裝，兩打（24瓶）一箱放進硬紙箱內出口的。

戴：你在日本有沒有喝過？有樂町的日劇音樂大廳的啤酒亭也有啊。（笑）

中山：然而在國際市場上，瓶裝啤酒從商品競爭力來看，就有點不足了。既笨重又需要回收啤酒瓶，放進冰箱裡也很難一下子就變冰涼，而且還占空間，但罐裝啤酒就不一樣了。因此，我的新加坡華人朋友前往參加交易會時，作出如下述的提案。聽到提案之後，他們說這是一個非常有意思的方法，為了達成將青島啤酒做成罐裝啤酒，需要進行怎樣的設備投資啊，以什麼形式回收投資呢？當談話深入到原則性階段時，這位新加坡的華人朋友說，由我來開設罐頭工廠，錢就由我來出吧！把工廠就蓋在青島啤酒廠的旁邊，不論產品是通過工廠的模式來處理，不管出口到紐約，或者是出口到東京，全部以折扣的方式來對我進行償還。

戴：總而言之，這就是說按比例退還一定的成本⋯⋯。

中山：正是，因此變成了用啤酒自身來支付投資成本。

這就是說在這種情況下，罐裝啤酒在中國國內是不消費的。在這個意義上來說，可以將其看成百分之百出口專用。因此，設定了對自由諸國的出口價格，並且是用外匯支付的；將其中一部分以折扣的形式，償還給予設備投資與利息部分投資的新加坡華人，這樣做可說是非常簡單。

如果說是合資經營的話，剛才的例子與合資經營相比，在會計方面均是交給對方去處理的。

這位新加坡華人對我說，「我沒有開過罐頭工廠，你認不認識日本現正在製造這類商品的廠商呢（笑）？請介紹一下廠商給我吧！」他說請給他估個預算，我說好吧，就算是接受了他的要求。那麼，因為要在中國做這件事，應該在現在工廠的哪個空間？蓋多大的面積？啤酒的儲存槽是不是必須再做一個？那裡的倉庫又該怎麼辦？就這樣一直談下去，問題一個緊接著一個地被提了出來。

然後，卻對中國青島啤酒的原價計算這點完全沒概念。我說：「這樣的話，是不是應該到青島去調查一下呢？」鐵罐是用硬幣般的原料，經過壓縮後伸展開來而形成的，非常的簡單。但其上面不是有用手指拉起後而打開的東西嗎？那叫作「易開罐」，由美國方面擁有專利權。如果在一分鐘之內做不出600個來的話就不划算。如果投資這個設備的話，那可就夠嗆了。於是，他說我就去買上面那一部分吧！後來他提出不用日本的機器，而是同易開罐一起，設備也由美國進口而來。如果按現在的階段進行下去的話，就變成了美國的硬體，加上日本所擁有的技

術軟體，與新加坡華人的資本與中國國內的土地、建築物、勞動力、原材料等等包括在內的「合資」，將會呈現出一種相當複雜的形式。

我把這當作一個實例研究，如果可能的話，回到新加坡後，想試著把它作一個總結。

戴：想必這會具有參考價值！

日本、中國、亞洲與華僑的相互合作

中山：順便說明，這並不僅是啤酒的罐裝問題。可以看到在戰後的日本，包裝這一領域內的技術層面，已得到了非常好的發展。這雖然是利用了美國的技術，但真空包裝、聚乙烯包裝技術卻很發達。鹹菜經過真空包裝後，即使放了一個月也沒事；茶葉也在經過真空處理之後，被穿上了漂亮的包裝。

現在經過香港流入東南亞的中國食品，數量很大，但包裝確實是太粗糙了，若用自由主義圈內的市場常識來看，可以說完全稱不上是什麼包裝。這樣的話，如果說將這種用來包裝的機器，由日本賣給他們的話，又會是怎麼樣呢？

可是，中國對這樣的東西，不能立刻用外匯來支付。如果用生產出的成品要日本接受也是不行的。如果將產品交給一直在從事中間代理商角色的東南亞華人來處理，再從日本帶去技術與硬體，將產品出售後的收入中一部分用來償還投資，這樣三角關係的合資經營，我想今後是能夠發展起來的。在食品加工領域，我認為是有發展前景的。

　　在這裡我們應該注意的一點是，東南亞華人在資本能力方面，是有一定的限度。也就是說，從銀行借錢來進行大規模的投資，這一點是不太可能的，充其量也只不過是以互助會來集資的形式。不過，與日本資金完全不同的是可以用充分的時間來進行資金回收；即使是自己這一代資金回收不回來的話，到下一代再收回來也是可以的。因為對於他們而言，不論是在廣東也好，福建也好，想在自己出身的故鄉裡建立紀念碑的這種意念，促使他們這樣做。

　　戴：這已經是超出經濟範疇外的想法了，而不是屬於對某某政權忠誠之類的層次問題。是否應該把其看作是對民族的共同感、對「中華」認同心情的一種表露呢？中國社會如何才能夠安定地接受這一切，並使其向下紮根呢？這一點就成了其次的課題了。

　　中山：所言極是。剛才所提的大型專案中，有關作為國家專案的四個現代化中，優先順位比較高的工業方面，應該利用政府借款或金融制度來啟動，這可大大地由日本企業去做。

　　然而，有關在優先順位方面較低，僅需要小規模投資就可以的專案，可出現與東南亞華僑攜手合作的這種想法，不是很好嗎？資金先由東南亞的華僑來調配，然後從向東南亞的出口中抽回來，這種循環式的想法，不是很有意思嗎？

　　戴：而且，市場是在對方那裡。但問題是，東南亞諸國政府對此會如何看待呢？

　　中山：不同的國家對中國，或者是對華人的作法是不同的。假如在印尼、馬來西亞的華人，如果想對祖國進行直接投資的

話，居住國政府會說為這個國家的工業化拿出錢來吧！又何必把錢拿到中國大陸去呢。

因此，比較容易打交道的是由在香港與新加坡的華人主導，將彼此同鄉、親戚、朋友、同學之類的錢集中起來，或彼此共同社會中同伴們的資金集中起來進行投資的形式。雖然是以新加坡或是香港的投資形式出現，但這些錢的出處，卻是由像微血管般散居各國的華人處所彙集而來。我認為其結果將以這樣的方式出現。

戴：但是，以這種方式必須要有一個前提條件，那就是中國要確保政治、經濟形勢的安定；另一點是引進「外資」相關聯的法律體系，必須要加以整頓與確立。因為華僑、華人是以個人信用為中心的，因此資金的動員能力相當薄弱，活動範圍實際上也是很狹窄的。從他們的經營方式中也可以看出來，他們其中的大多數，都不能引進現代化的銀行資金，或者可以說是不想引進現代化的銀行資金。其經濟能力從總體上來說，也是很小且範圍狹窄，這是到目前為止所遇到的瓶頸。就看如何去做，讓華僑的企業精神與近代化能相關聯。自辛亥革命以降，儘管有心的華僑們曾經嘗試過歸國投資，卻被戰爭的動亂，以及惡質的政客與官僚集團吃掉，其結果是吃大虧的苦澀經驗。

能夠保證這種事情不再發生，只有依靠政權當局，別無他法。如果當局能夠真正持續地維持政治、經濟的安定，而且能夠對已經成為中心的「華僑」信用，也能夠積極地提供後援，假如這種形式能夠順利地得以聯動起來的話，一定會變得很有趣。不僅僅是在中國大陸，也會波及到台灣。如果在這之後，能夠為

「華僑」的企業經營、華僑經濟的存在方式帶來嶄新的風氣，那就會成為具有劃時代意義的事了。

中山：成為這個計畫組織者的華人，是過去與中國的國營貿易公司代理進行交易已有十年、二十年時間，具有豐富經驗的人。

戴：這樣的人是能夠得到雙方的信任吧！

中山：對。如果不是這樣的人，而是僅有想法的人，我認為還是存在若干問題。

戴：合乎上述條件的人，應該是在全東南亞的華人、華僑社會裡，也是人面廣而被信賴的人吧！

中山：在當地華人社會中，有確實的聲望與好評的人，而且長期以來與中國從事貿易、經銷中國產品的人。

戴：如果真有這樣的人的話當然很好。

中山：有啊，這樣的人很有可能會成為組織者。

戴：我設想的僅僅是從1920到1930年代之間，確實在新加坡或是在印尼、馬來西亞中比較產業資本化的，但當時還不是華人，而是華僑的例子。這些人雖然為了尋找自己資本發展的新天地而拚命地努力過，但大家都在中途遭到挫折，在遭到挫折的事例中，有的是中間人從而中飽私囊。因此，要重新開始的話，要如何消除這種苦澀的經驗，或者說是如何消除因此帶來心理上的恐懼感，當然會是變成關鍵性的瓶頸。所以，如果不是對雙方而言均具有好評與聲望的人物，是行不通的。

中山：是的，在那個文化大革命、紅衛兵運動的時候，來自海外華人的匯款也減少，投資也一直處於衰退的狀態。那麼，今

後會不會保證不再發生這樣的事呢？我想是不會有這樣的保證的。

其結果是看這時組織者的聲望，然後是看這個華人所擁有的傳統，例如利用互助會的動員能力，或者是為了保險起見，嘗試著分散的資金，如何能夠有效地被活用，歸根究柢就是這樣的問題。

戴：回到前面所提到的三個關係之外的另一個，即是將居住國人們的利益也能編進去的形式出現的第四種關係，是否能夠形成這點呢？總而言之，思考如何讓華僑、華人所居住的國家也能帶來好處的系統，能使雙方關係在未來展望中變得更為樂觀，雖然從某種意義上而言，這只是一種理想而已，但是否有實現的可能性呢？

中山：這就要看是什麼行業了，要是在新加坡的話，我想新加坡政府會積極地提供幫助的。

戴：因為如果不是這樣的話，其結果無論對中國的外交政策，還是對華僑、華人而言，均會形成一種負面的東西，從根本上來說是這樣的。的確，或許對中國本土經濟發展能起正面作用……。但相反的是，對中國的對外政策、華僑處境變成負面的作用，那也是不行的。希望如果最後不能提出資產負債表那樣急功近利式的處理方式，這最好能夠加以避免。

中山：在這種意義上來說，殼牌（Shell）石油要在新加坡建立提煉石蠟成分含量高，而且是屬於重質油的中國原油煉油廠。這應該是符合剛才戴先生所提到的想法，在各方都能夠得到滿足的好主意。

　　在中國進行石油開發，買下產出的石油，與中國的關係到此
為止。在這裡總算收到了投資效果，但因為是重質油，因此還不
能立刻成為商品。

　　這樣的話，在新加坡經過處理，將石油中的石蠟分離出來，
再賣到世界市場。在這裡的世界市場，實際上大概是指日本。因
此我認為這種作法在這個意義上而言，是使各個相關的方面都能
夠得到滿足的獨特好主意。

　　戴：不管怎麼說，僅有三者關係的發展還是會受到限制的，
必定會衍生出新的問題，這一點正是我所擔心的。還是希望能用
將居住國的經濟發展、在居住國的發展等都納進去的視野來思考
問題。這雖然很困難，但是不是應該考慮到這點呢？

　　中山：對啊，這是應該被充分考慮到的問題點。但是，我認
為在東南亞的華人們，對居住國政府的保證卻是不怎麼相信的。

　　因此，僅僅在自己的私人企業、華人社會之中，以互助會的
形式將風險分散，在共同承擔風險的同時，將資金聚集起來，從
規模較小的輕工業開始出發。

亞洲諸國的工業化

　　戴：最後一個問題，即有關華僑、華人對居住國政府不信任
的問題，居住國的領導階層也不信賴他們。偶爾還甚至考慮到把
他們做為勒索政治資金的對象，或者是當成代罪羔羊以為轉嫁國
內矛盾的對象而加以利用。對於兩者之間的相互不信任感，難道
就沒有解除或者緩和的方法嗎？

　　中山：有關這一點，例如即使在擁有75％華人的新加坡，領導著政府的領導者們、菁英們，都是一些不會說華語的人。

　　當地資本家的華人，與其說他們是商業資本，或者說是金融資本的東西，大體上來說有相當多當地土生土長的資本。儘管有土生土長的資本，但我並不認為這一定會與工業化相連結，連新加坡都是這樣的。

　　戴：寧願引進多國籍的企業，使其與自己的資本一起發揮作用，使自己的部分資金處於隨時都可以活動的狀態。毫無疑問的，這是由於長期的政治、社會的不安定而養成的可悲習性，但我心裡還是感到很難過。

　　中山：在新加坡的工業化過程中，實際上一半以上的工業資本是外資。這是李光耀先生於1978年去美國時，在電視會談中直言不諱所說的。他拿出了一些資料提出這樣的報告，他說，在新加坡的工廠中，由當地資本經營的工廠，倒閉的比例是這麼的多；而與歐洲、美國、加拿大、澳大利亞、日本等這些外資相關聯的工廠，倒閉的比例卻是相當低。由此可知，新加坡的在地資本向工業化過程的轉化是很困難，進行得非常不順利。

　　戴：失敗的原因在哪裡呢？

　　中山：確實是由於華人對工業經營的不習慣，然後是由於工廠經營這類東西，在規模擴大的情況下，必定需要依靠他國資本。這樣的話，正如同剛才戴先生所說，如果要從銀行融資的話，利息太高。因此很難從家族經營的範疇中蛻變出來。

　　戴：總之是說很難超越。也可說是經營感覺的問題，以及對華僑資本的過高評價。我只要有機會就會強調，要直視其依然保

留著商人資本行為的這點，再對其進行定位與分析，是非常重要的。

　　為什麼一直是這樣的呢？這與華僑、華人自身存在問題相關的同時，也與整個社會環境問題有關。因為他們常常處於不安的心理狀態之中，由於這種心理從中作祟，所以很難抓住向產業資本轉化的契機。對於「華僑」們來說，契約化的社會關係，依然是一個相當遙遠的存在，直到今天還是如此。

　　中山：這就是說，即使是資產家這類人，也不會將財產交給自己的骨肉以外的財務負責人。在他們的心目中，除了前面所提到的同心圓構造所形成的共同社會，在這之外什麼都不是實際存在的東西。

　　戴：我只到東南亞華僑社會旅行過一次，現在生活在日本的華僑社會中。此外，雖然時間很短，但曾到過加拿大以及美國的華僑社會兩次。在感到「啊，真了不起！」的同時，相反的卻也感受到，為什麼百年的歷史竟會是這般的毫無意義，僅僅只是時光的流逝而已。也許我看到的只是一種表象，但我一路上深深地感覺到的是那種難受的感覺，也可以說是愛恨交加的矛盾情結。

　　在認可唐人街活力的同時，看到那種「髒亂」與沒有超越中國人所擁有古老體質的現狀，在某種意義上來說，我感到非常的難過。

　　儘管如此，當我開始轉到大學工作時，碰到了一種有趣的現象。我一個人在編輯著一份小報的同時，一邊也在進行著在日華僑的啟蒙運動。但部分華僑打從心裡就是對學者抱持蔑視的態度，雖然應該被蔑視的學者現在很多，過去也不少，即使是日本

的社會也是這樣的，但在日本國內還稍稍具有與華僑世界不相同的一面。對淨說一些觀念理論的人，會適當地吹捧一下，此後是巧妙地加以利用；在關鍵時候，則很明確的利用學者、研究者的意見與理論。這是因為所謂的日本企業，已經實現了產業資本化，規模也變得很大。如果不借助於文殊智慧〔譯註：超眾的智慧〕以上的智慧，就不能營運下去。然而我們華僑們都是一個人單槍匹馬就行的。（笑）只要有錢就行，雖然這只是一些小錢，作為能夠進行周轉的流動資金，充其量也只不過只是數億元而已。

　　然而，他們在蔑視學者的同時，卻非常想讓自己的孩子進入好大學。他們儘管對我並不怎麼尊敬，但在有關孩子升學的問題上，卻來找我進行各式各樣的商量討論。就這樣，有一天我怒從中來，說道：「諸位，並不是學者不好，值得輕蔑的學者也是有，像這樣的人不是真正的學者，是腐儒，即是已經腐敗的學者。儘管大家的企業規模很小，沒有實現現代化；但是因為小，不必利用研究與理論，但進而把理論、研究、學者等都看作是傻瓜，這就是大家的認識不足了。」我對幾位同鄉說，他們是經驗主義的崇拜者，如果僅僅只是停留在這一階段的話，第一步就不會提升。不能跨越自己的框架與現狀、不去摸索並非單純進化的超越方式，只能說離走向普遍化的道路還很遙遠。另外一點，將孩子送到名校去，並不是為了將來的結婚典禮；將孩子送到好學校，也並不是為了使其將來能擁有超過做家長的學歷，與內在的知性毫無關係。如果是這樣想，就成了「穿新衣的國王」。培養擁有新視野後輩，才是最重要的。如果只是為了在舉行結婚儀式

的時候，介紹小孩是某某大學畢業的等等，以達到自我滿足的這種想法，那麼一切只不過是虛構而已。我對某位朋友說。他們其中的很多人還沒有意識到自己所面臨著的危機狀況，這真令人感到困惑啊。

中國人的生活哲學

中山：有個真實的故事，日商岩井及某廠商，與住吉隆坡郊外的某華人進行過交涉，這位華人與我同歲數，是在印尼發生「九三〇事件」時，逃到馬來西亞來的。此後在那裡經營與纖維相關的加工工廠，一切都進行得非常順利。

因此，日本的廠商希望能夠長期供應原材料，我所在的商社也希望通過經銷其產品而賺取利潤，就這樣在受嘮嘮叨叨的催促下進行交涉。因為對方只會說華語，我便在交涉的全程充當翻譯。

在這之後，「中山先生，你能不能過來一下！」那位叫姚先生的人，把我叫到了別的房間。他說：「咱倆果真是同年的啊！我從印尼撤到這裡，開設了這家工廠，走到現在這個規模，已經不用為生活而操心，孩子也送進了好學校，我自己對此已經感到非常滿足。如果想照你們所說的，擴大工廠規模也是可行的，但那是因為你們需要多少錢都可以從銀行借到，而可以注入資本吧！可是對我而言，不過是徒增辛勞。為了維持資本比例，怎麼樣才能籌措到資金呢？你們銀行貸款的利息與我所貸來的銀行貸款的利息，是完全不一樣的。而且當社長這個角色雖然很風光，

但從早到晚會變得更忙。我們都是同齡人，對於這一點你也是知道的吧！這麼費勁的事就算了吧！」

聽到這些話，我說：「明白了。」回去之後，我說：「喂，對剛才談的那件事我放棄了。」（笑）但無論是我們營業本部的人還是廠商，都對此感到相當不滿。

戴：中國人的生活哲學是什麼，是「知命」。就是說知道自己的天命，換成一種現代式的說法就是，確立自己人生的座標軸，並且一直凝視著。我認為這一點是中國人好的一面，也是不好的一面。知命的負面，就是將自己束縛住而不往前進，不繼續向前發展，等同扼殺自己將飛躍的那株芽苗。

中山：與此相反，日本人在不知道天命這點上，也是缺點。（笑）

戴：如果說不知道「人生」，這好像有點怪，但確實是不知道「人生」的啊！

中山：哎呀，日本的「媽媽怪獸」很多，從幼稚園到小學的嚴格訓練開始，到大學畢業進入一流的公司，一直到退休……。自此為止的一生故事，我於前年末，用華語講了兩個小時的課，題為「如何去理解日本人的行為」。

聽完這個演講的年輕人跟我說：「中山先生與那個中華人民共和國的人民幾乎沒有什麼兩樣啊！」（笑）因此，我回答道：「不，五十步與百步之間，還有五十步之差啊！」

戴：用中國話來說，會用「他們沒有人生」來描述。用日本式的說法，就是沒有從容地度過人生，或者說不能享受人

生……。耽誤您這麼長的時間，謝謝。

本文原刊於《日中経済協会会報》，東京：日中経済協会，1979年
4、5月號。原題「生活の原奌からみた日本とアジア」（從生活的原
點看日本與亞洲）

後記：為自己立證

　　去年秋天，承蒙研文出版社的厚意，凝聚了我小小的「研究成果」，使得第一部作品《台灣與台灣人》，得以與廣大讀者見面。

　　在不到半年的時間內，便得以重印三次，真是令我感到榮幸萬分。對於各位書評者，以及廣大的讀者諸賢的厚愛，我所能做的僅僅是向各位鞠躬致謝而已。坦白地說，在收到充滿好意的書評及讀者卡之前，我只是一味地陷入於「自我厭惡」的情緒之中。

　　因為來自靈魂深處的另一個「自我」──「戴君」的聲音，不間斷地向我襲來：

　　「喂，戴君，是不是該就此住手了。日本對台灣的殖民統治，已經是遙遠的事了，你到底到什麼時候為止，才不拘泥於『台灣』、『殖民地體驗』、『殖民地主義』這些東西呢！這有一點不太像你了。從一開始拘泥於『台灣』這一點本身，不就是吃力不討好的事嗎？應該到了從『台灣』畢業的時候了吧……。」「戴君」這樣對我說。

　　另一方面，對於「戴君」的聲音，真正的戴君曾嘗試著這樣

回答：

　　「『戴君』，不要這麼焦急嘛！我僅僅是在履行自己加在自己身上的『義務』而已。雖然這是一件非常費勁的事，也只能在『一邊懷疑』、『一邊困惑』的同時，去履行義務，或者說好像是在履行自己的義務。我並沒有像你所擔心的那樣縱容自己。我對自己住在日本，家人在有良知的日本人知己庇護之下生活的這一點，心裡是非常明白的。正因為對此很明白，所以我才想向有良知的日本人諸位呈上我的一番『逆耳忠言』。而且我並不像你所想要想的那樣，以為『戰爭的陰影』已經成為過去，『殖民地主義的淒慘，對人破壞的傷痕』已經癒合，因此我還是拘泥於『自我』。為了像人一般地活著，並且證明自己確實是活著的『立證』，我把這件苦差事，這件多數『聰明人』置之不理的研究當作『義務』，強加於自己的身上……。而且也許諸位聽到這種理由會感到愚蠢可笑，我感到講述『真實』，如果可能的話，想將『誠實』的聲音留給世間的這種強烈欲望，一直在向我施壓、追逼著我、催促著我。因此，我不敢忘記，一直在進行著『我』的事業。」

　　不管怎麼樣，我稍稍戰勝了再次向我襲來的「戴君」聲音，編撰而成的就是此書。因此，我希望讀者諸賢能將本書看成是繼《台灣與台灣人》之後，凝聚了我研究成果的第二部作品。

　　此外，本書是我以華僑為主題所撰寫的第一本。現在回想起來，從第一次造訪東南亞華僑社會，並以此為契機，開始在公開場合談論華僑問題，已經是十年前的事了。

　　我對東南亞的初體驗，是在馬來西亞發生「五一三事件」

（1969年5月13日在吉隆坡發生的人種暴動事件。在這次事件中多數的「華僑」慘遭殺害）後，尚餘波蕩漾的同年12月。

我開始對「華僑」問題，從少數族群的面向來進行探索，最早的開端也是根源於此。人世間常常受到傳統「常識」及「公的原則論」所囚禁，人們甚至懶得對自己的靈魂看上一眼，不，是對此感到「羞恥」吧！一般都是試圖一腳跳進所謂「普遍」的這一隱身簑衣中藏起來。這個時候，我預感到了「奧斯威辛慘劇」*在東南亞的再現，誠惶誠恐地感到應該站在人類的立場上（絕非只局限於中國人一員的狹隘立場，將自己封閉起來的發言。今後也毫無以十億中國人的代表自居，而進行言論活動的打算。）希望共同摸索走出死胡同，我所要講的就是這一點。

我的確曾認為應該從「自下而上的現代化路線」中，尋求解決華僑問題的線索，並對其似乎是給予了過高的期待，對中南半島的「解放」則給予了過高的評價，對於解決「華僑」問題的新範例，是在中南半島三國的再建過程中，從解放的一方能夠提示。我雖然曾抱著或多或少的疑慮，但不管怎麼說總算期待過了，不，也許應該說是曾抱有過冀望。但南中國海發生的類似奧斯威辛慘劇，顯而易見的，完全打碎了我的樂觀主義，這真是令人感到傷心。

兼具自我批判，同時在為自己這段研究告一段落的意義上，在這裡我將我這一本不成熟的「華僑」論付梓，以饗各位讀者。希望我的這一本小小的、獨具一格的「華僑」論，如果能夠多少

---

* Auschwitz，納粹德國於二戰時在波蘭設立的集中營，約有二百萬人在此遭到殺害。

成為有良知之士、對少數族群問題感興趣的好學之士的「棒捶石」的話，本人會感到榮幸萬分的。

完成了新寫的稿子〈給日本華僑的信〉（見本書輯二第一篇），進行初校後曾仔細思考，結果是發現本書也是與《台灣與台灣人》一樣，以「我」為基點，無限地拘泥於「我」的這一點。

我覺得自己像是想要對自己、家人，然後是「華僑」、更進一步是華僑周圍的這些人們，說一點什麼而寫下這些東西似的。

我在這裡想再次要強調的是，對少數族群不能採取寬容態度的社會，對該社會的多數族群而言，也絕非是一個好居住的社會，更進一步而言，也不會成為一個適合居住的國家。

而且，我要奉勸、請求諸位「華僑」的朋友們，能夠拿出勇氣與毅力，誠實地去面對自己身上與自己的過去、現在，甚至是具有與未來相連結可能性的「醜陋」的體質、形象。

認識到自己的局限與負面，把這個局限性、否定面化作動力，才能主體性地參與到歷史的活力之中去。我堅信如果不是這樣的話，就會化作歷史的「灰燼」，隨著時間的流逝而消失。

我們必須像人一樣地活著，為了這一點，也應該對包含自身在內的「他人」，毫不倦怠地繼續探究。對於將自身正當化、不允許批判的自我滿足，陶醉於他人奉承中的「華僑」陋習，應該盡快認識到並將其克服，以實現自我的超越。為了達到這一點，希望彼此都能付出努力。

最後，對接受採訪、提供資料，甚至是直到本書完稿為止，曾提供過幫助的諸位鄉親們，各家報紙、雜誌的諸位兄弟姊妹，

還有為本書的刊行付出辛勞的以山本實為首的各位，特別是我所
敬重的中山一三，表示深深的感謝。

　　謹以此書奉獻給
　　曾是日本華僑之一員的亡兄國堯
　　還有曾為殖民地的「開發」流血、流汗
　　最終被迫無辜地死去的
　　「華僑」先輩們

1980年9月9日

《華僑》譯後記

◎ 雷玉虹

完成戴國煇教授的遺著《華僑——從落葉歸根走向落地生根的苦悶與矛盾》一書的翻譯工作已有快兩年了。曾期待自己在譯完這一部著作後會有一種輕鬆的解脫感，但至今為止，心中充滿的仍是誠惶誠恐的感覺。要將戴教授的思想準確地用中文表達出來已不是一件易事，而要再現其日文中的那種優雅的文筆對我而言則是勉為其難了。我所能做的只不過是盡可能準確地將他的思想用通俗易懂的中文表現出來而已。令我自己感到欣慰的是，我總算實現了自己對戴教授許下的諾言。

華僑殿堂初入門

1994年4月至1995年3月間，有幸在東京立教大學聽戴教授的華僑及有關中國近現代史的課，並參加每周由他主持的討論會，也得以有較多的機會與他和其他朋友討論許多相關的問題，獲益匪淺。

聽戴教授的課，最大的收穫是開闊了我的視野，並讓我學會

了主動的思考。當時我剛去日本不久，日語很差，雖然能看一些簡單的文字資料，但聽課卻是連猜帶懵，只能聽懂個大概，許多精采之處尚不能理解。在我聽的兩堂課中，都只有我一位中國人，其餘均為日本學生。為了讓日語不太好的我也能理解他講的內容，戴教授在上課時，有一些他認為比較重要的概念、名詞他都會特意寫在黑板上。時過十餘年後的今天，翻開當年的筆記本，當時聽課時的情景依然是歷歷在目。

我的父親是浙江青田人，那裡也是中國著名的僑鄉之一。我從小就聽到過很多關於華僑在海外創業，衣錦還鄉的故事。在我的眼中，華僑的身上不僅有著令人感到目眩的光芒，而且很神祕。直到聽了戴教授華僑的課，我才真正接觸到華僑問題，才了解到華僑與近現代中國的關係，以及華僑在令人眩目的光環下的苦悶與彷徨。通過華僑問題，也加深了我對中日關係與台灣問題的理解與思考。

我曾跟戴教授說，我覺得聽他的課很有意思，可以引發聽者對很多問題的思考，遺憾的是聽眾中除我之外都是日本學生。有一天上完課後他把我叫到他的辦公室，拿出了《華僑——從落葉歸根走向落地生根的苦悶與矛盾》、《台灣與台灣人——追求認同》、《境界人的獨白》、《與日本人的對話》等幾部日文著作，他說希望我以後能幫他把這些著作翻譯成中文。特別是《華僑》和《台灣與台灣人》這兩本書，他認為很重要，希望我能幫他翻譯成中文後在大陸出版。遺憾的是，那時我剛去日本，不但是日文不好，就是對日本文化、日本社會的了解也是空白。所以，這對我而言是比較困難的習題。1994年曾硬著頭皮翻譯了

　　《台灣與台灣人》中的〈我的日本體驗〉這一部分，這篇文章也成了我了解日本的入門教材。戴教授看了我的譯作之後說，他的意思我只理解了70%，希望我繼續努力學習日文，幫他把這些著作翻譯出來。我雖然答應了戴教授，但將其做為未來的目標而放了下來，沒想到這麼一放就是七、八年。

　　戴教授去世之時，正是我在日本生下小女兒之後不久。那段時間既沒有看電視，也沒有看報紙，所以得知戴教授去世的噩耗已是2002年初。我從一篇文章中讀到〈已故的歷史學家戴國煇教授〉的文字時，簡直不敢相信自己的眼睛。1999年春節我還給戴教授台北的家中打過電話，向他們恭賀新年，是師母接的電話。才兩年沒有聯繫，曾是那麼精神煥發，精力充沛，看起來至少活到八十幾歲肯定沒有問題的戴教授居然已經不在人間，真是令人難以置信。在網上尋找戴教授的消息時，讀了《傳記文學》雜誌上陳鵬仁先生寫的文章，才知道戴教授的《華僑》和《台灣與台灣人》兩部著作尚未被翻譯成中文。我想起了當年在立教大學時對戴教授許下的承諾，決定履行這個承諾。我一邊請家人將我存放於北京家中的戴教授所贈的他的全部日文著作寄到我在日本千葉的家中，同時跟戴師母聯繫，告訴她我的想法。戴師母告訴我《台灣與台灣人》一書她已經譯成了中文，《華僑》一書還沒有人翻譯，於是我主動承擔了《華僑——從落葉歸根走向落地生根的苦悶與矛盾》以及《更想知道的華僑》一書戴教授執筆部分的翻譯工作，並主動要求幫助戴師母打印她已經翻譯好的《台灣與台灣人》一書的譯稿，負責校正。

背後的推手 ── 智慧與堅毅的戴師母

　　非常感謝戴師母林彩美女士，她不僅認真校對我翻譯的初稿，改正了許多錯誤，而且為了與我探討書中的一些譯法，還於2003年11月分去日本期間，專程去過兩趟我位於千葉稻毛海岸Winds Town的家中。看到年逾七旬的她親自背著12本沉重的《戴國煇文集》來到我家時，我感動得要落淚。令人欣慰的是，戴師母的腳步很矯健，身體非常硬朗，精力也很充沛。儘管她每天的工作量非常大，但那個時候她看東西是不用戴老花眼鏡的。

　　戴師母做事非常認真，也很嚴謹。在戴教授生前，戴師母將自己智慧的光芒掩藏在戴教授的光環之下，直到戴教授去世後，我們才能看到這位料理研究家性格中充滿智慧與剛毅的一面。我曾與戴教授的其他學生一起去他在東京的梅苑嚐過戴師母親手做的料理，其中南瓜餅與鹽水鴨的味道至今令人感到難忘。戴師母做的料理非常好吃，她寫的字也非常漂亮。讀她的信，看她的字，實乃視覺之一大享受。能先後得到戴教授及戴師母的指教，對我而言也是人生中的一件幸運之事。

　　在這裡還要感謝我的家人，特別是我的先生夏全根和兩個女兒雷莎與雷娜，如果沒有他們的大力支持，我是不可能花費大量的時間來從事這些翻譯工作的。我還感謝我曾經居住過的位於日本千葉稻毛海岸的高州第一保育所的老師們，因為他們允許未達到入幼兒園年齡的小女兒雷娜入所，才使我得以完成這本書的翻譯工作。

　　戴教授回台灣後的1996年秋，我們曾在池袋車站喝過一次咖

啡，聊了半小時。他告訴我，他已經賣掉了東京的房子，書庫的書也已經整理好準備運回台灣去。不過，在我恭喜他終於衣錦還鄉，實現書生報國之志，邁入仕途時，他的回答卻是「伴君如伴虎」。沒想到這是我們的最後一次見面，此後便是天人永隔。

　　謹以這本不成熟的譯作，做為我祭拜九泉之下恩師的祭禮！

雷玉虹

2006年11月吉日補記於上海

【附錄1】
對階層分化與意識構造開鍘

◎ 鮫島敬治*著・林彩美譯

　　舊中國曾經有以上海一帶為據點的青幫與紅幫的祕密結社。現今，把林彪、江青一夥叫作「四人幫」。日語譯成「四人組」，或許因此忽略了看不見的廣大的組織網吧。支撐東南亞的華僑社會，而在那裡盤根的也是幫，而且是複雜錯綜的。

　　有以出生地別的地緣性的鄉幫，以職業別的同業公會性的業幫之外，也有以血族乃至宗族的組織。在曼谷以潮洲系最大，客家居其次；在新加坡是最大規模的福建南部出身者的群體掌控了橡膠，醫藥品是客家的勢力範圍；吉隆坡是廣府幫的天下，怡保的錫礦是在客家的手中。

　　對東南亞的日本經濟發展，從仲介者伊始，商品的零售商、商業夥伴，現地國資本的籌資者，關聯業種的組織者等等，有不少都是華僑的情況。

　　本書對此狀況具體舉例做了提示，並對「華僑」的由來與現狀做了簡單明瞭的解說。1931年出生於中國台灣省，現居住於日本的學究的筆者，著有《與日本人的對話》（社會思想社）、《境界人的獨白》（龍溪書舍），《台灣與台灣人》（研文出版社）等，在亞洲近代史上中國與日本的關係，客觀地直視自己的根，累積研究的成果，因此本書是凝聚了這種對自我歸屬探討的「正面華僑論」。

　　「僑」是，暫居海外之意，抱著將來一定要「落葉歸根」、「衣

---

* 時任《日本産経新聞》論說委員。

錦還鄉」的目標，而持續保持中國國籍者謂之「華僑」。但是大多數華僑，已取得居住國國籍，變成了想走「落地生根」之路的「華人」。問題是，就是這樣的人，也是不分青紅皂白地被當做內部矛盾的轉嫁目標一事，著者將居住國的政治社會結構以及華人社會的階層分化與意識構造一併開鍘，其內心的疼痛，是一股強大的力量壓迫著他。書中對外國人居住者相關聯的記述，是對日本社會國際化的寶貴的錚言。

本文原刊於《日本経済新聞》，1981年1月18日

【附錄2】
值得深思的華僑論
──評介《華僑》

◎ 石橋秀雄*著・李毓昭譯

　　「華僑」一詞多出現在高中世界史的教科書中──姑且不談裡面的敘述是否適當。因此，想必有不少人知道這個用語，但是對其實際情況有所了解的人想必不多，包括這麼寫的筆者在內。這一點也反映在事典之類的書籍針對「華僑」一詞的解說上。儘管表達方式有所不同，但意思多半僅止於「擁有中國國籍，在海外定居或滯留者」之類的敘述。然而，華僑也隨著時代的變遷出現巨大的變化。先前出版過《台灣與台灣人》一書的作者，透過本書向讀者發聲。本書是以作者在1970年代的雜誌和其他媒體上發表的見解編輯而成，目次如下（略）。

　　從目次可知，作者分開使用華僑（保有中國國籍）、華人（加入居住地國籍）和「華僑」（兩者皆是）的用法，並指出了解其中差異的重要性。作者追根溯源，追求身分認同，重視「他分」，以身為一個人，超越民族、國籍的觀點，說明應該分開思考政治認同與社會文化認同，而且強調：無法接納少數民族的社會，對該社會的多數民族而言絕非易於居住之所，甚至無法成為國家。本書蘊含著作者自身的苦惱，其華僑論有值得深思之處，希望能引起更多討論。儘管路途艱險，仍期待誤解能夠消除，展開新局。

　　　　本文原刊於《歷史と地理》第306號，東京：山川出版社，1981年2
　　　　月，頁62

---

* 時任立教大學教授。

【附錄3】
華僑之實像與眞正國際化之道
——評《華僑》
◎ 齊藤孝*著・李毓昭譯

　　關於「華僑」一詞，我試查手邊的國語辭典，發現某本實用的國語小辭典定義為「住在國外的中國商人。華商」。某有名的標準國語辭典是「定居海外的中國商人」。高中生使用的世界史小辭典則是「移居海外的中國人」。

　　以上的定義大概就是一般日本人對華僑的概念。可是作者斷言說：「我不能不說，那是違反事實，全然造成困擾的誤解。」作者的定義很清楚：「華僑是指從中國領土移住到外國領土且保有中國籍的中國人及其子孫住在外國領土的人，但是由中國當局或者是其他公、私機關派駐外國或是居留的外交官、駐地人員、研修生、留學生及其家屬等，則不包括在內」。

　　作者批評說，我們對「華僑」的印象是一種「神話」，也就是對華僑資本的印象中，「第一個神話是認為『華僑』資本擁有全球規模的網絡和組織性的活動」，第二個神話是「把『華僑』資本的總額或規模誇張成天文數字」，以及第三個神話「『華僑』資本無法轉換成產業資本，亦即是有先天缺陷的資本」共三個「神話，不，是偏見」。作者表示以上這些是徹頭徹尾的誤解，並以東南亞各國的實情來說明。

　　本書是有關「華僑」問題的論文結集，對於更正我們對華僑的既有誤會或偏見很有效果。除此之外，本書也告訴我們，越南的難民問題

＊ 時任學習院大學教授。

其實有漫長的歷史淵源。而東南亞各國對「華僑」的政策並不一樣，作者推測華人系住民從「落葉歸根」到「落地生根」是一條艱辛路途的說明，也具有說服力。

　　但是，如果把本書視為純粹要讓人對被稱為「華僑」的人有所了解的書，那就違背了作者的真正意思。作者想要傳達的是，國家與民族在現代世界中的問題情況，以及個人在其中的生活依據。「對生活在現代的我們這些個人而言，國家、國籍、市民權，以及所謂的對國家的忠誠，究竟意味著什麼呢？」（本書頁239）此疑問可以說就是本書的主旨。對於「現今仍對血統主義信奉不移的日本人」，作者慷慨激昂地表示：「血統關係並不能決定一切。（本書頁240）

　　　以西歐為中心所形成的近代，一方面人種主義與種族歧視被重新
　　　組合成「白人」與「有色人種」問題的同時，白人群體間的「血
　　　統」神話克服了。第二次世界大戰之後，伴隨著有色人種的抬
　　　頭，相反的，有色人種的「血統」神話被強化再編。（本書頁45）

　　作者這樣的觀察正中核心。

雙重身分認同

　　日本人應該國際化的呼聲已經喊了很久，可是國際化並不只是指日本人到了外國應該要如何行動，也包含應該如何接待從外國來的人。本書收錄的作者與中山一三的對談中，中山如是顯出他的見識：

　　　日本人儘管也都在喊著要國際化，其內容即是從日本到外國去，
　　　為了達到這個目的而掌握必要的技術，這就是日本人所謂的國際

化……外國人來到日本，在日本成為普通的市民，不僅僅是有錢
人，也把中等以下的人當作市民來接受，還是很難加以想像的。
若不對大和民族盡忠誠者，會被指摘為異端分子而遭受排斥，我
想這種社會的體質如果不去除的話，日本人就不能進行真正意義
上的國際化。（本書頁318）

《世界人權宣言》有這麼一條：「人人有權離開任何國家，包括
其本國在內，並有權返回他的國家」，也認同「人人有權享有國籍」和
「改變國籍」。但是在另一方面，人是在某個民族語言中成長，具有該
文化的特質。對於在籍的國家與自身文化的差異，作者提倡「雙重身分
認同」的觀念：「應該要將政治認同和社會或文化認同分開思考。我覺
得以之為人原本應有的方式是很自然的。」

總而言之，就是將國籍與文化、社會分開，依個人加以整合，重
新建構。保持與國家的契約關係和固有文化，這樣的雙重忠誠實際上
並非容易之路。可是，在全球人類的交流和移動預料會愈來愈激烈的現
今，日本人對於作者所提的「雙重身分認同」的觀念，非得好好斟酌、
消化不可。

本書談論的不只是「華僑」問題，對於現代世界中的民族與國家
問題，作者也以其實際感觸為依據，提出諸多論點。

本文原刊於《エコノミスト》第2408號，東京：每日新聞社，1981年
6月2日，頁103～104

譯者簡介

李毓昭
1961年生。中興大學社會學系畢業。曾任出版社編輯，現爲專職譯者。譯有：《銀河鐵道之夜》（晨星）、《顏面考》（晨星）、《霍去病》（實學社）等。

林彩美
1933年生。中興大學農經系畢業，日本東京大學農經系博士課程修畢。旅日長達40年，中華料理研究家，曾主持梅苑中華料理研究室（日本）二十餘年。致力於梅苑書庫的保存與研究，長期投入《戴國煇全集》的編譯工作。
著有：《中菜健康瘦身法》（文經社）、《新灶腳的健康料理》（文經社）等；主編：《戴國煇文集》；策劃：《戴國煇全集》等。

陳鵬仁
1930年生。美國西東大學文學碩士、東京大學國際關係學博士。曾任東吳大學日本文化研究所兼任客座教授、日本拓殖大學客座教授、中國國民黨中央史委員會主任委員、東京大學客座研究員等，現任文化大學日文系教授、武漢大學客座教授。
編譯著有：《被遺忘的戰爭責任》（致良）、《日本近現代史》（空中大學）、《萬葉集與六朝詩——悲哀與唯美之起源》（致良）、《近百年來中日關係》（水牛）等一百七十餘本。

雷玉虹
1964年生。北京中央民族大學民族研究所碩士，現爲上海復旦大學國際關係與公共事務學院博士候選人。曾任北京中國社會科學院台灣研究所

助理研究員，日本東京立教大學文學部獎勵研究員，兼職英日文翻譯。
譯有：〈台灣的民族性和交叉文化關係〉、〈印度——馬來西亞群島的
史前史〉、〈泰國的苗人〉等。

（以上依姓氏筆畫序）

日文審校者簡介

林彩美
（簡介略，見前述）

戴國煇全集 11
【華僑與經濟卷二】

著 作 人　戴國煇
策劃／總校　林彩美

編 輯 製 作　財團法人台灣文學發展基金會
　　　　　　10048台北市中山南路11號6樓
　　　　　　02-2343-3142
編 輯 委 員　王曉波　吳文星　張錦郎　張隆志
　　　　　　陳淑美　劉序楓（依姓氏筆畫序）
主　　　編　封德屏
執 行 編 輯　江侑蓮　王為萱
美 術 設 計　不倒翁視覺創意

出　　　版　文訊雜誌社
發 行 人　王榮文
發 行 所　遠流出版事業股份有限公司
　　　　　　10084台北市中正區南昌路二段81號6樓
　　　　　　（02）2392-6899
　　　　　　http：//www.ylib.com

排　　　版　浩瀚電腦排版股份有限公司
印　　　刷　松霖彩色印刷事業有限公司
初　　　版　民國100年（2011）4月
定　　　價　全27冊（不分售）精裝新台幣16,000元整
ISBN　978-986-87023-5-6（全集11：精裝）
　　　　978-986-85850-4-1（全套：精裝）

國家圖書館出版品預行編目（CIP）資料

戴國煇全集. 10-12，華僑與經濟卷／戴國煇著.
　-- 初版 .-- 台北市：文訊雜誌社出版；遠流
　發行 , 2011.04
　　冊；　公分
ISBN　978-986-87023-4-9（第1冊：精裝）.--
ISBN　978-986-87023-5-6（第2冊：精裝）.--
ISBN　978-986-87023-6-3（第3冊：精裝）

1. 史學　2. 文集

607　　　　　　　　　　　　　100001709